MORDS
FRAUEN

Doris Gercke

Weinschröter, du mußt hängen

Ein Fall mit Liebe

Zwei Romane

Umwelthinweis:
Dieses Buch und der Schutzumschlag wurden auf chlorfrei gebleichtem Papier gedruckt. Die Einschrumpffolie – zum Schutz vor Verschmutzung – ist aus umweltverträglichem und recyclingfähigem PE-Material.

Genehmigte und ungekürzte Lizenzausgabe für
B+S Reihenwerke Verlags GmbH, Stuttgart 1997

Umschlaggestaltung: Guido Klütsch, Köln
Umschlagfotos: Foto-Grafik Roeder, Ann Cutting /
G + J Fotoservice / Photonica
Herstellung und Satz: Alinea, München
Druck und Bindung:
Graphischer Großbetrieb Pößneck GmbH
Printed in Germany
Titel-Nr. 08253 7

Weinschröter, du mußt hängen

Für Mücke, Matti, Martin und Yogi

Weinschröter, schlag die Trommel,
bis der bittre Bauer kommt.
Mit den Grenadieren
mußt du fortmarschieren,
mit dem blauen Reiter
auf die Galgenleiter.
Weinschröter, du mußt hangen,
bist bei Nacht zum Weib gegangen.

Napoleon, Napoleon,
was macht denn deine Frau?
Sie wäscht sich nicht,
sie kämmt sich nicht,
sie ist 'ne alte Sau!

Es kam nicht oft vor, daß sie mit mir sprachen, eigentlich sogar sehr selten. Manchmal dachte ich, es wäre, weil ich zu häßlich bin. Als sie mich ansprachen, waren die Vorbereitungen schon vorbei. Der Abend war warm. Sie saßen neben dem Feuerwehrhäuschen und tranken Bier. Ich ging hin und setzte mich neben sie. Sie gaben mir Bier und redeten weiter, so als ob ich gar nicht da wäre oder als ob ich dazu gehörte. Wie das Gras, auf dem wir saßen, oder die Margeriten. Die schimmerten weiß, weil Vollmond war.

Sie sprachen nicht mit mir, und ich hörte ihnen nicht zu. Es war mir recht, in der Dunkelheit zu sitzen, neben ihnen, und Bier zu trinken. Das war schön. So war es noch niemals gewesen. Deshalb überhörte ich auch die Frage, die sie an mich richteten, und sie mußten sie zum zweiten Mal stellen. Sie hatten gefragt, ob ich glaubte, daß es leicht sei, einen Eber zu melken.

Ich sagte, das sei bestimmt nicht leicht, denn ich

hatte schon genügend Eber gesehen und hatte Angst vor ihnen.

Seht ihr, sagte sie, sie sagt es auch, und sie muß es ja wissen.

Sie lachten leise, und ich lachte auch, weil sie mir noch ein Bier gaben und der Abend noch nicht zu Ende war. Und weil sie mir recht gegeben hatte, deshalb lachte ich auch.

Ich weiß jetzt, warum sie immer wieder von dem Eber sprachen, aber damals wußte ich es nicht. Vielleicht hätte ich es wissen können, wenn ich mich an ihrem Gespräch beteiligt hätte. Aber es wäre gegen die Spielregeln gewesen. Ich saß da, trank Bier und war glücklich.

Ich weiß, daß sie es war, die mich gefragt hat, ob ich mitkommen will. Ich war nicht mehr ganz nüchtern. Ihre Gesichter um mich herum waren wie grinsende Lampions. Das fand ich sehr komisch. Wir mußten alle vier lachen. Sie halfen mir beim Aufstehen, aber sie waren auch nicht mehr ganz sicher auf den Beinen, jedenfalls schien es mir so, und wir lachten und lachten. Sie hatte mich eingehakt, und jede hatten wir einen Mann an der anderen Seite. An meiner Seite ging der Wirt. Ich dachte, weshalb es nicht immer so sein könnte, und fing an zu überlegen, wie ich es anstellen müßte, damit sie mich auch am Tage beachteten. Aber ich kam nicht weit mit meinen Gedanken, das Bier, und außerdem war der Weg nicht weit genug, um Ordnung in meinen Kopf zu bringen.

Als wir am Hoftor standen, fiel mir wieder ein, weshalb wir hier waren: Die Männer wollten uns zeigen, wie einfach es ist, einen Eber zu melken. Ich erinnere mich, daß ich keine Lust hatte, mit in den Stall zu gehen. Ich hatte auch Angst, aber sie zog mich weiter.

Der Hof war mit hellem Kies bestreut. Um die Alten nicht aufzuwecken, gingen wir auf dem Plattenweg an der Hauswand entlang. Die beiden Männer gingen vor mir, die Frau ging hinter mir.

Niemand sagte etwas, ab jetzt war es unmöglich, etwas zu sagen, wir hätten gehört werden können. Im Stall war es noch wärmer als draußen. Er war niedrig, ziemlich groß, weiß gekalkt und leer bis auf ein Gestell, so ähnlich wie das, was in der Schule zum Bockspringen benutzt wird. An den Wänden waren ein paar Ringe eingemauert, vielleicht hatten da früher Pferde gestanden. Es brannte das rötliche Licht, das für die Ferkelaufzucht gebraucht wird. In seinem Stall kam er mir plötzlich größer vor, auch seine Stimme klang anders, als er uns sagte, daß wir uns ganz ruhig verhalten sollten. Ich habe es nicht gemerkt, aber jetzt hat sie mir – sie muß es gewesen sein, er war hinter der Stalltür verschwunden, und der Wirt stand mir gegenüber an der Wand – die Handgelenke an die Ringe gebunden. Sie hat ihre Hände auch in die Ringe gesteckt, und so, ohne ein Wort zu sagen, die Rücken an die Wand gedrängt, die Hände nebeneinander in die Ringe gesteckt, sahen wir auf die Stalltür.

Ich hatte Angst, aber es gefiel mir auch, mit den anderen etwas gemeinsam zu machen, und wenn es auch nur so ein Blödsinn war wie jetzt.

Er hatte die Stalltür nur angelehnt, und der Eber, der sie mit der Schnauze aufschob, war riesig. Er kam ganz langsam in den Stall. In dem warmen Licht sah er braunrot aus und friedlich. Er schnüffelte am Boden, der Mann hatte hohe Stiefel an, er ging hinter ihm und lenkte ihn mit einem Stock. Sie trotteten einen Halbkreis, und er lenkte ihn hin zu dem Bock. Der Eber beschnüffelte den Bock. Er besprang den Bock, legte sich ganz friedlich über den Bock, sein Kopf ragte in die Höhe, dünne Schleimfäden liefen aus den Winkeln des halb offenstehenden Mauls. Er sah ungeheuer dämlich aus, wie er da hing. Zwischen seinen Hinterbeinen erschien ein langer rosa Schlauch. Er kniete neben dem Eber, faßte den glitschigen rosa Schlauch, steckte den vorderen Teil in eine Plastikröhre und streichelte ihn mit langsamen gleichmäßigen Bewegungen, bis die weiße Flüssigkeit in die Röhre lief. Wir hörten den Eber schnaufen. Er schob ihn vom Bock und führte ihn langsam zur Tür. Niemand sagte ein Wort, bis er zurückkam, die Röhre in der Hand, und die Tür hinter sich zumachte. Da lachte die Frau neben mir.

Das war ja ganz einfach, sagte sie.

Und ich lache auch, alle lachen. Und die beiden Männer gehen an den Bock und schieben ihn gegen die Wand, genau dahin, wo ich stehe. Ich trete zur Seite, aber meine Hände sind an den Ringen festgemacht, und ich weiß jetzt, was sie vorhaben und worüber sie die ganze Zeit gelacht haben, aber ich habe nicht darauf geachtet.

Du weißt, daß du nicht schreien kannst, sagt die Frau. Sie ist betrunken. Ihre Augen sind rot.

Der Eber ist nicht immer so friedlich.

Sie spricht leise, aber sie hat nicht mehr die sanfte Stimme, die mir so gut gefallen hat, als wir im Gras saßen und Bier tranken und die Margeriten gesehen haben. Sie hat wieder die Stimme, die ich kenne, wenn sie über den Hof nach ihren Kindern schreit.

Die Männer sagen kein Wort. Ich liege mit dem Rücken auf dem stinkenden Bock, den Kopf an der Wand, meine Hände stecken in den Ringen. Sie haben aus der Röhre eine Spritze gemacht. Sie haben meine Hose ausgezogen. Sie haben meine Beine festgehalten. Er hat mit seinen fetten Fingern zwischen meinen Beinen gerieben. Sie haben mir das Zeug eingespritzt. Sie haben gelacht.

Draußen war alles ruhig. Es muß noch der Mond geschienen haben, wie sonst hätte der Kies so hell sein können. An der Stelle, wo wir gesessen und Bier getrunken hatten, war das Gras noch niedergedrückt, eine größere Fläche, auf der drei Personen Platz gehabt hatten, und eine kleinere Fläche, da hatte ich gesessen. Ich blieb einen Moment stehen, um meine Hose anzuziehen. Sie stank nach dem Bock, und ich übergab mich. Ich habe lange dort gestanden, glaube ich. Ich hätte gar nicht weitergehen können. Ich konnte nur würgen. Als ich wieder denken konnte, spürte ich, daß die Nacht noch genauso warm war, wie vorher.

Ich stand da und begriff, daß sie über mich lachten und bei der erstbesten Gelegenheit damit angeben würden, wie sie mich reingelegt hatten. Ich haßte sie so, daß ich mich von neuem übergab. Mein ganzer Körper war naß von Schweiß. Ich hab' mir auf die Schuhe gekotzt und hab' sie noch mehr gehaßt. Ich bring' sie um, dachte ich immer wieder.

Bis mir klar wurde, daß das wirklich die einzige Lösung war.«

Ist ein Mann ins Wasser gefallen,
hab ihn hören plumpen.
Hab gmeint, es wär ein großer Mann,
wars ein kleiner Stumpen.

Bella Block stand neben dem Fahrstuhl und wartete.

Der Kopf tat ihr weh, weil sie am Abend zuvor zuviel Wodka getrunken hatte. Die Füße taten ihr weh, weil sie unbequeme Schuhe anhatte. Zwischen dem Zustand ihres Kopfes und dem ihrer Füße gab es einen mittelbaren Zusammenhang. Sie hatte den vergangenen Abend damit verbracht, in Gedichten ihres unehelichen Großvaters zu lesen, was regelmäßig ein fürchterliches Besäufnis zur Folge hatte, wie immer ausgelöst durch die Zeilen:

»... wie sie da liegt ... Hurengeschmeiß
Dich Aas macht auch der Schnee nicht keusch.«

Am Morgen hatte sie, noch immer benebelt, ihre Schuhe nicht finden können. Die Notlösung, um nicht zu spät zu kommen, war knallrot und hatte Vierzehn-Zentimeter-Absätze.

Scheiße, murmelte sie vor sich hin.

Es war unklar, ob damit der Zustand ihres Kopfes, der ihrer Füße oder die Montagsmorgensitzung gemeint war, die sie erwartete. Die war eine der

Neuerungen, die Kohlau, ihr neuer Vorgesetzter, eingeführt hatte. Die Montagsmorgenlage. Er nannte das tatsächlich so und mußte dabei mindestens eine Situation von Mogadischu-Ausmaßen im Kopf gehabt haben, sonst hätte er nicht so ein wichtigtuerisches Gesicht machen können, als er das Montagstreffen ankündigte.

Eine wöchentliche Lagebesprechung hatte es auch vorher schon gegeben. Neu eingeführt hatte Kohlau einen Teil, der politische Information genannt wurde. Er war der Meinung, daß ein Kriminalbeamter nur wirklich gut sein könne, wenn er über politische Zusammenhänge genau informiert sei. Die tatsächliche Folge der Neuerung war, daß sie sich jeden Montag einen Lagebericht anhören mußte, der es an Unschärfe der Analyse mit jedem Biertisch-Politologen hätte aufnehmen können. Die Füllwörter der letzten Sonntagsabendnachrichten kehrten darin ebenso unvermeidlich wieder, wie der Montagsmorgenkommentar der *Bild*-Zeitung.

Darüber, dachte Bella Block, während der Fahrstuhl sie in den ersten Stock transportierte, könnte ich noch hinwegkommen. Schlimmer ist der Teil, der sich an die Lage anschließt.

Kohlau wollte, daß diskutiert wurde. Sie wußte, daß keiner ihrer Kollegen sich für Politik interessierte, aber fast jeder für seine Karriere. Teil zwei der Montagsmorgenlage war also ziemlich bald zu der Veranstaltung geworden, die sie bei sich den Hahnenkampf nannte.

Wirklich, dachte sie, so ist es. Sie betreten, behüpfen, bekriechen, betorkeln die Arena, je nach Temperament, Alter und Intelligenz, scharren mit den Füßen den Sand weg, stellen, setzen, legen oder rollen sich in Positur und fangen an zu krähen. Es wird nicht diskutiert, sondern posiert. Diskussionspartner sind die, die sich als ebenbürtig, das heißt, als um denselben Sessel kämpfend betrachten. Alle anderen werden nur als Publikum wahrgenommen. Da ist zum Beispiel der junge Anwärter aus ihrer Abteilung, der offenbar wirklich Interesse an politischen Zusammenhängen hat. Ein paarmal hat er versucht, sich in den Hahnenkampf einzumischen. Jetzt hat er vorläufig aufgegeben. Sie haben ihm einfach nicht geantwortet.

Er tut mir leid, dachte Bella Block, während sie auf das Konferenzzimmer zuging.

Aber ein paar Jahre noch, und er macht mit, wie die anderen. Bis dahin hat er seine politischen Interessen garantiert gegen die Lust auf Karriere vertauscht. Dann ist er für die Lage ebensogut präpariert wie seine Kollegen. Um Inhalte geht's doch nicht. Das ganze Theater ist so sinnlos, wie das Scharren von Hunden auf Beton, nachdem sie geschissen haben.

Sie öffnete die schwere, innen gepolsterte Tür und betrat den schmalen, langgestreckten Raum. Ihr Platz war in der Nähe der Tür, ein Platz, den sie sich schon vor Jahren mit Ausdauer und Geschick erkämpft hatte. Von hier war ein guter Überblick über die Arena möglich, und sie konnte, wenn es gar nicht mehr auszuhalten war, ohne viel Aufhebens zwischendurch den Raum für ein paar Minuten verlassen. Fast alle hatten ihre Plätze eingenommen. Es fehlten der junge Kollege und Kohlau selbst. Beide kamen kurz nach ihr.

Kohlau hüpft in die Arena, während Beyer kriecht, dachte Bella.

Und jetzt werde ich mich anderen Dingen zuwenden. Es muß ja nicht sein, daß ich Kohlau dabei zuhöre, wie er den Haufen Mist produziert, auf dem er in zwanzig Minuten krähend und flügelschlagend sitzen wird.

Während sie nach dem Block griff, fiel ihr Blick auf den jungen Beyer. Sinnend sah sie ihn an, als sie langsam die Kappe des Füllers abschraubte.

Ich bin ungerecht, dachte sie.

Natürlich kriecht er nicht, noch nicht. Er hat sogar einen ziemlich aufrechten Gang. Wahrscheinlich treibt er mit Vergnügen Polizeisport.

Eigentlich gefiel ihr das an ihm, auch wenn sie im allgemeinen Sport treibende Leute nicht ausstehen konnte. Für Bella gab es nur zwei Sorten von Menschen, die Sport trieben. Die mit dem gesunden Geist im gesunden Körper, die ihr immer äußerstes Unbehagen bereiteten. Und die mit dem ungesunden Geist im gesunden Körper, vor denen sie sich ekelte. Die meisten Polizisten gehörten nach ihren Erfahrungen der zweiten Gruppe an.

Und Beyer? Vermutlich keiner, dachte sie. Er hat etwas ausgesprochen Nicht-Polizistisches an sich. Intelligent, eher sanfte Stimme und ein hübsches Lächeln ...

Sie lächelte zurück, auf ganz vorsichtige Weise nur mit den Augen. Unterm Tisch zog sie die drückenden Schuhe aus. Manche Männer sind von hinten wunderschön, dachte sie. Beyer wird dazu gehören mit seinen langen Beinen und dem kleinen Hintern.

Sie nahm endgültig ihren Block und begann, sich Notizen zu machen für das Gespräch mit dem Staatsanwalt, das sie für den Nachmittag verabredet hatte.

Als sie damit fertig war, hatte Kohlau gerade erst seine einführenden Worte beendet. Sie hätte nicht sagen können, ob es dabei um den Golfkrieg, den Krieg in Afghanistan oder den jüngsten Bandenkrieg auf der Reeperbahn gegangen war. Das Wort Krieg war jedenfalls mehrmals wie eine Beschwörungsformel darin aufgetaucht. Als erster, er war in den letzten Minuten schon unruhig geworden aus Angst, es könne ihm jemand zuvorkommen, meldete sich einer der älteren Kollegen zu Wort. Sie wußte, was jetzt kam, nämlich ein Koreferat zu dem gerade von Kohlau beendeten Vortrag. Dieser Kollege hatte damit gerechnet, und einige andere auch, selbst auf den Sessel zu gelangen, auf dem Kohlau jetzt saß. Daraus war nichts geworden, und so begann jeder Montagmorgen mit einer ausführlichen Wortmeldung seinerseits, in der er, inhaltlich nichtssagend, etwa eine Viertelstunde bewies, daß er auch etwas zu sagen hatte. Das ging schon so über vier Monate. Ein Ende war nicht abzusehen. Der stark ritualisierte Ablauf der Konferenz begünstigte sein Verhalten.

Bella Block, die nicht jedesmal den Raum verlassen wollte, hatte sich nach ein paar Wochen ein Spiel ausgedacht, um ihre Langeweile zu bekämpfen. Sie nahm einen leeren Bogen, schrieb darauf irgendein Wort und begann aus den Buchstaben des Wortes neue Wörter zu bilden. Es war erstaunlich, wie viele neue Gebilde man bei gründlichem

Nachdenken aus so unscheinbaren Wörtern wie Riesenrad oder Tomatenmark gewinnen konnte. An diesem Morgen versuchte sie sich an Mondgesicht und Pampelmuse, wobei die Auswahl der Wörter damit zusammenhängen mußte, daß sie noch immer nicht wußte, wem von beiden Kohlau ähnlicher sah.

Mondgesicht		*Pampelmuse*	
Mond	*Gesicht*	*Ampel*	*Sau*
sein	*seht*	*Muse*	*Mal*
ich	*mein*	*es*	*Summe*
die	*nie*	*am*	*Saum*
Dom	*mit*	*Mus*	*Maul*
Heim	*Gischt*	*Pups*	*Lappe*
Eis	*Sonde*	*Esel*	*Mappe*
es	*ein*	*Palme*	*um*
Ton	*sie*	*Mulm*	*Laus*
Gicht	*Tod*	*Lampe*	*Suppe*
Mensch		*Lupe*	*Summe*
		Puls	*Pampe*
		Maus	*aus*

Es konnte passieren, daß sie beim Nachdenken den jeweils krähenden Gockel aufmerksam-sinnend anstarrte. War ihr eine neue Kombination eingefallen, so beugte sie sich über den Bogen, wie um sich eine kurze Notiz zu machen. Manchmal geschah es, daß sie beim Wiederaufblicken einen Ausdruck im Gesicht des Redners entdeckte, der Zufriedenheit darüber widerspiegelte, daß sie seine Ausführungen wichtig genug nahm, um sich Notizen zu machen. Dann unterbrach sie ihre Spielerei sofort. Um nichts in der Welt wollte sie dazu beitragen, das Selbstbewußtsein ihrer Kollegen dadurch noch zu heben, daß sie als einzige Frau in der Runde aufmerksam an ihren Lippen hing.

Erst beim Teil drei der Lage war sie wieder dabei. Kurz zusammengefaßt teilten die Kollegen jeweils den Stand ihrer Ermittlungen mit. Auch sie sagte ein paar Worte zu der Kindesmißhandlung, mit der sie befaßt war. Damit war die Veranstaltung beendet.

Als sie das Zimmer verlassen wollte, rief Kohlau sie zurück. Er machte das jedesmal mit irgendeinem von ihnen. Bella hatte sich schon gefragt, weshalb sie in den Monaten, seit sie hier war, noch nie zurückgehalten worden war.

Jetzt also, dachte sie.

Frau Block, ich habe Ihre Arbeit beobachtet und bin sehr zufrieden mit Ihnen.

Arschloch, dachte sie, ich weiß selbst, daß ich gut bin. Sie sagte nichts.

Es gibt da einen interessanten Fall – mein Gott, wie er das sagt! Interessanten Fall! Wir haben hier nur mit Dreck zu tun, hat er das noch nicht gemerkt? – wissen Sie, ich habe eine Theorie, über die ich mit Ihnen noch nicht gesprochen habe. Wir sollten das bei der nächsten Lage nachholen.

Ja?

Ich will's kurz machen. Ich bin der Meinung, daß es keine Selbstmorde gibt, oder doch nur in den allerseltensten Fällen. In den meisten Fällen handelt es sich um geschickt vertuschten Mord.

Heiliger, dachte Bella, was habe ich getan, um

mir ein Gespräch mit diesem Dummkopf einzuhandeln? Allein diesen Mann zum Vorgesetzten zu haben, wäre schon ein hinreichender Grund, sich umzubringen.

Ja?

So dumm war Kohlau nicht, um ihr höflich-distanziertes Interesse falsch zu deuten. Sein Ton wurde unpersönlicher.

Ich sagte ja, ich will es kurz machen. Hier ist ein anonymer Brief aus Roosbach.

Er begann in seinen Unterlagen zu kramen, konnte aber den Brief nicht finden. Bella wartete schweigend. Die Sucherei wurde ihm peinlich.

Jedenfalls, im letzten Jahr haben sich dort zwei Leute umgebracht: Eine Frau hat sich auf ihrem Dachboden erhängt, ein Mann sich in seinem Wagen mit Abgas vergiftet. Der oder die Briefschreiber behaupten nun, es sei in beiden Fällen Mord gewesen. Fahren Sie hin und klären Sie die Umstände. Den Brief schicke ich Ihnen, sobald mein Vorzimmer ihn wiederfindet.

Vorgesetzte, die ihre Schlampereien auf Untergebene abschoben, liebte Bella besonders. Sie überlegte. Einerseits sollte die Sache offenbar nur wegen einer lächerlichen Marotte von Kohlau aufgegriffen werden. Es war absolut unüblich, sich ohne Not, und das hieß ohne Anzeige oder Aufforderung des Staatsanwalts, um irgendeinen Fall zu kümmern. Dazu waren sie zu wenig Beamte. Anonyme Briefe waren ziemlich häufig und galten nur sehr selten als Grund, Ermittlungen aufzunehmen. Sie wurden in der allgemeinen Abteilung der Reihe nach abgeheftet, und ihre Funktion bestand darin, gelangweilten

Polizeianwärtern die langen Nachmittage durch lustige Lektüre zu verkürzen. Vor ein paar Jahren hatte ein ziemlich helles Bürschchen dabei die Lösung für einen Frauenmord gefunden, mit dem die Kollegen seit Monaten beschäftigt gewesen waren. Das hatte eine Anordnung zur Folge gehabt, die besagte, daß jede anonyme Anzeige sogleich verfolgt werden müsse. Wie viele andere Anordnungen war auch diese ziemlich bald vergessen worden, einfach aus Zeitmangel.

Sie hätte ohne weiteres ablehnen und ihre Ablehnung mit Arbeit begründen können. Die Sache wäre erledigt gewesen. Aber sie hatte ein Ferienhaus in Roosbach, wovon Kohlau nichts wußte, und sie liebte die Gegend sehr. War das nicht eine Chance, einige Tage Urlaub zu machen, den Montagslagen und den Hähnchenkämpfen zu entgehen? Sie könnte heute nachmittag ihre Ermittlungen in dem Kindesmißhandlungsfall dem zuständigen Staatsanwalt übergeben. Die Sache war für sie sowieso abgeschlossen. Die übrigen Sachen würde sie auf Termin legen und morgen früh nach Roosbach fahren. Bella Block sagte zu.

Als sie den Raum verließ, spürte sie Kohlaus Blick in ihrem Rücken. Sie konnte sich ungefähr vorstellen, was er über sie dachte, während sie die Tür so hinter sich schloß, daß er als letztes ihr linkes Bein, freigelegt durch einen etwas zu hohen Rockschlitz und besonders angepriesen durch die unmöglichen Schuhe, entschwinden sah. Er hätte sie gern kleingekriegt, »gehabt«, wie sie unter sich sagten. Und er wußte nicht, wie er es anstellen sollte. Ihre Person und ihre Personalakte flößten ihm zu viel Respekt ein. Bella war Anfang Fünfzig, wog einhundertfünfzig Pfund, was trotz ihrer Größe von einsfünfundsiebzig den Eindruck »rund« hinterließ. Ihr unehelicher Großvater war ein ziemlich berühmter russischer Dichter gewesen. Diese Tatsache hatte ihr, außer einer großen Liebe für die Poesie, eine komplizierte Biographie und deutsche, russische, italienische und spanische Sprachkenntnisse eingebracht.

Sie war verheiratet gewesen, hatte kurze graue Haare und lebte allein. Kinder hatte sie nicht. Sie hielt sie für überflüssig in ihrem Leben. Hin und wieder und dann für kurze Zeit hatte sie einen Freund. Sie hatte nicht unbedingt etwas gegen Männer, aber viel gegen lächerliche oder ärgerliche Verhaltensweisen, weshalb ihre Freundschaften nie lange dauerten. Bei ihren männlichen Kollegen war sie nicht besonders beliebt. Sie war klug und unfähig, sich auf die dreckigen Witze einzulassen, die unter ihnen üblich waren. Die Frauen an den Schreibautomaten verhielten sich ihr gegenüber distanziert-freundlich. Zu Anfang war es, als warteten sie auf etwas Konkretes, irgendeine unangenehme Eigenschaft vielleicht, um der Ablehnung ihrer Person eine Begründung geben zu können. Dieses Etwas war aber nie aufgetaucht. Und so war das freundlich-distanzierte Verhältnis zur üblichen Umgangsform zwischen ihnen geworden.

Das Haus in Roosbach hatte sie vor sechs Jahren geerbt. Es war in einem ziemlich baufälligen Zustand gewesen, und sie hatte lange überlegt, ob sie die Erbschaft annehmen sollte. Sie fürchtete die viele Arbeit, denn sie war von Natur aus faul. Fast schon hatte sie ablehnen wollen. Und dann hatte sie am Giebel des Hauses, verdeckt durch rissige Farbe, den Spruch entdeckt, und ihre Entscheidung hatte festgestanden. Sie wollte das Haus bewohnen.

Nachdem die notariellen Formalitäten erledigt gewesen waren, war sie ins Dorf gefahren und hatte eine lange Liste aufgestellt, was alles zu tun war, um das Haus nach ihren Vorstellungen bewohnbar zu machen. Aber als erstes war sie in den verwilderten Garten gegangen, um den Spruch an der Giebelwand noch einmal zu lesen:

Wo sind denn unsre Häuser
sie wurden als die Reiser
verzehret durch die Glut.
Wir suchen aller Wegen
wo wir doch bleiben mögen
gleich wie ein armer Fremdling tut.
Man höret auf den Gassen
von denen die verlassen
ein häßlich Angstgeschrei –

Und auch wenn der Vers hier abbrach, weil die Giebelwand zu Ende war: Die ihn ausgesucht hatten vor fast zweihundert Jahren mußten auf ihre Art etwas von Poesie verstanden haben und von Unbotmäßigkeit. An allen anderen Giebelwänden in der Gegend wurde Gott gelobt oder gefürchtet. An diesem nicht. Sie würde sich hier wohl fühlen.

Mit Hilfe ihrer jeweiligen Freunde hatte sie das Haus dann in den letzten Jahren wieder hergerichtet. Das hatte ihr einerseits die Hochachtung der Dorfbewohner eingetragen, die schwere Arbeit zu schätzen wußten und sich über den Schandfleck im

Dorf schon lange geärgert hatten. Andererseits spürte sie auch das Mißtrauen, das ihr noch immer entgegengebracht wurde. Sie war nicht sicher, ob das mit ihrem Beruf zusammenhing – sie hatte von Anfang an nicht verschwiegen, daß sie Polizistin war – oder mit der Tatsache, daß ihr jedes Jahr ein anderer Mann beim Renovieren geholfen hatte. Aber im Grunde war ihr das egal.

Bevor sie fuhr, hatte sie allerdings noch das Problem zu lösen, das in ihrem Bett lag. Sie beschloß, damit keine Zeit zu verlieren. Der Telefonhörer war kalt an ihrem Ohr und schon warm, als am anderen Ende abgehoben wurde.

Es gibt kein Glück auf der Welt, es gibt nur Frieden und Freiheit.

Das war ein Zitat aus der Puschkin-Gedenkrede ihres unehelichen Großvaters, 1921 gehalten.

Und deshalb, mein Lieber, sei lieb, räum schön auf und verlaß mich. Ich muß allein sein, wenn ich nach Hause komme.

Die Rede hatten sie in der Nacht zusammen gelesen. Trotz ihres alkoholisierten Zustandes war ihr aufgefallen, daß er ein paarmal falsche Stellen betont hatte. Da nützte es auch nichts mehr, daß er später ihre richtigen Stellen fand. Er war erledigt.

Als sie nach Hause kam, war er tatsächlich verschwunden. Die Wohnung war aufgeräumt, die Kaffeemaschine gefüllt, auf dem Eßtisch stand eine dunkelrote Rose. Sie stellte die Kaffeemaschine an und warf die Rose in den Mülleimer. Ab sofort hatte sie Frieden und Freiheit, jedenfalls für ein paar Tage.

Willst du mit nach Rommelskirchen?
Der Weg dahin geht krumm.
Wo siebzehn Bauern saßen,
die die achtzehn Schinken fraßen:
Willst du mit, so komm!

Während Bella Block am nächsten Morgen im Auto saß und nach Roosbach fuhr, überlegte sie, weshalb sie von den Selbstmorden nichts gewußt hatte und ob sie die Toten gekannt haben konnte.

Dunkel erinnerte sie sich, daß die Nachbarin ihr im letzten Sommer etwas von zwei verwaisten Kindern erzählt hatte. Die Geschichte hatte sie nicht weiter interessiert. Sie hatte sie vergessen. Und im Winter war sie diesmal gar nicht draußen gewesen. Ihre Arbeit hatte sie zu sehr in Anspruch genommen.

Wer waren die Toten? Sie kam zu keinem Ergebnis. Außer zwei Zeitungsausschnitten hatte Kohlau ihr keine Anhaltspunkte geben können. Der Brief, den sie gern gesehen hätte, war nicht aufzufinden gewesen. Er sollte ihr nachgeschickt werden. Natürlich hätte sie in der Redaktion der Lokalzeitung anrufen können oder beim örtlichen Polizeiposten, den sie flüchtig kannte. Sie hatte darauf verzichtet, denn sie war davon überzeugt, daß es sich um Selbstmord handelte, und hatte keine Lust, sich durch überflüssige Besuche eines aufgeregten Lokalreporters stören zu lassen. Das Protokoll des Polizisten würde sie bei Gelegenheit einsehen. Sie war allerdings nach ihrem Besuch beim Staatsanwalt noch in die Polizeibibliothek gegangen. Im Katalog waren tatsächlich mehrere Titel zum Thema Selbstmord verzeichnet gewesen, aber sie waren fast alle unterwegs.

Vielleicht ist eine Epidemie ausgebrochen, hatte sie gedacht. Dann war ihr eingefallen, daß sie mal irgendwo gehört hatte, gerade unter Polizisten sei die Selbstmordrate sehr hoch.

Offenbar gehen sie jetzt ihr Problem streng wissenschaftlich an, hatte sie gut gelaunt überlegt, die zwei übriggebliebenen Titel genommen, obwohl sie sicher war, damit nichts anfangen zu können, und war nach Hause gefahren.

Jetzt fuhr sie durch Uelzen und ärgerte sich wie immer. Hier lebte Christa Mewes, die sich als Kinderpsychologin bezeichnete und damit beschäftigt war, dem weiblichen Teil der Nation ein schlechtes Gewissen einzureden. Sie hielt diese Frau für eine äußerst unangenehme Zeitgenossin, seit sie einmal bei einer Podiumsdiskussion mit ihr zusammengestoßen war. Die Kinderwagen-schiebenden, Kinder-im-Bauch-vor-sich-hertragenden, Kinder-hinter-sich-her-zerrenden, arbeitslosen jungen Frauen, die die Einkaufsstraße jetzt am Vormittag bevölkerten, erschienen ihr wie eine Illustration der Wirksamkeit konservativer Familienpolitik, deren Kehrseite die Kindesmißhandlungen waren, mit denen sie zu tun hatte. Sie zwang sich, an etwas anderes zu denken, um ihre gute Laune nicht zu verlieren.

Es kam selten vor, daß sie schon vormittags in Roosbach ankam. Sie freute sich auf den sommerlichen Garten, den Anblick der von Clematis fast verdeckten Haustür, dachte an die Fensterscheiben, die endlich geputzt werden mußten, und fand alles genauso vor, wie sie es sich vorgestellt hatte. Vielleicht war der Schweinestallgeruch etwas stärker als sonst. Sie hatte den Eindruck, daß er sogar ins Haus eingedrungen war.

Das ganze Dorf stinkt nach Schweinestall, dachte sie bei ihrem ersten Rundgang durch den Garten. Jetzt, am späten Vormittag, war es hier absolut still. Es war die Zeit kurz vor der Ernte, der Lärm der Mähdrescher war noch nicht zu hören.

Mein Gott, was für eine Idylle, dachte sie, als ihr das Büro einfiel, in dem sie jetzt eigentlich gesessen hätte. Wenig später ging sie die wenigen Schritte bis zur Telefonzelle, rief in der Zentrale an und bat Kohlau, ihre genaue Adresse durchzugeben: Roosbach, Haus Nr. 5. Auf dem Rückweg ging sie an ihren Wagen und nahm die Pistole aus dem Handschuhfach. Im Haus legte sie sie in die Schreibtischschublade.

Wenig später lag sie im Liegestuhl auf der Wiese, ein Glas Wodka-Orangensaft neben sich. Wenn sie von ihrem Buch aufsah, fiel ihr Blick auf Gerstenfelder und friedlich weidende Kühe.

Nichts, dachte sie, wird mich hier stören, nicht einmal der Geruch nach Schweinestall.

Ninne, ninne, sause
der Tod steckt hinterm Hause.
Er hat ein kleines Körbelein,
da steckt er die bösen Kinder rein.
Die guten läßt er sitzen
und kauft ihnen rote Mützen.

Eia, eia, hängt so fein, am Strick am Strick, am Bändelein ...
Das ist mir eingefallen. Ich hab' es den ganzen Tag leise vor mich hin gesungen. Manchmal hab' ich eine Pause gemacht. Dann bin ich ans Fenster gegangen. Drüben lag ihr Hof. Ich konnte sie sehen, wenn sie in den Stall ging. Dann fing ich wieder an zu singen, ganz automatisch, und es ging mir besser. Ich hatte Angst, daß die anderen sie besuchten, obwohl ich doch wußte, daß das nicht üblich war. Deshalb mußte ich immer wieder zu ihr hinübersehen, aber dort war alles wie sonst. Morgens hat sie die Kinder an den Schulbus gebracht. Da war sie schon im Stall gewesen. Meistens ging sie dann in die Küche und trank ihren Kaffee, und dann war sie im Garten. Die Bohnen waren reif, auch die Johannisbeeren. Sie hatte genug zu tun, bis die Kinder wieder da waren. Dann hat sie ihnen Essen gegeben. Bei den Schularbeiten hat sie dabeigesessen. Nachmittags war sie wieder in der Küche. Auf der Bank vor dem Haus hat sie nur

noch einmal gesessen. Das war, bevor ich anfing, mich ihr zu zeigen. Ich hab' den Ton noch im Ohr, wie sie abends ihre Kinder rief. Die sind jetzt bei Verwandten, heißt es. Ich wußte nicht, wie ich es anstellen sollte. Sie war kräftig, und ich wollte auch nicht, daß mir jemand drauf kommt. Also stand ich hinter dem Fenster und beobachtete sie, aber nur das Lied fiel mir ein. Am dritten Tag bin ich ans Hoftor gegangen, als die Kinder weg waren. Ich sah, wie sie sich erschrocken hat. Ich weiß nicht, warum. Ich hab' nur ein bißchen den Rock hochgehoben und sie angelacht. Ihr ist die Schüssel mit den Johannisbeeren aus der Hand gerutscht und auf den Steinboden gefallen. Es war eine Emailleschüssel, das klingt nicht schön, und unten muß ein Stück abgeplatzt sein. Als sie die Johannisbeeren aufgesammelt hatte, blieb ein Fleck zurück, der sah aus wie Blut. Ich bin weitergegangen, aber jetzt wußte ich, was ich zu tun hatte, jedenfalls die nächsten Tage. Ich habe den Schlauch von unserem Entsafter abgemacht, das war ein hellroter, dünner Gummischlauch. Am Nachmittag, als ihre Kinder auf der Straße spielten, habe ich sie gerufen und ihnen den Schlauch gegeben. Sie sollten ihre Mutter fragen, ob sie einen neuen Schlauch für mich hat. Die Kinder sind an diesem Tag nicht wieder auf die Straße gekommen. Aber sie hab' ich gesehen, am Küchenfenster, und hab' ihr zugelächelt. Da hat sie die Gardine vorgezogen. Aber ich wußte schon, daß sie sie wieder aufziehen würde, sie konnten ja nicht den ganzen Nachmittag im Dunkeln sitzen. Einen Hund hatten sie nicht. Ihrer ist im letzten Sommer beim Wildern erschossen worden. Deshalb konnte ich nachts auf den Hof gehen. Ich hab' mit Kreide ein Schwein auf ihre Stalltür gemalt. Am Morgen stand ich am Fenster und hab' sie beobachtet. Es war gut zu sehen, wie sie sich erschrocken und schnell zu mir rübergesehen hat. Ich habe ihr zugewinkt. Ich durfte sie nicht wütend machen, sie sollte nur Angst haben. Vor Schweinen habe ich nie Angst gehabt, nur vor dem Eber. Mit dem Geruch von Schweinestall bin ich aufgewachsen. Seit sie das mit mir gemacht haben, riecht das Dorf ständig nach Schweinestall. Mir wird übel davon, und ich wollte, daß ihr auch übel wird. Das ist mir sehr schwergefallen, es war fast das Schlimmste. Schweinemist kann man hier überall haben. Als ich mit der Karte neben der Stalltür stand, ich wollte den Mist aus seinem Stall holen, er sollte dabei einen Blick auf mich werfen und merken, daß alles in Ordnung ist, da wurde mir übel und ich hab' an die Stallwand gekotzt. Es war aber nur seine Frau da. Die hat auf den großen Ausschnitt meines Pullovers gesehen, der für ihren Mann bestimmt war. Den hab' ich bei der Würgerei verschoben, so daß nichts mehr zu sehen war. Den Mist hab' ich bekommen, und die eine Hälfte davon hat am Morgen vor ihrer Haustür gelegen. Die Kinder sind reingetreten. Sie mußte sie umziehen, deshalb haben sie den Bus verpaßt. Sie hat sie dann in die Schule gefahren, und ich habe den Rest von dem Mist in ihr Schlafzimmerfenster geschaufelt, das stand offen. Ich hab' dabei so gewürgt, daß ich mich auf mein Bett legen mußte, weil ich ganz schwach war. Mein Fenster hab' ich offengelassen.

Ich wollte hören, wie es ihr geht, wenn sie zurückkommt. Es blieb aber alles still.

Es war ein schöner Sommer, aber ich war immer nur drinnen, wenn ich nicht mit ihr zu tun hatte. Meistens hab' ich auf dem Bett gelegen und daran gedacht, was sie mit mir gemacht haben. Ich konnte nicht anders. Und immer fing ich an zu würgen. Wenn ich gesungen habe, war es besser. Eie, eia, hängt so fein, am Strick, am Strick, am Bändelein ... aber ich wußte noch immer nicht, wie ich es machen sollte. Es mußte aber bald sein. Lange konnte ich ihr nicht mehr angst machen. Sie fing an sich daran zu gewöhnen, und bald würde sie anfangen, über die Verrückte zu lachen, zusammen mit den anderen. Bisher hatten sie sich nicht getroffen. In so einem kleinen Dorf bleibt ja nichts verborgen, nicht einmal, wenn man es darauf anlegt. Durch das Gewitter bin ich auf die Idee gekommen, wie ich es machen muß, daß sie verschwindet. Die Hitze war unerträglich geworden. Der Schweinegestank war nicht mehr auszuhalten. Seit Tagen wehte kein Lüftchen. Phlox und Dahlien und Rittersporn und Margeriten blühten wie wild, aber ich dachte, daß selbst die Blumen nach Schwein riechen müßten, und lag nur noch auf dem Sofa in der Küche und würgte. Ich hatte keine Kraft mehr, sie zu erschrecken. Mir fiel nichts mehr ein. Zuletzt hatte ich ihr nur noch mit der Faust gedroht, und sie hatte mich gar nicht mehr beachtet. Ihre Kinder hatte sie in die Ferien geschickt. In diesem Sommer war sie weniger im Garten als sonst, aber sie machte ihre Arbeit im Stall und im Haus wie immer. Als der Sturm losbrach, bin ich aufgestanden und habe mich ans Fenster gestellt. Ein paar Dachziegel knallten auf ihren Hof, und dann deckte der Sturm ein ganzes Stück vom Stalldach ab. Und da wußte ich plötzlich – ich sah sie auf den Hof laufen – da wußte ich, was ich zu tun hatte. Es fing an zu regnen, und ich sah sie während des Regens ins Auto springen und wegfahren. Sie würde bald zurück sein, die Sachen, die sie brauchte, gab's im Nachbardorf. Ich nahm ein Stück von der blauen Plastikwäscheleine und lief hinüber. Ihr Stall ist ein alter Fachwerkschuppen, sie hatte Heu drin. Es war einfach, unter das Dach zu kommen. Ich hab' die Leine festgemacht und mich in das Heu gesetzt und gewartet. Sie kam zurück. Ich konnte sie nicht sehen, aber den Wagen habe ich gehört. Als sie in den Stall kam, hatte sie eine Tüte in der Hand. Sie lief direkt auf die Leiter zu. Im Laufen zog sie aus der Tüte ein Stück Plastikplane. Damit stieg sie die Leiter hoch und rutschte auf dem Deckenbalken langsam bis zu der Stelle, wo der Regen in das Dach stürzte. Sie rutschte direkt auf mich zu, aber rückwärts, das war mein Glück. Sie saß auf dem Balken und versuchte die Plane an den Spanten festzumachen. Es regnete direkt auf das Heu. Es war ganz einfach. Ich mußte nur auf den Balken hinter sie treten, die Plastikleine um ihren Hals werfen und ihr einen Stoß geben. Sie fiel sofort vom Balken, weil sie nicht damit gerechnet hatte. Auch der Schrei war nur ganz kurz. Einen Moment hatte ich Angst, daß der Knoten aufgehen würde. Plastik läßt sich schlecht knoten. Ich bin zurück auf das Heu. Es hat eine Weile gedauert, bis sie ruhig hing. Ein Schuh fiel auf den Boden und ein paar Tropfen Wasser, das muß aus ihren Kleidern gekommen sein. Sie war ganz naß. Das Wasser war aber nicht lange zu sehen, denn der Regen stürzte immer noch durch das Dach, und die Pfütze auf dem Fußboden wurde größer und größer. Von unten habe ich sie mir noch mal angesehen. Ich glaube, sie war schon tot, jedenfalls sah sie nicht so aus, als wenn sie mich gesehen hätte. Ich bin dann durch den Regen über ihren Hof gegangen. Ich glaube nicht, daß mich jemand gesehen hat. Der Regen hat bald aufgehört. Auch der Schweinegestank war weg.«

Kling, Klang, gloriam
die Sau, die hat den Chorrock an.

Bella Block hatte den ganzen Tag auf dem Liegestuhl zugebracht, zeitweise damit beschäftigt, eines der beiden Bücher, die sie aus der Bibliothek mitgenommen hatte, einen ziemlich umfangreichen »Diskurs über den Freitod«, zu lesen. Am späten Nachmittag verschwand die Sonne hinter den riesigen Eichen, die zwischen ihrem und dem Nachbargrundstück die Begrenzung bildeten. Sie beschloß, unter die Dusche zu gehen.

Während lauwarmes Wasser auf ihre Haut prasselte und die durch die Hitze und den Wodka verursachte Schläfrigkeit wegspülte, dachte sie über das Buch nach. Sie glaubte, eine merkwürdige Koketterie hinter all den klugen Überlegungen zu spüren, die doch nur darauf hinausliefen, daß man nicht leben muß, nur weil man lebt. Es schien ihr, als habe der Autor beim Schreiben ständig in den Spiegel gesehen, um dort ein edles, bleiches Antlitz, auf dem der Ausdruck letzter Entschlossenheit lag, zu bewundern. Sie selbst hatte die Erfahrung gemacht, daß Selbstmörder nichts weiter waren als jämmerliche, elende Ausbunde an Verzweiflung. Sie wußte, es war genußvoll in den Feuilletons darüber berichtet worden, daß der Autor seine Überlegungen schließlich in die Tat umgesetzt hatte. Aber nicht einmal das nötigte ihr Hochachtung ab. In manchen Dingen war sie altmodisch, und in diesem Fall schien es ihr, als sei die Würde des Todes dadurch mißachtet worden, daß dieser Mann seine Unfähigkeit zu leben kokett in einem Buch demonstrierte, um dann schließlich seinem atemlos lauschenden, sensationslüsternen Publikum den Gefallen zu tun, sich umzubringen.

Sie sind eitel, genau in dem Ausmaß, wie sie es uns zuschreiben, dachte sie, und weil sie inzwischen vor dem Badezimmerspiegel stand und die kurzen, grauen Haare trockenrieb, fiel ihr ein, daß alle ihre Männer morgens mehr Zeit im Badezimmer verbracht hatten als sie, obwohl es doch eine Unmenge Witzchen und Anekdötchen über sich putzende, stundenlang das Bad besetzt haltende Frauen gab.

Es war Zeit, etwas zu essen. In den Kühlschrank zu sehen erübrigte sich, es war nichts drin. Jedenfalls nichts Eßbares.

Also in die Kneipe, überlegte sie. Das war im Grunde gar nicht so schlecht, denn mit ein bißchen Geschick würde sie das Gespräch vielleicht auf die Selbstmorde bringen, ein paar Hintergrundinformationen bekommen und sich einbilden können, daß sie heute gearbeitet hätte. Sie zog ein paar alte verbeulte Hosen an und ein kariertes Oberhemd, das einer ihrer Freunde vergessen hatte. Es hatten sich in den sechs Jahren, seit sie das Haus besaß, ein ganzer Haufen ehemaliger Lieblingssachen hier angesammelt, die in der Stadt nicht mehr zu gebrauchen waren. Die Füße steckte sie in ausgetretene Sandalen, nahm die Geldbörse in die Hand und zog die Haustür hinter sich ins Schloß. Das Abschließen war unnötig.

Bis zur Kneipe waren es etwa fünfhundert Meter. Jetzt gegen Abend waren keine Autos mehr unterwegs. Das Korn auf den Feldern bewegte sich leicht im Wind, neben der Straße standen Büsche mit weißen und roten Johannisbeeren, und der Waldrand war ein blauschwarzer Schatten. Hinter Eichen und niedrigen Büschen leuchteten, vielleicht einen halbstündigen Fußweg entfernt, die roten Backsteinhäuser des nächsten Dorfes hervor. Es roch nach Getreide und Abendsonne. Bella Block fühlte sich wohl.

Die Kneipe war leer wie immer. Nur um den Tresen standen ein paar Männer, die gerade laut lachten, als sie die Tür öffnete und freundlich guten Abend wünschte. Der Wirt hinter dem Tresen hielt mit dem Lachen inne und grüßte zurück, aber es gelang ihm nur, die Lachtöne zu unterdrücken. Sein Gesicht, das rund und fett war, grinste weiter, so als habe er gerade einen umwerfend komischen Witz gehört und sei nicht imstande, in Gedanken davon abzulassen. Im Schankraum war es warm. Auch die geöffneten Fenster brachten kaum Abkühlung in die tagsüber angestaute Wärme. Die Männer schwitzten, ob von der Hitze oder vom schon reichlich genossenem Bier war unklar, wahrscheinlich von beidem. Nach dem Spaziergang durch die friedliche Abendlandschaft empfand Bella Block die Atmosphäre in der Kneipe als unangenehm. Die schwitzenden Männer, der abgestandene Biergeruch, das fette Grinsen des Wirts – am liebsten wäre sie wieder umgekehrt. Aber sie hatte Hunger, und ein paar Informationen brauchte sie auch. Also setzte sie sich an einen der leeren Tische, nachdem sie das übliche Bauernfrühstück und ein Glas Bier bestellt hatte.

Sie hätte gern gewußt, wer in der Küche das Essen zubereitete, aber sie hatte es in den sechs Jahren noch nicht herausbekommen. Der Vorgang war immer derselbe. Der Wirt schob den Zettel mit der Bestellung durch eine Klappe, durch die dann irgendwann das Essen zurückgeschoben wurde. Das war alles. Nie wurde dabei ein Wort gewechselt, weder hüben noch drüben. Zwar hätte sie den Wirt fragen können, aber eine unerklärliche Scheu hielt sie jedesmal davon ab.

Der Wirt hatte sich wieder den Männern am Tresen zugewandt. Sie sprachen leise miteinander, hin und wieder prustete einer los, war aber gleich wieder ruhig. Sie würde warten müssen, bis die Männer nach Hause gegangen waren, um mit ihm ein Wort zu reden. In der Woche blieben sie im allgemeinen nicht länger, als bis die »Tagesschau« anfing. Zwei Runden Bier und Korn waren sie schon vorangekommen, seit sie da war. Ihre Stimmen waren wieder lauter geworden. Sie hatte sich die Zeitung vom Tresen geholt. Die Männer beachteten sie nicht mehr. Dann sagte einer laut:

Die hat's auch nicht leicht, die Frau. Welcher Mann guckt da schon mal drauf.

Über den Zeitungsrand sah Bella Block auf den Sprecher. Er mochte etwa sechzig Jahre alt sein, war fett und klein und trug einen so unglaublichen

Schweinskopf auf den Schultern, daß sie zweimal hinsehen mußte, um zu glauben, was sie sah. Einen Hals hatte der Kerl überhaupt nicht. Das Kinn war dafür dreifach vorhanden, die knallroten Ohren standen ab. Es fehlte nur die Zitrone in der Schnauze und hinter den Ohren Petersiliensträußchen. Die anderen nickten zustimmend.

Ja, da muß sie sich wohl ein bißchen anstrengen, wenn sie mal was Schönes erleben will.

Sein Nachbar rülpste laut, nachdem er den Satz mit Mühe herausgebracht hatte.

Ihr werdet es nicht glauben, aber neulich war sie ..., der Wirt senkte die Stimme, nach wenigen Augenblicken grölten alle.

Nicht schlecht, der Schweinskopf grinste und der pickelige Knabe, der die ganze Zeit mit rotem Kopf dabeigestanden und nichts gesagt hatte, steckte die Hände in die Hosentaschen. Einen Augenblick war es ruhig. Die Männer glotzten in die vor ihnen stehenden Biergläser. Der pickelige Jüngling bewegte die Hände in den Hosentaschen. Dann verkündete der Schweinskopf, er müsse nach Hause.

Mutti wartet wohl sehnsüchtig mit dem Essen, was? fragte der Wirt, und Bella Block wunderte sich, wie man einen einfachen Satz so anzüglich sagen konnte.

Soll sie ruhig warten, da wird die Suppe schön heiß.

Du wirst sie doch etwa nicht anbrennen lassen, Walter?

Durch das geöffnete Fenster sah sie die Männer langsam in Richtung des Dorfes gehen, nur der Knabe nahm den Weg in die Felder. Bis sie zu

Hause waren, würde ihre Geilheit wieder verschwunden sein. Wahrscheinlich waren sie mit Landleberwurst und Spiegeleiern zufrieden. Und wenn nicht? Sie hatte nie verstanden, weshalb Frauen sich damit abfanden, daß Sexualität aus geilen, besoffenen Überfällen bestand, aus einer wüsten Rammelei und sonst gar nichts ...

Der Wirt schien erleichtert, nachdem die Männer gegangen waren. Es begann ein Gespräch, aber die Klappe wurde geöffnet, das Bauernfrühstück erschien, und sie machte sich heißhungrig über das Essen her. Während sie aß, war es still in der Kneipe. Wie friedlich, dachte sie, Abendstille überall, nur am Bach die Nachtigall, und ein paar Rammler bei der Arbeit, wirklich friedlich.

Nach dem Essen setzte sie sich an die Theke und bestellte noch ein Bier. Der Wirt war gesprächig wie meistens. Sie redeten über alles mögliche, die bald beginnende Getreideernte, den Stand der Zuckerrüben, die nahe DDR-Grenze und den kleinen Grenzverkehr, und sie wußte nicht, wie sie das Gespräch auf die Selbstmorde bringen sollte. Schließlich entschloß sie sich, direkt zu fragen. Täuschte sie sich, oder wurde er wirklich blaß? Bella Block sah auf seine Hände, er war gerade dabei, ihr auf Kosten des Hauses ein neues Bier einzuschenken. Tatsächlich, seine Hände zitterten stärker als sonst. Er setzte das fast fertige Bier ab.

Moment mal, sagte er, und verschwand in der Küche. Es dauerte allerdings nicht lange, bis er wieder erschien und das Bierglas endgültig vollschenkte. Er bemühte sich, ruhig zu erscheinen, aber irgend etwas an ihm war verändert.

Nanu, doch ein Geheimnis, dachte sie ironisch. Dann hörte sie ihm zu. Er hatte eine umständliche Sprechweise, jedenfalls ihr gegenüber. Vorhin, im Gespräch mit den Männern, hatte sie nichts davon bemerkt. Während er sprach, versuchte er, seiner Stimme einen trauernden Unterton zu geben, schließlich hatte er die Toten gekannt, aber es gelang ihm nicht. Der Trauerton war unecht, und etwas anderes schwang in seiner Stimme mit, das Bella sich weigerte, als Angst zu erkennen.

Ja, sagte er. Sie war die erste. Sie kennen doch den Hof an der Straße, vielleicht haben Sie gesehen, daß er jetzt leer steht. Das war vor einem Jahr, war das. In ihrem Stall hat sie ihrem Leben ein Ende gesetzt, ich meine, hat sie sich aufgehängt. Wenn das harte Wort gestattet ist, aber es war ja wirklich so. Sie war wohl zu allein mit den Kindern. Und ich meine, was macht eine Frau allein?

Er sah aus dem Fenster in die beginnende Dunkelheit, und seine Stimme klang zugleich sentimental und anzüglich. In seinem Gesicht war ein Ausdruck von Furcht und Gier. Dann besann er sich und goß zwei Schnäpse ein.

Na, dann woll'n wir man noch einen trinken, sagte er und hob ihr sein Glas entgegen.

Bella hatte jetzt drei Bier und zwei Schnäpse getrunken. Die abgestandene Luft in dem Schankraum störte sie nicht mehr. Aus dem Fenster sah sie auf ein dunkelgoldenes Roggenfeld und den nachtblauen Himmel darüber. Ihre Haut spannte sich leicht von dem ungewohnten Aufenthalt in der Sonne. Es wäre ihr recht gewesen, dem Gespräch jetzt eine etwas privatere Wendung zu geben. Und es hätte auch nicht unbedingt bei einem Gespräch bleiben müssen. Aber ein gründlicher Blick auf den fetten, über die Hose hängenden Bauch des Wirts und sein Gesicht, das durch eine Beigabe von Sentimentalität jetzt noch abstoßender geworden war, beendete ihre Überlegungen sofort.

Wieso die erste? fragte sie.

Trotz ihres benebelten Zustands war ihr diese Formulierung des Wirts merkwürdig vorgekommen. Ihm jedoch anscheinend nicht, denn er erzählte völlig unbefangen über den zweiten Selbstmord, der sich vor ein paar Monaten zugetragen hatte. Überhaupt schien er jetzt wieder selbstsicherer zu sein. Dumm ist er nicht, dachte sie. Mein kurzer Anflug von Lust auf Zweisamkeit ist ihm nicht entgangen. Natürlich hat er ihn auf sich bezogen, und das hat ihm sein Selbstbewußtsein zurückgegeben.

Sie fing an, sich vor ihm zu ekeln. Seine Finger waren so fett, daß das Schnapsglas, das er zum dritten Mal gefüllt hatte, fast zwischen den Wülsten von Daumen und Zeigefinger verschwand. Sie ließ ihr Glas stehen, als habe sie das Nachschenken nicht bemerkt, und kramte ihre Geldbörse aus der Hosentasche. Während der Wirt mühsam die Zeche zusammenrechnete, fiel ihr auf, wie still es war. Draußen bewegten sich jetzt nicht einmal die Ähren auf den Halmen, und hier, in der stickigen Gaststube, wurde die Stille nur unterbrochen vom Schnaufen des fettleibigen Wirts, der ihr beim Zusammenrechnen seine auch nicht gerade attraktive Kehrseite zugewendet hatte.

Wie immer war die Rechnung niedrig. Bella

Block war froh, als sie vor der Tür der Kneipe stand. Der Wirt hatte sich aus dem Fenster gelehnt und sah ihr nach, wie sie langsam auf das Dorf zuging. Es roch nach Brennesseln. Als sie an dem leeren Hof vorbeikam, auf dem der erste Selbstmord geschehen war, blieb sie einen Augenblick stehen. In der Dunkelheit, die jetzt nur durch eine einzelne Straßenlaterne erhellt wurde, lag der Hof ausgestorben vor ihr. Morgen würde sie einen Blick in den Stall werfen, um Kohlau mit einer genauen Ortsbeschreibung zufriedenzustellen.

Die wenigen Meter bis zu ihrem eigenen Haus ging sie schneller. Als sie die Gartenpforte erreichte, hörte sie, wie die Haustür über den Boden schrammte. Es war nur ein kurzes Geräusch, aber sie hatte es genau erkannt. Die alten Fliesen hinter der Tür hatten sich verschoben, und man mußte die Tür leicht anheben, wenn man sie öffnete oder schloß, um das Schrammen der Tür über den Fußboden zu vermeiden. Leise schloß sie die Gartenpforte hinter sich und ging bis zur Hausecke. Wenn jemand das Haus gerade verlassen hatte, hätte sie ihn sehen müssen. Trotz der Dunkelheit wäre eine Gestalt auf dem Rasen zu erkennen gewesen, sie nahm ja auch die Bäume als schwarze Schatten in der Dunkelheit wahr. Vielleicht war jemand ins Haus hineingegangen? Sie ging über den Rasen und beobachtete die Fenster. Nichts rührte sich, es wurde kein Licht angemacht, und auch der Lichtkegel einer Taschenlampe zeigte sich nicht. Sie dachte daran, daß die Nachbarin einen Schlüssel hatte, bis ihr einfiel, daß das Haus nicht abgeschlossen gewesen war. Langsam ging sie auf die

Haustür zu. Wenn sie niemanden hatte weglaufen sehen, konnte es immerhin sein, daß noch jemand im Haus war. Schnell und ohne anzuheben stieß sie die Haustür auf, die wie gewohnt über den Boden schrammte. Das Geräusch, das der Türbalken auf den Fliesen machte, war so aufdringlich, daß es ihren Ohren weh tat. Wer immer auch hinter der Tür sitzt, dachte sie, gleich muß er hervorkommen, wenn er nicht zerquetscht werden will. Aber die Tür knallte gegen die Wand, ohne daß sie auf Widerstand gestoßen wäre. Nur einen Brocken Putz hörte sie auf den Fußboden fallen. Und dann doch neben sich ein Knacken im Gebüsch und hastige Schritte, die sich entfernten.

Natürlich, daran hatte sie nicht gedacht. In den hohen Büschen neben der Haustür konnte jemand sich gut verstecken. Irgend jemand war im Haus gewesen und hatte das Haus verlassen, gerade als sie das Gartentor schloß. Das Geräusch der zuschnappenden Gartenpforte hatte ihn gewarnt, er hatte sich neben der Tür im Gebüsch versteckt und abgewartet, bis sie das Haus betrat, um dann wegzulaufen. Sie hatte keine Lust, der Person zu folgen, die da eilig im Dunkeln verschwand. Statt dessen schloß sie die Tür hinter sich, knipste das Licht an und zog alle Vorhänge zu. Dann machte sie sich, immer noch leicht betrunken und deshalb besonders langsam und gründlich daran zu untersuchen, was der nächtliche Eindringling gesucht haben könnte. Es gab aber keine Spuren. Nichts fehlte, nichts war von seinem Platz genommen worden. Auf ihrem Schreibtisch lag der »Diskurs über den Freitod« noch da, wo sie ihn hingelegt hatte, daneben der Bleistift und ihr Kalender. Im Schreibtisch lag die Pistole. Erst am nächsten Tag würde ihr auffallen, daß ein anderes Datum aufgeschlagen war, aber dann würde sie nicht mehr wissen, ob sie das am Abend zuvor selbst gemacht hatte. Keine Spur also, die auf den Zweck des nächtlichen Besuchs schließen ließ. Bella Block schloß die Haustür ab, das erste Mal seit langem, öffnete die Fenster und legte sich ins Bett.

Sie dachte über den Abend nach, und ihr wurde klar, daß diese Sache sich nicht so einfach anließ, wie sie geglaubt hatte. In den hinter ihr liegenden zwanzig Dienstjahren hatte sie gelernt, auf die positiven oder negativen Gefühle zu achten, die sie bei der Übernahme eines neuen Falles entwickelte. In gewisser Weise hatte die Situation derer, die sie verfolgte, schon immer mit ihr selbst zu tun gehabt. Sie war sich des unlösbaren Zusammenhangs zwischen der Gesellschaft, die sie durch ihre Arbeit schützte, und der von dieser Gesellschaft ständig neu produzierten Kriminalität bewußt. Dieses Bewußtsein war es, neben ihrem Hang zur Gründlichkeit, das es ihr ermöglichte, Erfolge in der Arbeit zu haben, wo andere schon längst aufgegeben hatten. Keiner ihrer Kollegen ahnte, was auch sie selbst sich kaum bewußt machte, daß nämlich ihr Arbeitseifer, ihre Gründlichkeit am stärksten dadurch motiviert wurde, daß sie ein Gefühl der Mitschuld, der Mitverantwortung an Verhältnissen empfand, die zum Beispiel Eltern dazu brachten, ihre Kinder totzuprügeln. Noch jedesmal, wenn sie vor einer neuen Aufgabe stand, hatte sie sich eingebildet, daß sie, wenn sie den Fall gelöst hatte, vielleicht eine Möglichkeit finden würde, den Tätern eine neue Chance aufzuzeigen. Fast jedesmal war es dazu nicht gekommen, denn abgesehen davon, daß sich die Verhältnisse eben nicht ändern ließen, hatten ihr natürlich irgendwann Richter und Staatsanwalt den Fall abgenommen. Aber während der Zeit, in der sie Spuren entdeckte, Verhöre anstellte, Personen überprüfte, Überlegungen am Tatort nachging, während dieser ganzen Zeit nährte sie in sich die Illusion, diesmal vielleicht einem Menschen wirklich helfen zu können. Und das machte ihr die Arbeit leicht und aufregend. Mit der Zeit allerdings war eine Veränderung in ihr vorgegangen, die es ihr schwermachte, ihre Arbeit zu tun wie immer. Angefangen hatte es, sie erinnerte sich genau, als sie mit ein paar Kollegen ins Kriminalmuseum gegangen war. Eine dort in allen Einzelheiten dargestellte sodomistische Vergewaltigung hatte bei ihnen allen Abscheu und Empörung ausgelöst, so jedenfalls hatte sie gedacht. Wenig später hatte sie, ohne selbst dabei zu sein, mit angehört, wie ihre Kollegen wirklich darüber dachten. Sie hatte natürlich schon immer gewußt, daß Polizisten keine Betschwestern waren. Der ständige Umgang mit Außenseitern und Brutalitäten machte sie ebenfalls zu Außenseitern, die brutale Methoden im Umgang mit Menschen für normal hielten. In gewisser Weise waren sie menschenverachtend, damit hatte sie sich abgefunden. Was sie allerdings damals an Frauenverachtung gespürt hatte, war nicht mehr mit beruflichen Erfahrungen zu erklären. Sie hatte die Kollegen von da an in einem anderen Licht gesehen. Die waren ihr gegenüber freundlich und höflich, aber es entstand eine Spannung zwischen ihnen, die das völlig unbelastete Arbeitsklima der ersten Jahre veränderte. Inzwischen wußte sie, daß es gerechtfertigt war, Polizisten beim Verhör von Frauen nicht mit ihnen allein zu lassen. Die hohe Scheidungsrate unter ihren Kollegen, doppelt so hoch, wie in der übrigen Bevölkerung, war sicher nicht, wie um sie herum gejammert wurde, nur dem Schichtdienst zu verdanken. Es war ihr klar, daß sie den Vorschlag Kohlaus auch deswegen angenommen hatte, um ihren Kollegen, jedenfalls den meisten von ihnen, eine Zeitlang zu entgehen. Jetzt aber lag sie in der Dunkelheit in ihrem Bett, fühlte mehr als sie es schon wußte, daß ein neuer Fall auf sie wartete, und das Gefühl der Gelassenheit und gleichzeitig einer ganz persönlichen Interessiertheit, das sie empfand, war ihr fremd. Ruhig dachte sie darüber nach, wann ihr bewußt geworden war, daß der Fall für sie selbst von Bedeutung sein würde.

Es ist gleichzeitig gewesen, dachte sie, gleichzeitig, als mir auffiel, daß der Wirt Angst hatte, was er bei einem gewöhnlichen Selbstmord nicht zu haben brauchte. Während ich auf das Schnapsglas zwischen seinen fetten Fingern sah, wurde mir klar, daß ich betroffen bin. Im Halbschlaf wunderte sie sich über die merkwürdige Formulierung »daß ich betroffen bin« ... wovon soll ich betroffen sein ... und schlief endlich ein. Der leichte Geruch nach Schweinemist war wieder stärker geworden, aber sie war eingeschlafen, bevor sie ihn wahrnehmen konnte.

Pink, pank,
der Schmied ist krank,
er liegt auf Bohlen,
er hat gestohlen,
er liegt auf Gerben,
er wird schon sterben,
er läg im Bette,
wenn er eins hätte.

Bella Block hatte von Anfang an nicht die Absicht gehabt, sich bei den Dorfbewohnern anzubiedern, dazu achtete sie das schwere Leben der Leute auf dem Land zu sehr, vielleicht in Erinnerungen an ihre Jugend in Süditalien. Sie kannte einige Leute, die, wie sie, ein Haus auf dem Land hatten und die sich ihrer Vertrautheit mit den Einheimischen rühmten. Intellektuelle, die zu Hause keinen Kontakt zu ihren Nachbarn zustande brachten, erzählten vom wunderbaren Verhältnis zum einfachen Volk, das ihnen auf dem Land begegnet sei. Sie hatte derlei Reden immer für Geschwätz gehalten, das einen Mangel verdecken sollte. Nach ihrem Einzug in das Haus im Dorf hatte sie, außer einem freundlichen Gruß im Vorübergehen, zu niemandem Kontakt gesucht. Nach ein paar Monaten hatte es sich als nützlich erwiesen, einen Haustürschlüssel im Dorf zu lassen, für den Schornsteinfeger und den Öllieferanten. Sie hatte die Nachbarin gefragt, die nach anfänglichem Zögern bereit gewesen war, den Schlüssel zu nehmen. So hatte sich die erste Beziehung zu Dorfbewohnern ergeben. Noch immer bestanden ihre hauptsächlichen Kenntnisse über das Leben der Menschen im Dorf aus allgemeinen Beobachtungen, der Interpretation von Reaktionen auf ihre gleichmäßig freundlichen Grüße und dem Dorfklatsch, der ihr bei gelegentlichen Besuchen der Schlüssel bewahrenden Nachbarin gern und ausführlich serviert wurde.

Das ist wenig, dachte sie, während sie am Morgen unter der Dusche stand. Sie glaubte nicht mehr an die Selbstmorde und war sicher, daß der oder die Täter im Dorf zu finden waren. Die Möglichkeit, daß jemand von außerhalb zweimal im Abstand von einigen Monaten ins Dorf gekommen sein sollte, um hier jemanden umzubringen, schied für sie aus. Sie war auch sicher, daß es zwischen den beiden Toten eine Verbindung gab, die sie noch nicht kannte. Der zweite Tote, der, der sich mit den Abgasen vergiftet hatte, war der Jungbauer vom Hof gegenüber gewesen. Sie war ihm an den Wochenenden öfter begegnet, wenn sie spazierenging und er auf dem Trecker an ihr vorüberfuhr. Sie erinnerte sich an ein großflächiges, mißtrauisches Gesicht hinter kaum durchsichtigen Plexiglasfenstern und an einen blonden Jungen, der ihm sehr ähnlich sah und manchmal an ihrem Gartentor stand und stumm und ausdauernd über den Zaun starrte. Es würde notwendig sein, sich ein genaueres Bild von den Dorfbewohnern zu verschaffen. Flüchtig ging ihr durch den Kopf, daß auch jetzt noch niemand sie daran hindern würde, bei der Selbstmordthese zu bleiben.

Niemand, dachte sie, nur ich selbst.

Sie war eingestiegen, ein Gefühl, das sie kannte, aber auf andere Weise als sonst. Und mit einem anderen Ergebnis, so dachte sie. Aber das war noch offen.

Nach dem Frühstück, Knäckebrot und Kaffee, etwas anderes hatte sie nicht finden können, setzte sie sich an den Schreibtisch und begann aufzuschreiben, was sie über das Dorf wußte.

1. Das Dorf
Etwa zehn Häuser entlang der Landstraße, vier Höfe etwas abseits (Reste eines ehemaligen Rundlings), dazwischen auch ein Siedlungshaus, vermutlich nach Kriegsende gebaut, mit verschiedenen Anbauten.
Dorfplatz etwas außerhalb, auf dem Gelände einer ehemaligen Ziegelei, daneben Feuerwehrhaus, Kneipe etwa fünfhundert Meter außerhalb des Dorfes an der Landstraße.
Wiesen, Felder, Vorgärten.

2. Das Leben
- jeder weiß von jedem alles (vermutlich), aber wo wird kommuniziert? Noch nie eine Gruppe Menschen zusammenstehen sehen.
- Kneipe: der einzige Ort, wo man sich begegnet (Männer).
- Feste: Sommerfest, Schützenfest (Schützenverein?) – Kommunikation, und Konflikte?
- private Feiern: Hochzeiten, Konfirmationen, Beerdigungen (bei so wenig Menschen vermutlich selten).

3. Die Arbeit

- eigene Landwirtschaft oder Lohnarbeit auf dem Feld, bis auf Friseur und Kneipier, keine anderen Arbeitsmöglichkeiten.
- Einkommen der Bauern: niedrig (und die Bäuerinnen?).
- Perspektive: keine, Höfe zu klein, noch keine Grünbrache, aber zu erwarten.
- Tourismus: keine Chance, Dorf nicht attraktiv genug.

4. Das Denken

Sicher konservativ, rechtsradikale Zeitschriften in den Läden der Umgebung, ev. Einflüsse durch Grenzschutztruppen. Kulturelle Einflüsse: Fernsehen, Landfunk, bäuerliche Traditionen (welche?).

Hier angekommen, legte Bella den Füller beiseite und dachte an ihre Mutter, die die meiste Zeit ihres Lebens Kommunistin gewesen war und mit ihren Urteilen schnell bei der Hand.

Bella, mein Kind, sieh dir die Paare genau an, hatte sie eine ihrer Lieblingsweisheiten eingeleitet. Es gibt nur zwei Sorten. Die einen haben untereinander ein Verhältnis, wie Bourgeois und Proletarier, was, nebenbei, schon Engels bemerkt hat, dem die Sache deshalb aufgefallen sein muß, weil sie eine Massenerscheinung ist. Und die anderen, die nicht benutzen oder sich benutzen lassen. Davon gibt's allerdings erst wenige. Überleg dir gut, zu welchen du gehören willst.

Sie nahm den Füller wieder auf und schrieb:

5. Verhältnis Mann – Frau s. Engels (Bourgeois und Proletarier).

Dann erhob sie sich, ging in die Küche, nahm ein Wasserglas aus dem Schrank und füllte es halb mit Wodka, halb mit Orangensaft. Noch in der Küche nahm sie einen kräftigen Schluck. Es klingelte an der Haustür. Sie öffnete die Tür. Vor ihr stand ein Mann, eher ein Männlein, mit einer Aktentasche, die Hosenbeine mit Fahrradklammern zusammengesteckt. Er strahlte sie an, offenbar froh, endlich mal jemanden im Haus anzutreffen. Ich komme nämlich wegen der Viehzählung, sagte er und begann, in der Aktentasche zu kramen. Nur mit Mühe konnte sie ihm klarmachen, daß sie kein Vieh hatte.

Auch keinen Wellensittich? Es muß alles gezählt werden.

Sichtlich enttäuscht zog er ab. Sie ging zurück an den Schreibtisch.

Wieder und wieder sah sie auf den Zettel. Las die einzelnen Posten, unzufrieden mit den wenigen Informationen, mit denen nichts anzufangen war. Sechs Jahre hatte sie ihre Wochenenden hier verbracht, nicht jedes, aber im Sommer war sie doch ziemlich oft hiergewesen. Wirklich wahrgenommen hatte sie nur ein paar idyllische Eindrücke, Felder und Wiesen in den wechselnden Jahreszeiten, das Schnattern der Gänse im November, die blühenden Apfelbäume im Frühsommer – Eindrücke, die eine Idylle vorgaben, die in Wirklichkeit nicht existierte, jedenfalls nicht für die Menschen, die hier lebten. Und sie hatte zwischen ihnen gelebt, wie auf einer Insel. Wen kannte sie denn? Wieder nahm sie den Zettel zur Hand und begann, die Personen zu notieren, die ihr bekannt waren.

- Der Bürgermeister. Sie kannte ihn, weil er gleichzeitig der Öllieferant war, ein fahriger Mensch, der gern viel und laut redete, um davon abzulenken, daß in Wirklichkeit seine Frau die Amtsgeschäfte führte. Die Frau kannte sie nicht, die Nachbarin hatte von ihr gesprochen.
- Die Nachbarin und ihre Schwester. Die beiden waren sich sehr ähnlich, abgearbeitete Frauen, die schon als Kinder auf dem Feld gearbeitet hatten und Feldarbeit machen würden, solange sie kriechen konnten.
- Die Familie vom Hof gegenüber: Der Mann, der tot war, die junge Bäuerin, den Jungen, den Altbauern, die alte Frau hatte sie noch nie gesehen.
- Eine alte Frau, die offenbar ein wenig irre war, von morgens bis abends und zu jeder Jahreszeit auf der Dorfstraße herumlief, und mit der niemand sprach. – Den Wirt (und die lautlose, gesichtslose Person in seiner Küche).

Die Frau, die als erste gestorben war, hatte sie nicht gekannt. Sie erinnerte sich dunkel an eine magere Person, die ständig mit schriller Stimme hinter zwei Mädchen herschrie. Die Mädchen hatten manchmal auf der Mauer gesessen, die ihren Garten einschloß. Wenn die schrille Stimme zu hören war, waren sie von der Mauer gerutscht und irgendwohin verschwunden. Sie hatte die Stimme nicht gemocht, denn sie war der ihrer Mutter ähnlich, die genauso hinter ihr hergeschrien hatte ... Aber sie gehörte in diese Umgebung wie die alte Gartenmauer und der Holunder davor, die auch nur Versatzstücke waren, um Erinnerungen an die Kindheit wachzuhalten.

Sie saß da und starrte auf den vor ihr liegenden Zettel. War das alles? Ja, das war wirklich alles. Bella Block war unzufrieden mit sich. Natürlich wäre es jetzt besser gewesen, möglichst viele Dorfbewohner zu kennen, ihre Beziehungen untereinander, ihre Freundschaften und Feindschaften. Denn so beziehungslos und ohne Höhepunkte konnte das Leben hier doch in Wirklichkeit kaum sein. Aber hätte sie ahnen können, daß gerade hier, in dieser Idylle ... nein, das konnte sie nicht. Und jetzt würde sie eben mit denen anfangen, die ihr schon bekannt waren. Irgendwo mußte ein Anfang gemacht werden.

Entschlossen stand sie vom Schreibtisch auf. Während sie in der Küche die nötigen Utensilien zum Fensterputzen zusammensuchte, dachte sie ein bißchen wehmütig an den gestrigen Tag zurück, den sie lesend in der Sonne verbracht hatte. Gleichzeitig wurde ihr bewußt, daß sich etwas veränderte in ihrem Verhältnis zu diesem Haus. Es kroch etwas heran, das nach Alltag aussah, nach ihrem Alltag, der aus Gewalt bestand, aus Brutalität, Erniedrigung und Angst. Wie am Abend zuvor erfaßte sie ein deutliches Gefühl, eine durch nichts zu erklärende Gewißheit, daß sich ihr Leben verändern würde. Sie wollte nicht, daß dieses Haus seine Bedeutung für sie verlor. Aber gleichzeitig war ihr, als sei die Abgeschiedenheit nicht mehr vorhanden, die sie geliebt und gebraucht hatte. Es war, als hätte irgend jemand die Türgriffe mit fetten, klebrigen Fingern berührt und auf den Polstern von Sesseln und Stühlen schleimiges Zeug verschmiert. Sie blickte sich aufmerksam um, als sie, Eimer und Fensterleder in den Händen, durch den großen Wohnraum ging. Natürlich war nichts zu sehen.

Beim Fensterputzen entwickelte sich, wie geplant, ein Gespräch mit der Nachbarin. Wie immer hatte Bella Block am Anfang Schwierigkeiten festzustellen, mit welcher der beiden Frauen sie sprach. Zwei Frauen, die sich so verblüffend ähnlich sahen wie ihre beiden Nachbarinnen, kamen ihr aus irgendeinem Grund unnatürlich vor. Sie wurde, ebenfalls wie geplant, für den Nachmittag zum Kaffee eingeladen, beendete ziemlich bald die Fensterputzerei und machte sich auf zu einem Spaziergang durchs Dorf. Am Morgen hatte die Ernte begonnen. In allen vier Himmelsrichtungen tobten Mähdrescher über die Felder, ein Geruch nach Stroh erfüllte die Luft. Die Lerchen, die sie in der Luft stehen sah, waren im Dröhnen der Mähdrescher nicht zu hören. Neben den Resten der Ziegelei stand eine Bank, auf die sie sich setzte. Im Schatten war es nur ein wenig kühler als auf den staubigen Wegen. Sie sah die Frau, mit der niemand sprach, in der prallen Sonne die Dorfstraße entlanggehen. Vor dem Hof der Selbstmörderin blieb sie stehen und sah durch das Tor. Dann kehrte sie um und kam langsam die Straße herauf.

Bella Block sah die schmale, kleine Frau mit der wollenen Pudelmütze, dem braunen Mantel und den ausgetretenen Schnürstiefeln, erhob sich nun und ging auf sie zu. In der Luft war wieder der Geruch nach Schweinemist, und die Hitze ließ ihre Haut feucht werden. Sie traf die Frau an dem Weg, der von der Landstraße zu ihrem Haus abbog, und zögerte einen Augenblick, sie anzusprechen. Es ging etwas Unnahbares aus von dieser Person, eine besondere Art auszudrücken, daß sie nicht angesprochen werden wollte.

Oma rühr mich nicht an, dachte Bella Block, und im gleichen Augenblick bog die Frau in den Weg ein und ging steif und ohne ihren Gruß erwidert zu haben auf das kleine Häuschen zu, das sie bewohnte. Bella blieb stehen und sah der Frau nach, bis sie in der niedrigen Haustür verschwand. Als sie sich umwandte, um weiterzugehen, sah sie, daß sie beobachtet worden war. Am Küchenfenster des Hauses der Nachbarinnen verschwand ein wenig zu spät das blonde Haar einer der beiden Frauen hinter der Gardine.

Auch diesmal hatte sie beim Verlassen ihres Hauses die Tür nicht abgeschlossen, eine Art Trotzreaktion. Es gehörte zu ihrer Vorstellung vom Leben auf dem Land, daß Türen nicht abgeschlossen waren. Jetzt fand sie die Haustür nur angelehnt, und als sie sie ganz öffnete, stand vor ihr der Kleine, dessen Vater umgekommen war, und starrte sie an. Wütend brüllte sie den Bengel an, riß die Tür weit auf und befahl ihm zu verschwinden. Einen Augenblick rührte er sich nicht von der Stelle. Sie hatte das Gefühl, daß er sie nicht nur anglotzte, sondern auch noch zu grinsen begann. Dann fegte er an ihr vorbei zur Tür hinaus.

Na warte, dachte sie wütend. Mit deiner Mutter wollte ich sowieso reden, jetzt hab' ich wenigstens einen Grund. Sie schlug die Haustür zu, rannte durch den Garten über den kleinen Platz und klingelte Sturm an der Tür des gegenüberliegenden Hauses.

Niemand kam. Nach einer Weile, sie hatte sich etwas beruhigt, ging sie durch den Vorgarten und bog um die Ecke. Vor ihr lag der Hofplatz, bedeckt mit Kies, den Einzelteilen von irgendwelchen Landmaschinen, zerbrochenen Ziegelsteinen und Schweinemist. Es stank. In der Luft waren unzählige Fliegen. Niemand war zu sehen, auch als sie ein paarmal gerufen hatte, rührte sich nichts. Als sie gerade gehen wollte, schlurfte der alte Bauer über den Hof. Er war aus dem Schweinestall gekommen. Offenbar war er schwerhörig und halbblind, denn er sah sie weder, noch hatte er ihre Rufe gehört. Ohne sie zu beachten, verschwand er in der Hintertür des Wohnhauses, die er offen ließ. Sie hätte ihm folgen können, aber der Gedanke, in dem niedrigen dunklen Hausflur umschwirrt von Fliegen auf den alten Mann einbrüllen zu müssen, war ihr zuwider. Offenbar war die Mutter des Jungen nicht da. Wahrscheinlich saß sie auf einem der Mähdrescher, die mit ihrem Rattern die Luft erfüllten. Sie drehte sich um und verließ den Hofplatz. Nach ein paar Metern ließen die Fliegen von ihr ab. Erleichtert erreichte sie den eigenen Garten.

Diesmal wartete kein dämlich glotzender Bengel auf sie. Niemand sprang ins Gebüsch, um sich vor ihr zu verstecken, und die kühle Wohnhalle empfing sie freundlich. Sie ging in die Küche, goß sich einen großen Wodka ein, füllte das Glas mit Orangensaft auf und setzte sich an den Küchentisch. Mit schwarzem dickem Filzstift hatte jemand ein Schwein auf die weiße Platte gemalt, aber sonst war alles in Ordnung.

Kaffee is mei liebster Trank
und wär i au zum Sterben krank

Über dem Tisch baumelte ein langer gelber Fliegenfänger. Eine einzelne Fliege klebte mit dem Rücken daran und zappelte hin und wieder mit den Beinen. Bella, angetan mit dem einzigen Rock, den sie im Schrank hatte finden können, und einer frischen weißen Bluse, saß am Kaffeetisch im Wohnzimmer der Nachbarin und horchte auf das Klappern in der Küche, während sie der Fliege zusah. Der Tisch war für drei Personen gedeckt, aber nur eine der Schwestern war bisher aufgetaucht, um gleich wieder in der Küche zu verschwinden. Von dort kam jetzt Kaffeeduft, der sich mit dem Geruch eines scharfen Putzmittels verband. Im Zimmer war es warm. Es roch nach Sauberkeit und Gemütlichkeit. Das war eine Mischung, der sie sich ganz hingeben mußte, um sie auszuhalten. Und so saß sie völlig entspannt auf dem viel zu weichen Sessel, sah der halbtoten Fliege zu, ein Anblick, vor dem sie sich normalerweise ekelte, und wartete. Bevor sie einschlief, erschien die Nachbarin mit der Kaffeekanne.

Es geht doch nichts über eine gute Tasse Kaffee am Nachmittag, sagte sie strahlend, und Bella sah angestrengt zu, wie die schwarze Flüssigkeit aus der Kanne in die Tassen floß. Sie betrachtete auch die kleine, beim Einschenken über den Tisch gebeugte Gestalt der Nachbarin, die sie in der Bewegung des Einschenkens an ihre Mutter erinnerte. Gerade dieses leichte Nachvornbeugen mit der schweren Kanne in der Hand, gleichzeitig dienend und Lob erwartend, diese »Hier ist der Kaffee, den ich für dich gekocht habe, nun lobe mich – Haltung« hatte sie nie ausstehen können.

Ja, antwortete sie, jetzt wieder wach und aufmerksam, wunderbar, so eine Tasse Kaffee.

Weniger wunderbar fand sie das dicke Stück Cremetorte, das gleich darauf auf ihren Teller geschoben wurde. Das war einzuordnen in die Abteilung »weibliches Berufsrisiko«. Sie hatte den Eindruck, jedenfalls nach dem, was ihre Kollegen erzählten, daß den Männern eher ein Schnaps, ihr dagegen ständig Cremetorte angeboten wurde, wenn sie sich dienstlich bei fremden Leuten aufhielt. Konsequenz war für sie dann jedesmal, auf das Abendbrot zu verzichten, was ihre schnapstrinkenden Kollegen sicher nicht taten. Wahrscheinlich auch ein Grund dafür, weshalb sie alle ziemlich schnell fett wurden.

Danke, Frau Petersen, nicht noch ein Stück, aber es hat wirklich gut geschmeckt. Backen Sie den Kuchen selbst? Sie unterhielten sich über Backrezepte, bevor sie auf das Thema kam, das sie interessierte.

Heute mittag habe ich die alte Frau wieder gesehen. Sie grüßt offenbar nicht jeden.

Ach, sagte Frau Petersen wegwerfend, die sollten Sie auch nicht grüßen, die grüßt doch hier keiner.

Sie hatte ein breites Gesicht, die Frau Petersen. Unter den kleinen hellblauen Augen bildeten die Tränensäcke dicke Wülste. Ihre Nase sah aus, als habe sie vor langer Zeit jemand eingeschlagen, was aber eigentlich nicht sein konnte, denn ihre Schwester trug genau das gleiche, in der Mitte des Nasenrückens eingeknickte Exemplar. Die blond gefärbten Haare waren durch mindestens sechzig Dauerwellen (dreißig Jahre lang pro Jahr zweimal) brüchig geworden und hingen in dünnen Zotteln um den Kopf. Aber sie hatte ein lustiges Lächeln und eine helle, freundliche Stimme. Jetzt, ohne das Lächeln im Gesicht, sah sie böse aus, ein bißchen wie die Roggenmuhme, mit der die kleinen Kinder erschreckt werden. Sie hielt die Kaffeetasse in beiden Händen und pustete auf die schwarze Oberfläche. Ihre Fingernägel waren abgebrochen, und die Nagelhaut war eingerissen.

Niemand? Und weshalb nicht?

Sie hob die schwarze Brühe vorsichtig an die Lippen, versuchte zu trinken und behielt die Tasse in den Händen, während sie antwortete.

Na, was würden Sie sagen, wenn so eine Person hier als Gemeindeschwester ankommt und sich den dicksten Bauern zum Liebhaber nimmt, obwohl der Frau und Kinder hat? Und als ihm die Frau gestorben ist, wollte sie sich natürlich auf den Hof setzen. Aber das haben sie ihr wohl vermasselt, wär' ja auch noch schöner.

Und er, der Bauer, meine ich?

Na ja, Sie wissen ja, wie Männer sind. Er hat

sich eine andere geholt. Mußte er ja auch. Eine, die was von der Wirtschaft versteht. Da war Schluß mit der Liebe!

Und wann ist das gewesen? Die Frau ist doch schon ziemlich alt?

Ziemlich alt? Eine alte Kröte ist das, die nicht mehr hüpfen kann, nur noch kriechen. Die wird achtzig sein. Fünfzig war sie, als sie hier ankam und mit ihm angebändelt hat.

Dann muß die Geschichte ja bald dreißig Jahre her sein. Und seit der Zeit spricht niemand mehr mit ihr?

Mit der? Ne, das macht hier keiner.

Frau Petersen lächelte jetzt wieder ihr lustiges Lächeln, gemischt mit offener Schadenfreude. Während des letzten Satzes war die Schwester ins Zimmer gekommen und hatte sich an den Tisch gesetzt. Sie war im Gegensatz zu Frau Petersen nie verheiratet gewesen und trug deshalb noch ihren Mädchennamen. Überhaupt war die Schwester, trotz der äußeren Ähnlichkeit mit Frau Petersen, eigentlich eine völlig andere Persönlichkeit. Irgendwann, es mußte schon lange her sein, hatten die beiden Frauen beschlossen, daß die eine für den Haushalt zuständig sein und die andere »auf Arbeit« gehen sollte. Frau Petersen, die lebhaftere und mutigere von beiden, hatte sich daraufhin Arbeit in der fünfzig Kilometer entfernt gelegenen Büromaschinenfabrik gesucht. Sie arbeitete in drei Schichten, war stolz darauf, noch nie krank gemacht zu haben, und stolz auf die Urkunden, die sie zur Feier ihrer zwanzigjährigen Betriebszugehörigkeit erhalten hatte. Sie redete gern viel und laut, am liebsten über andere Leute und ihre kurze, mißglückte Ehe. Ihre Schwester war schweigsam und schüchtern. Wenn Frau Petersen von ihrer Arbeit oder von ihrer Ehe sprach oder über die Männer des Ortes herzog – seit der ihrige sie verlassen hatte, blieb kein gutes Haar mehr an ihnen – hörte sie ihr bewundernd zu. Die Arbeit im Haus war ihre einzige Beschäftigung bis auf die Feldarbeit, die beide Schwestern in der Rübensaison an den Wochenenden noch zusätzlich machten. Offenbar wurde sie nie damit fertig, denn Frau Petersen machte sich manchmal lustig über sie.

Den Garten, sagte sie dann wohl gutmütig, den Garten mache ich in der vierten Schicht. Sie kommt zu nix. Ich möcht' sowieso wissen, was so Hausfrauen den ganzen Tag machen.

In Wirklichkeit war es wohl nicht nur die zu allen Nur-Hausfrauen gehörende Eigenschaft des Nie-fertig-Werdens mit der Hausarbeit: Maria war ein wenig langsam, und die Schwestern hatten die Arbeitsteilung vorgenommen, die ihren Fähigkeiten am besten entsprach.

Trotzdem, dachte Bella, dumm ist auch sie nicht. Eher traurig und ein bißchen erschrocken darüber, daß die Welt so ist, wie sie ist.

Sie sah die Frauen nebeneinander sitzen und wunderte sich wie immer über die Ähnlichkeit der beiden. Aber es war nicht nur die Ähnlichkeit, sondern auch die absolute Vertrautheit zwischen ihnen, die beide wie eine Person erscheinen ließ. Sie ahnte mehr, als daß sie wußte, daß diese Haltung nicht freiwillig angenommen war. Zwei Flüchtlingsmädchen, darauf angewiesen, ihren Unterhalt bei den Bauern zu verdienen …

Sie erinnerte sich daran, daß Frau Petersen ihr vor ein paar Monaten lachend erklärt hatte, sie und ihre Schwester würden nicht auf dem Dorffriedhof begraben werden, der sei nur für die Reichen. Und sie begann die Ordnung zu ahnen, die das Leben in der Idylle bestimmte.

Frau Petersens Lächeln hatte den Ausdruck von Schadenfreude verloren. Sie sprach über den Garten, ihr Lieblingsthema, während die Schwester ihren Kaffee austrank und das Zimmer wieder verließ.

Bella nutzte die Gelegenheit, um sich ebenfalls zu verabschieden. Sie wollte über die Geschichte nachdenken, die sie gehört hatte. Und außerdem hatte sie genug von dem Geruch nach Kaffee und Putzmittel, der ihr langsam den Atem nahm. Am Fliegenfänger klebten jetzt acht Fliegen.

Der Hering ist ein salzig Tier,
er kommt an vielen Orten für,
er geht des Abends in die Stadt
und macht die alten Weiber satt.

Als sie auf die Straße trat, war die Luft drückender geworden. Die Bäuerin mußte vom Feld gekommen sein, der Mähdrescher stand vor dem Haus und nahm fast die ganze Straße ein. Sie verwarf den Gedanken, die Bäuerin jetzt aufzusuchen, um sich über den ungeratenen Sohn zu beschweren. Statt dessen schlug sie fast unbewußt den Weg in die Felder ein, der an dem Häuschen der Alten vorbeiführte. Das Haus hatte ein weit heruntergezogenes Dach und eine Haustür, bei der Ober- und Unterteil getrennt voneinander zu öffnen waren. Der kleine Vorgarten war überwuchert mit Margeritenbüschen, die fast an die Dachrinne heranreichten. Die beiden Teile der Haustür standen offen. Sie blieb am Gartenzaun stehen und tat, als bewundere sie die Margeriten, während sie versuchte, einen Blick in das Innere des Hauses zu werfen. Sie sah aber nichts als das dunkle Loch des Hausflurs.

Hinter dem Haus begannen die Felder. Der Roggen war noch nicht gemäht worden. Auf dem leicht abschüssigen Feldweg sah sie schon nach wenigen Schritten, als sie sich umwandte, nur noch das Dach des Häuschens über dem graugelben Kornmeer. Dreißig Jahre Leben in der Idylle – dreißig Jahre Leben in der Hölle. Natürlich würde hin und wieder jemand mit ihr gesprochen haben. Der Kaufmann, der zweimal in der Woche mit einem Verkaufswagen im Dorf auftauchte. Welche Sprache spricht eine, die, sinnloser Verachtung des Dorfes ausgesetzt, nur noch Wörter wie »Brot« oder »Zucker« oder »Salz« aussprechen durfte. Welche Bedeutung bekamen diese Wörter, die doch nichts aussagen konnten über die Befindlichkeit der Person, für die sie überlebenswichtig waren? Hatte sie sich gewehrt gegen die brutale Verbannung aus der Gemeinschaft des Dorfes? Weshalb war sie nicht weggegangen aus dem Dorf, das sie nicht wollte? Bella erinnerte sich, daß sie an einem ähnlich warmen Sommertag durch die Felder geradelt war und laut gesungen hatte. Geh aus mein Herz und suche Freud' in dieser schönen Sommerzeit – war sie vielleicht singend an der offenen Haustür vorbeigeradelt?

Auf dem Rückweg, sie war stundenlang durch die Felder gelaufen, blieb sie vor dem Haus der alten Frau stehen, um mit ihr ein paar Worte zu wechseln. Aber die Tür war verschlossen, und auf ihr Klopfen öffnete niemand. Sie ertappte sich dabei, wie sie vorsichtig zum Haus der Nachbarin hinübersah, die sie vielleicht mißbilligend beobachtete, und erschrak darüber, wie schnell der Zwang zu einem bestimmten Verhalten auch von ihr angenommen wurde. Herausfordernd langsam verließ sie den Vorgarten des kleinen Hauses und ging mit erhobenem Haupt am Küchenfenster der Nachbarinnen vorbei. Auf der Straße kam ihr ein Hund entgegengetrabt, ein großer Schäferhund mit blutiger Schnauze. In der untergehenden Sonne leuchteten die Margeriten.

In der Nacht hatte sie einen furchtbaren Traum, in dem die alte Frau mit kahlem Schädel vor dem geöffneten Fenster der Kneipe stand und nach ihr rief. Sie konnte nicht hinausgehen, weil sie von zwei dünnen, langen Armen festgehalten wurde, die aus der Klappe hervorgriffen, durch die sonst das Essen gereicht wurde. Den Rest der Nacht verbrachte sie lesend, und zum ersten Mal empfand sie so etwas wie Angst in dem großen, alten Haus. Sie beschloß, in Zukunft die Haustür abends abzuschließen.

S fängt an zu träppeln,
der Tod schmeißt mit Äppeln.
S fängt an zu ränn,
der Tod schmeißt mit Stänn.
S fängt an zu gießen,
der Tod schmeißt mit Nüssen.
S fängt an zu schnain,
der Tod kemmt mit Wein.
S fängt an zu graupen,
der Tod kemmt mit Raupen.

Gegen Morgen war sie noch einmal eingeschlafen. Als sie erwachte, hatte sich das Wetter geändert. Es war warm geblieben, sehr warm sogar, aber die Wolken hingen grau und tief über den Feldern. Das laute Summen einer Kornlüftungsanlage war zu hören. Ein gleichmäßiger dunkler Ton, der zu dem grauen, niedrigen Himmel paßte, als sei er seine Stimme. Der Geruch nach Schweinemist war wieder stärker geworden. Er lag über dem Dorf wie ein schwerer, unsichtbarer Teppich. Die helle Klingel des fahrbaren Kaufmannsladens, die sie geweckt haben mußte, wirkte völlig unpassend. Anscheinend ging niemand an den Wagen. Sie hörte ihn gleich wieder abfahren.

Wie immer am Vormittag lag das Dorf wie ausgestorben da. Als sie einen Rundgang durch den Garten machte, sah sie den Wirt. Er ging langsam über den Dorfplatz und sah zu ihrem Haus herüber. Als er sie bemerkte, änderte er die Richtung und kam auf sie zu.

Sie hatte ihn bisher nur hinter seinem Tresen gesehen. Wie er da jetzt auf sie zugeschlurft kam, sah er merkwürdig verlassen aus auf der leeren Straße. Als er näher kam, sah sie, daß ihm der Schweiß hinter den Ohren in den geöffneten Hemdkragen lief. Das Hemd klebte auf dem über der Hose hängenden Bauch. Vor ihrer Gartentür blieb er stehen.

Sie berührte die Hand, die er über den Zaun streckte, nur flüchtig. Dennoch blieb der Eindruck von etwas Kaltem, Feuchtem auf ihrer Handfläche zurück, und unauffällig wischte sie die Hand an ihrer Hose ab. Es gefiel ihr auch nicht, daß er sie unverschämt musterte.

Na, immer noch Urlaub?

Seine Frage kann er sich schenken, dachte sie. Soll er doch sagen, was er wirklich will.

Er sagte es nicht, aber aus seinen gewundenen Sätzen konnte sie trotzdem schnell heraushören, daß er wissen wollte, wie lange sie noch blieb. Das ließ sie offen. Seine Stimme wurde noch freundlicher.

Er sprach jetzt von der Bäuerin, die sich erhängt hatte, erging sich in dunklen Andeutungen über Frauen, die allein leben und dadurch in Schwulitäten – er sagte wirklich Schwulitäten – kämen, woran sie aber schließlich selbst Schuld hätten. Seine Hände lagen auf den Latten der Gartentür, und daran, wie er sie heftig umfaßte und wieder losließ, merkte sie, wie erregt er war.

Will er mich beschützen, fragte sie sich. Das kann er doch nicht ernst meinen.

Ach, sagte sie kühl, hat sie sich denn nicht selber umgebracht?

Er hielt augenblicklich die Hände still und verstummte. Woher soll ich das wissen, sagte er dann ärgerlich und ängstlich zugleich.

Seine Stimme klang jetzt erheblich weniger selbstsicher. Sie sagte nichts, beobachtete ihn nur kühl und hartnäckig, so daß ihm unbehaglich wurde.

Er hätte gerne seiner verschwitzten, ramponierten Männlichkeit wieder auf die Beine geholfen, wußte aber nicht, wie er das anstellen sollte.

Geht nicht, mein Lieber, dachte sie, jetzt bist du unten und ich oben.

Aber sie hatte sich getäuscht. Plötzlich sagte er mit gönnerhaft-anzüglichem Unterton:

Sie können mir ja Bescheid sagen, wenn es Ihnen zu einsam wird. Eine Frau wie Sie, da kommt man gern mal vorbei. Nahm die Hände von der Gartenpforte und entfernte sich langsam. Bella sah ihm nach und war wütend. »Dreckskerl« war alles, was ihr einfiel, aber sie sagte es nicht laut, sondern ging ins Haus und ärgerte sich.

Im Haus hatte es eine Invasion von Fliegen gegeben. In der dämmrigen Halle, auf dem Küchentisch, am Eßtisch, in ihrem Arbeitszimmer, nirgends war sie davor sicher, als Unterlage für sich paarende Fliegenpärchen zu dienen, was ihre Stimmung noch gereizter machte. Sie ging in die Speisekammer und fand dort nach längerem Suchen zwischen leeren Flaschen, Gläsern und Dosen ein Fliegenspray vom letzten Jahr. Geradezu aggressiv sprühte sie ihr Arbeitszimmer aus, schloß die Tür und wartete auf die Wirkung.

Der Geruch im Zimmer war widerlich. Am

Schreibtisch sitzend sah sie eine Fliege, die überlebt hatte, auf der Kante des Fensterbretts entlangkriechen. Sie kroch einige Zentimeter, hob das Hinterteil hoch, wie ein winziges Kamel beim Aufstehen, rieb die Hinterbeine aneinander und kroch weiter. Der Vorgang wiederholte sich mindestens zehnmal, bis Bella begriff, daß es nur eine besondere Form des Todeskampfes war, dem sie zusah.

Die Beine, die eigentlich über die Flügel streichen sollten, ließen sich nicht mehr hochheben. Das Gift hatte die Fähigkeiten der Fliege, ihre Bewegungen sinnvoll zu koordinieren, zerstört. Sinnlos reckte sie das Hinterteil in die Höhe und rieb die Beine aneinander. Bella Block ekelte sich vor Fliegen, besonders vor poussierenden Pärchen, die sich auf sie stürzten, um sich auf ihr zu begatten. Aber noch widerlicher waren ihr sterbende Fliegen, die auf der Fensterbank ein sinnloses Ballett aufführten, anstatt einfach zu krepieren. Trotzdem saß sie wie gelähmt am Schreibtisch und starrte auf den merkwürdig gleichmäßigen Ablauf der unkoordinierten Bewegungen auf der Fensterbank. Ein Sommertag, an dem die Fliegen starben, der nicht hell wurde, weil der Himmel schwer und grau und niedrig war, das gleichmäßige Summen der Kornbelüftungsanlage – plötzlich hatte sie sogar das Gefühl, als sei der Geruch nach Schweinemist eine Art Strafe ... Ärgerlich sprang sie auf.

Jetzt war's genug. Sie mußte sich eine Beschäftigung suchen, um den Bezug zur Wirklichkeit wieder herzustellen. Am besten die Speisekammer aufräumen und dann das Gespräch mit der Bauersfrau von gegenüber, wenn sie sich beruhigt haben würde.

Später trug sie einen Korb leerer Marmeladengläser zum Mülleimer, die sie in der unsinnigen Annahme gesammelt hatte, sie irgendwann mit selbstgemachter Marmelade zu füllen. Mit Lust knallte sie die Gläser einzeln in die leere Mülltonne. Als sie damit fertig war und hochsah, stand die Briefträgerin vor der Gartenpforte und sah ihr interessiert zu.

Manchmal braucht man das, sagte sie verständnisvoll, reichte einen Brief über den Zaun und ging weiter.

Bella war froh, daß es nicht der Wirt gewesen war, der ihr zugesehen hatte. Sie ging ins Haus, setzte sich an den Schreibtisch – die Fliege war verschwunden – und las, was Kohlau ihr mitzuteilen hatte. Der Brief war kurz. Er enthielt eine Kopie des anonymen Briefes und die Mitteilung, daß der Mann im Auto vor seinem Tod Geschlechtsverkehr gehabt hatte. Dazu die Aufforderung, zu Beginn der nächsten Woche wieder im Büro zu erscheinen, da ihre Anwesenheit dann wieder erforderlich sei. Der Schlußsatz – »Ich gehe davon aus, daß die Angelegenheit bis dahin geklärt ist« – ließ sie laut auflachen. Schließlich war es seine Marotte gewesen, sie hierher zu schicken. Offenbar brauchte er sie jetzt, und es tat ihm leid. Leider hatte sie bisher aber nichts herausgefunden, außer daß sie jetzt *wußte,* daß hier etwas geschehen war. Na, jedenfalls ließ sich mit seinen Informationen etwas anfangen. Sie würde mit der Frau des Bauern reden und dabei versuchen, etwas über mögliche Seitensprünge ihres Mannes in Erfahrung zu bringen. Denn daß er es mit seiner Frau im Auto getrieben hatte, bevor er starb, war wohl kaum anzunehmen. Und heute abend würde sie wieder in die Kneipe gehen und den Wirt zum Reden bringen. Er wußte etwas und er wollte etwas von ihr, das war ein Vorteil. Zuerst aber würde sie der Bäuerin gegenüber einen Besuch abstatten. Entschlossen stand sie auf und stieg in ihre Gummistiefel. So würde der völlig verschmutzte Hof dort drüben besser zu überqueren sein, denn zu allem Überfluß hatte jetzt ein feiner, dichter Regen eingesetzt.

Nadel, Faden, Fingerhut,
stirbt der Baur, so gehts nicht gut,
stirbt die Welt, so wird es Tag
fahren die Engele ins Grab.

Der Hof war eine einzige Schlammwüste. Der Misthaufen war größer geworden. Die Ersatzteile und verrosteten Werkzeuge, die zerbrochenen Ziegel lagen immer noch herum. Der Misthaufen begann sich aufzulösen. Einzelne Placken schwammen herum, und die Gummistiefel erwiesen sich als sehr nützlich. Sie ging diesmal gleich an die Hintertür, die nur angelehnt war, und rief »Hallo« in den Hausflur. Am Ende des Flurs wurde eine Tür geöffnet, und der Kopf der Bäuerin erschien.

Kann ich Sie mal sprechen?

Was gibt's denn?

Die Stimme klang müde. Aus der Tür trat eine breite Person, von der nur die Umrisse zu erkennen waren. Bella kam sich vor, wie eine mitfühlende Lehrerin, die einer überarbeiteten Mutter schlechte Nachrichten über das Verhalten ihres Kindes in der Schule bringen muß. Sie schüttelte das Gefühl ab und ging auf die Frau im Halbdunkel zu. Dabei quietschten ihre Füße in den Gummistiefeln, weil sie vergessen hatte, Socken anzuziehen. Das Geräusch war unangenehm laut. Die Frau war wieder hinter der Tür verschwunden, und sie ging hinterher, trat durch die Tür und blieb dort stehen. Sie stand nicht in der Küche, wie sie aus irgendwelchen Gründen angenommen hatte, sondern in einem niedrigen Raum, der mit altmodischen Möbeln vollgestopft war. Mehrere Sofas standen an den Wänden, dazu ein großer Tisch mit lang herunterhängender Decke, verschiedene kleinere Tische, Stühle und Sessel, Fußbänke und an der Wand ein Doppelbett mit hohem, gedrechseltem Kopfteil aus dunklem Holz und dicken Federbetten. Wegen der kleinen Fenster, die von außen fast zugewachsen waren mit irgendeinem Rankzeug, kam nur wenig Licht in das Zimmer. Sie hatte Mühe, in dem Doppelbett eine flache Gestalt zu erkennen, die sie vielleicht nur für einen Schatten gehalten hätte, wenn nicht ein ganz hoher, langgezogener Wimmerlaut zu hören gewesen wäre. Sie rührte sich nicht und beobachtete die Frau, die neben dem Bett stand, auf die wimmernde Gestalt hinab sah und dann ein großes Kissen nahm, das am Fußende des Bettes gelegen hatte. Einen Augenblick sah es so aus, als wolle sie damit den Wimmerlaut ersticken. Statt dessen schob sie das Kissen unter den Oberkörper einer ausgemergelten Person. Es war nicht der alte Mann, den sie am Tag zuvor auf dem Hof gesehen hatte.

Die Frau hantierte schweigend und gleichmütig, als habe sie nichts weiter getan, als einen Topf zurück ins Regal gestellt. Bella Block verließ als erste den düsteren Raum. Die Bäuerin schloß hinter ihnen die Tür, schob sich in den engen Flur an ihr vorbei und ging nicht, wie sie erwartet hatte, voraus in ein anderes Zimmer, sondern wieder vor die Haustür. Dort stand sie einen Augenblick in dem gleichmäßig herabfallenden Regen, und es schien, als atme sie tief. Bella wagte nicht, sie anzusprechen. Sie wartete und sah, daß der alte Mann wie am Tage zuvor aus dem Schweinestall geschlurft kam. Seine Stiefel waren voll Mist. Er blieb an der Tür stehen, neben der Frau, die ihn beobachtete, und zog, an die Hauswand gelehnt, mühsam die Stiefel aus. Dann ging er an ihnen vorbei ins Haus. Die Frau drehte sich um, sah ihm nach und dann Bella ins Gesicht. Sie sah sie an, und Bella begriff, daß nichts von dem, was sie zu sagen beabsichtigte, diese Frau erreichen würde. Die Frau, die vor ihr stand, hatte eine Aufgabe zu erfüllen, die darin bestand, Schweine aufzuziehen und den Stall auszumisten, die Ernte einzubringen, den Alten und das Kind zu versorgen, das Haus und den Vorgarten in Ordnung zu halten und die wimmernde Alte zu Tode zu pflegen. Das alles tat sie, und sie würde es tun, bis der Junge alt genug war, den Hof zu übernehmen, und eine Frau anbrachte, die dann an ihre Stelle trat. Es würde ihr gleichgültig sein, ob ihr Sohn bei fremden Nachbarn unerlaubt im Haus gewesen war. Es würde ihr gleichgültig sein, daß ihr Mann sich vor seinem Tod im Auto mit irgendeiner Frau vergnügt hatte. Es war ihr gleichgültig gewesen, daß er, als er noch lebte, vielleicht manchmal mit anderen Frauen angebändelt hatte, genauso, wie es ihr gleichgültig geworden war, wenn er nach dem Besuch der

Kneipe oder zu Pfingsten oder zu Weihnachten sich auf sie gelegt hatte, um nach einem kurzen Geschiebe wieder herunterzurollen und an ihrer Seite einzuschlafen. Sie stand da, eine schwarze Kittelschürze hielt ihren Körper zusammen, aus den kurzen Ärmeln kamen die Fleischmassen der Oberarme hervor, rot von Sonnenbrand, zwischen dem Saum der Schürze und dem Rand der dunklen Gummistiefel waren riesige Knie sichtbar, und sah Bella Block an. Sie sah sie an, und Bella dachte an ihren Liegestuhl, an Sonne auf der Terrasse und Wodka mit Orangensaft. Sie empfand ein Gefühl der Scham. Um das Schweigen zu beenden, sagte sie einen Satz, der ihr später vollkommen sinnlos vorkam. Sie sagte:

Kann ich Ihnen helfen?

Weinschröter, schlag die Trommel,
bis der bittre Bauer kommt.
Mit den Grenadieren
mußt du fortmarschieren,
mit dem blauen Reiter
auf die Galgenleiter.
Weinschröter, du mußt hangen,
bist bei Nacht zum Weib gegangen.

Sie hätten das mit mir nicht machen dürfen. Ich wußte, daß er ein geiler Bock war. Das weiß hier jede. Der war so, solange ich denken kann. Mich wollte er nie, warum auch, aber die anderen. Beim Kartoffelsammeln ist er ihnen unter die Röcke gegangen, er braucht nur'n Weiberarsch, hat er gesagt, daß es ihm gutgeht. Es war nicht genug, daß die Frau tot war. Ich konnte nicht schlafen. Es waren immer noch zwei, und bald kam der Schützenball, und sie würden es bekanntmachen vor allen Leuten. Ich hab' aufgehört zu würgen, nach ein paar Wochen konnte ich auch wieder arbeiten. Aber ich hab' nur an ihn gedacht, Tag und Nacht, und wie ich es fertigbringe, daß er verschwindet. Nachts bin ich um sein Haus herumgeschlichen, und manchmal habe ich ihn gesehen, wenn er aus der Kneipe kam, und dann konnte ich das Rumoren im Schlafzimmer hören, immer. Dann hab' ich aufgepaßt. Wenn er abends losging, hab' ich ihm aufgelauert, als er allein aus der Kneipe kam. Ich hab' auch zugehört unter dem Fenster, wie sie geredet haben, immer dasselbe, über Weiber, und ich dachte, bald werden sie von mir reden, und meine Hände waren naß. Ich dachte, daß er mich für dumm hält und daß ich damit was machen kann. Aber es mußte bald sein, und ich wußte nicht wie. Es wurde schon kalt nachts. Unter dem Fenster der Kneipe habe ich gefroren. Einmal kam er heraus, da hatte ich mich an den Graben gesetzt, um zu pinkeln, und er hat mich gesehen, den Hintern. Er war besoffen und ist mit dem Fahrrad auf mich zugetorkelt, da bin ich weggelaufen. Das hab' ich dann noch ein paarmal gemacht, es wurde ja früher dunkel jetzt. Er kam auf der Straße vorbei, da saß ich dann am Zaun, und er hat mich gesehen, und ich mußte nicht mehr nachts unter dem Kneipenfenster stehen. Er hat mich gefragt, ob er mich mit dem Auto mitnehmen soll, und sein Gesicht sah aus wie damals. Ich hab' gesagt, daß ich nicht will, und er hat noch ein paarmal meinen Hintern am Zaun gesehen. Ich mußte erst einen Schlauch besorgen. In der Stadt hab' ich einen Auspuff gemessen auf dem Parkplatz vor dem Rathaus, da stand ein Wagen wie seiner. Dann hab' ich den Schlauch gekauft und eine Flasche Korn. Da war es Anfang November. Ich hab' gemerkt, daß er die Lust verliert, wenn ich länger warte, und dann bin ich wieder vor die Kneipe gegangen, den Schlauch hatte ich in der Tasche und den Korn. Da ist er nicht mehr mit dem Fahrrad gefahren, es war schon zu kalt. Als er rauskam, hab' ich neben dem Wagen gesessen und so getan, als ob ich ihn nicht kommen höre. Er hat versucht, meinen Hintern anzufassen, aber ich bin aufgesprungen, und dann bin ich mit ins Auto gestiegen. Er ist losgefahren, aber nicht in den Ort, sondern in die andere Richtung und dann abgebogen in den Feldweg, wo sie ihn gefunden haben. Ich hab' mich nicht ausgezogen, sogar die Handschuhe hab' ich anbehalten. Ich wußte ja, daß er nur meinen Hintern wollte, aber erst hab' ich ihm noch die Flasche gezeigt. Er wollte noch trinken. Ich hab' so getan, als ob ich auch trinke, bis die Flasche fast leer war. Dann hat er den Motor ausgemacht, er war soweit, das konnte ich sehen, und ich hab' ihm gegeben, was er wollte. Da waren wir auf dem Rücksitz, und ich hab' mir den Kopf an der Scheibe aufgeschlagen. Er ist dann ruhig geworden, und ich hab' gemerkt, daß er eingeschlafen ist. Ich hab' seine Hose zugemacht und bin über den Sitz gestiegen und hab' den Motor angemacht. Der Schlauch hat gut über den Auspuff gepaßt. Er war auch lang genug. Ich hab' ihn durch das Fenster neben dem Rücksitz geschoben und die Ritze mit seinem Parka zugestopft, den hatte er ausgezogen. Sein Kopf hat auf der Rücklehne gelegen, und ich hab' den Schlauch direkt neben ihn gelegt. Ich wußte ja nicht, wie lange er schläft. Er hat geschnarcht, der Mund stand offen, und wenn er die Augen auch offen gehabt hätte, hätte er ausgesehen wie der Eber. Ich bin dann über den Acker nach Hause gegangen. Die Schollen waren gefroren und das Wasser dazwischen auch. Es hat gekracht beim Gehen. Das war das einzige Geräusch in der Nacht, bis auf den laufenden Motor. Ich hab' gut geschlafen. Nur noch einer übrig, dachte ich, und für den fällt mir auch noch was ein.«

Eine deine dumme Käth
wemmer metze, hammer Speck,
wemmer backe, hammer Brot,
wemmer sterbe, sammer tot.

Gegen Abend hörte es auf zu regnen. Die Luft war weich und warm. Abende wie diesen nannte Bella bei sich »Großvater-Abende«. Während sie die Haustür hinter sich abschloß, zitierte sie Block.

Hier blüht die Stille, sanft bewegend
das schwere Schiff der Seele, und
das leicht geneigte Schiff beleckend,
legt sich der Wind,
ein braver Hund.

Alexander Block und ihre Großmutter hatten sich nur ein paar Monate gekannt. Block hatte im Mai 1920 in Moskau einen ersten öffentlichen Literaturabend gegeben. Das von den Folgen von Revolution und Bürgerkrieg geschüttelte Moskau hatte ihm zu Füßen gelegen. Es hieß, die südländische Schönheit der jungen Frau, die später Bellas Großmutter werden sollte, habe ihn, den großen verzweifelnden Dichter, zu Tränen gerührt. Bella malte sich mit

Vorliebe seit ihrer Kindheit an Sommerabenden die Begegnung der beiden aus. Aber ihre Gedanken waren heute nicht wirklich bei der Sache.

Die Schwalben waren mindestens drei Etagen höher gerückt. Auf die Gummistiefel hatte sie bei ihrem Gang zur Kneipe verzichtet, was allerdings leichtsinnig gewesen war angesichts der großen Mengen von dicken, braunen Nacktschnecken, die die Straßenränder bevölkerten. Sie ging vorsichtig, um die Schnecken nicht zu zertreten. Vor der Kneipe standen zwei Schilder mit dunkelrosa Plakaten. Das alljährliche Sommerfest wurde für das Wochenende angekündigt. Die Fenster des Schankraums waren geschlossen.

Als sie eintrat, sah der Wirt ihr feindselig entgegen. Um den Tresen standen ein paar Männer, die ihr Gespräch abbrachen. Diese Männer hatte sie noch nie gesehen. Sie trugen trotz der sommerlichen Jahreszeit halbhohe Lederstiefel. Ihre grünen Hosen steckten in den Stiefelschäften, die Hemden, ebenfalls grün und frisch gebügelt, waren offen und die Ärmel hochgekrempelt. Es ging so viel aggressive Ordentlichkeit von ihnen aus, daß sie bedrohlich wirkten. Offensichtlich fühlten sie sich durch ihre Anwesenheit gestört. Sie kümmerte sich nicht um die feindseligen Blicke, nahm die Zeitung vom Tresen und setzte sich in den angrenzenden Gastraum. Es dauerte lange, bis der Wirt kam, um nach ihren Wünschen zu fragen. Sie bestellte das übliche Bauernfrühstück. Er hob die Klappe an der Wand hinter dem Tresen hoch, rief die Bestellung in das Loch in der Wand und schloß die Klappe wieder. Sie hatte genau hingesehen, aber außer einem Stückchen buntgeblümter Schürze nichts entdecken können.

Als klar war, daß sie sich nicht vertreiben lassen würde, setzten die Männer ihr Gespräch mit leiser Stimme fort. Der Wirt sah hin und wieder mißtrauisch zu ihr herüber. Anders als bei ihrem ersten Besuch lachte niemand. Der Anblick der Männer hatte eher etwas Verschwörerisches.

Und gleichzeitig Lächerliches, dachte sie. Wie Kinder, die für einen kurzen Augenblick ihr Räuber- und Gendarmspiel unterbrechen, um zu beraten, welches Versteck sie als nächstes aufsuchen wollen.

Sie nahm sich vor zu bleiben, bis der letzte Gast gegangen war. Als die Männer endlich den Schankraum verließen, war es schon fast elf Uhr. Zum Schluß waren sie doch noch laut geworden, aber sie hatte ihre Anzüglichkeiten schweigend überhört. Jetzt stand sie auf und ging an den Tresen. Dort lagen noch die Zettel, auf denen der Wirt die Zeche zusammengerechnet hatte. Bella starrte auf die beiden Zettel. Mit steiler Handschrift waren die Beträge untereinander gelistet. Die mit schwarzem Kugelschreiber geschriebenen Zeilen berührten sich, es war kein Platz zwischen ihnen. Bei flüchtigem Hinblicken sahen die Zettel aus wie vollkommen gleichmäßig mit großen Zeilen bekritzeltes Papier. Sie kannte dieses Schriftbild. So sah der handgeschriebene anonyme Brief aus, der Kohlau veranlaßt hatte, sie hierherzuschicken. Da war sie ziemlich sicher. Konnte sie nicht versuchen, einen dieser Zettel unauffällig an sich zu bringen?

Vielleicht hatte sie einen Augenblick zu lange auf

die Zettel gestarrt. Betont beiläufig nahm der Wirt sie zwischen seine dicken Finger, zerknüllte sie und warf sie weg. Sie war enttäuscht, aber das Schriftbild hatte sie im Kopf. Sie war sicher, daß es dasselbe war wie auf der Kopie, die Kohlau ihr geschickt hatte. Sie bestellte einen doppelten Aquavit. Er schenkte den Schnaps ein und kam hinter dem Tresen hervor, um die Fenster zu öffnen. Sie hatte sich umgedreht und folgte ihm mit den Augen. Er öffnete das zweite Fenster, und sie sah, wie er ärgerlich das Gesicht verzog. Er beugte sich aus dem Fenster und bewegte die Arme, als wolle er etwas verscheuchen.

Geh nach Hause, Käthe, murmelte er halblaut und bewegte noch einmal die Arme. Sie ging die paar Schritte durch den Raum und stellte sich neben ihn ans Fenster. Draußen, von der Straßenlaterne beleuchtet, ein paar Meter von der Kneipe entfernt, sah sie die alte Frau, mit der niemand sprach. Auch jetzt, in der warmen Jahreszeit, trug sie Wintermantel und Wollmütze. Sie stand da unter der Laterne und lächelte ein sanftes Lächeln gegen die geöffneten Fenster. Dann drehte sie sich langsam um und verschwand in der Dunkelheit.

Der Wirt öffnete das dritte Fenster, sah noch einmal hinaus und ging dann zurück hinter den Tresen. Offenbar glaubte er, die Situation erklären zu müssen, denn er gab die Zurückhaltung auf, die er den ganzen Abend gezeigt hatte, und fing an zu sprechen, bevor sie ihn hätte fragen können.

Ja, das ist schlimm mit so alten Leuten, das ist schlimm. Dabei hab' ich ihr immer was gegeben, das können Sie mir glauben. Aber schließlich bin ich Geschäftsmann. Rücksicht auf die Gäste ist oberstes Gebot. Das ist schlimm, wenn man zu wenig Rente bekommt. Jetzt geht's ja schon, wo es draußen warm ist. Aber im Winter, da kommt sie her und setzt sich hier hin, er zeigte empört in die Ecke, in der ein runder Tisch stand, der als Stammtisch gekennzeichnet war.

Kein Geld für die Heizung, bei der ist es lausekalt im Winter. Zuerst hab' ich sie sitzen lassen, nicht am Stammtisch natürlich, aber da drüben in der Ecke. Aber dann haben sich die Gäste beschwert. Hört und sieht alles, die Alte, entweder wir oder sie. Na ja, ich bin Geschäftsmann, ich hab' sie vor die Tür gesetzt.

Er machte eine Pause und stierte vor sich hin. Auch Bella Block sagte nichts.

So manches Mal hab' ich ihr was zu essen gegeben, so manches Mal, das können Sie glauben, sagte er dann weinerlich. Aber Geschäft ist Geschäft, ich kann sie hier nicht gebrauchen. Soll sie sehn, wo sie bleibt, die hat sich hier nicht rumzudrücken. Bei den letzten Worten war seine Stimme wieder härter geworden. Entschlossen kippte er einen doppelten Korn. Den Vorfall mit den Zetteln hatte er offenbar vergessen. Sie beschloß, ihn noch einmal direkt nach dem Toten im Auto zu befragen, vielleicht würde er reden. Sie tat so, als sei sie mit seiner Erklärung für das Wegscheuchen der alten Frau zufrieden, und stimmte ihm zu.

Ja, man kann kaum glauben, daß es in einer so schönen Landschaft soviel Elend gibt. (Mein Gott, was rede ich bloß für einen Blödsinn, dachte sie.) Und sie ist wohl nicht mal die einzige, die hier Probleme hat. Zwei Selbstmorde in einem Jahr. Die Frau kann ich ja noch verstehen, kann sein, daß sie einsam war. Aber er ..., den muß doch ein Unglück getroffen haben. Da muß doch 'ne Menge passieren, bevor sich einer ins Auto setzt und den Schlauch reinlegt ...

Völlig überraschend fing der Wirt an zu lachen. Er lachte und lachte, es schien, als könne er sich gar nicht wieder beruhigen, als lache er, um eine andere Reaktion nicht zuzulassen.

Der?

Er prustete noch einmal und wischte mit dem Handrücken über das Gesicht, wobei unklar blieb, ob er Lachtränen oder Schweiß wegwischte.

Der hatte keine Probleme, das können Sie glauben. Der hatte 'ne Frau, die für ihn gearbeitet hat, und ein paar andere, denen er's besorgt hat. Es gibt hier nämlich zu wenig Männer im Dorf, wissen Sie?! Der war kein Kind von Traurigkeit, der nicht.

Aber die Frauen, haben die denn da mitgemacht?

Mitgemacht? Seit wann wird denn die Sau gefragt, wenn der Eber sie bespringen will?

Er sah sie an und merkte, daß er zu weit gegangen war.

Es wurde still, und in die Stille fiel klirrend ein Teller auf die Fliesen hinter der Essenklappe. Sein Gesichtsausdruck, der eben noch lüstern und lustig zugleich gewesen war, veränderte sich beim Geräusch des klirrenden Tellers. Er versuchte gleichgültig und unbeteiligt auszusehen, nahm einen Lappen in die Hand und begann den Zapfhahn blank zu reiben. Sie beobachtete ihn schweigend. Je länger er rieb, desto entschlossener wurde sein Gesicht, über das dicke Schweißtropfen liefen. Gleich würde er verkünden, daß jetzt Schluß sei. Sie kam ihm zuvor, indem sie noch ein Bier bestellte. Sie hatte Lust, den Fettwanst in die Enge zu treiben. Er begann das Bier zu zapfen.

Und Sie haben ihn gut gekannt, was? Zwei gegen den Rest der Damenwelt, so war's wohl, oder? Ihre Stimme klang schärfer als beabsichtigt. Die Vorstellung, in dem Wirt einen Busenfreund des Dorfcasanovas vor sich zu haben, erregte ihren Widerwillen.

Scheint ihm ja nicht allzugut bekommen zu sein, seine umfangreiche Tätigkeit. Hoffentlich haben Sie eine Lebensversicherung.

Jetzt war sie zu weit gegangen. Aber er wurde nicht wütend. Er sah sie nur an. In seinen Augen war plötzlich Angst zu sehen, und der Schweiß, der ihm über das Gesicht lief, hätte auch Angstschweiß sein können. Um das Zittern seiner Hände zu verbergen, begann er wild entschlossen die Theke zu polieren. Wieder war es still, und diesmal klirrte nicht einmal ein Teller im Nebenraum.

Verdammt, dachte sie, ich komme nicht weiter. Jetzt wird er überhaupt nichts mehr sagen.

Lebe glücklich, lebe froh,
wie der König Salomo.
Der auf seinem Stuhle saß
und ein Stückchen Käse aß.
Lebe glücklich, werde alt,
bis die Welt in Stücke knallt.

Wie sie nach Hause und ins Bett gekommen war, wußte sie am nächsten Morgen kaum noch. Sie und der Wirt hatten eine Unmenge Schnäpse getrunken, auf Kosten des Hauses, und nur mit Mühe war es ihr gelungen, nicht zuzulassen, daß er sich mit seinen dicken Fingern an ihr zu schaffen machte. Am Morgen ging's ihr schlecht. Unangenehme Nackenschmerzen, die den ganzen Tag über bleiben würden, sie kannte das von anderen Gelegenheiten, und unstillbarer Durst auf alles, was säuerlich schmeckte und keinen Alkohol enthielt, beherrschten sie völlig. Es wäre wirklich das beste gewesen, den Tag bei abgedunkelten Fenstern im Bett zu verbringen. Aber leider war Kohlau auf den Einfall gekommen, ihr den jungen Beyer zur Unterstützung zu schicken. Der tauchte dann prompt am frühen Abend auf.

Bella Block lag auf ihrem Bett im Arbeitszimmer, neben sich ein Glas mit Zitronensaft ohne Zucker, und versuchte die Kopfschmerzen durch Nichtdenken zu bekämpfen. Aus dem leichten Dämmerschlaf schreckte sie eine Klingel auf. Es dauerte eine Weile, bis sie begriff, daß es ihre eigene Haustürklingel war, die ihr auf die Nerven ging. Ächzend erhob sie sich. Der Kopf tat jetzt noch mehr weh als am Morgen. Ihr war übel. An essen war nicht zu denken, allein der Gedanke daran war eine Qual. Sie ging zur Tür, es hatte mindestens schon viermal geklingelt, öffnete und sah vor sich den strahlenden Beyer. Er hielt eine Zeitung in der einen und eine Rose in der anderen Hand, strahlte sie an und sagte seinen Spruch auf. Die Zeitung schickt Ihnen Kohlau, und die Rose ist von mir. Ich möchte Sie gern zum Essen einladen. Dann können Sie mir erzählen, wie es läuft. Kann ich bei Ihrer Wirtin ein Zimmer haben? Ich muß erst am Montag wieder zurück sein. Wunderschön hier draußen, Sie sind zu beneiden.

Bella war nicht gleich im Bilde. Wieso Montag? Und was will er mit der Blume, wieso Essen, welche Wirtin? Aber sie war wenigstens in der Lage, ihn hereinzubitten und ihm die Zeitung abzunehmen. Sie setzte ihn auf einen der Sessel vor dem Kamin. Dann merkte sie, daß sie außer ihrem dünnen Morgenrock, der an den entsprechenden Stellen viel zu eng war, nichts anhatte. Offenbar schwärmte Beyer für dicke Frauen, jedenfalls seinen bewundernden Blicken nach zu urteilen. Sie murmelte irgend etwas von »Zeitung weglegen« und verschwand in ihrem Zimmer, um sich etwas anzuziehen. Es ließ sich nicht vermeiden, dabei einen Blick in den Spiegel zu werfen. Gegen die Tränensäcke war jetzt doch nichts zu unternehmen, die erschienen immer nach Sauftouren und brauchten ein paar Tage Abstinenz – immer mehr Tage übrigens, je älter sie wurde –, um wieder zu verschwinden. Aber sie wollte sich wenigstens etwas Nettes anziehen. Leider war nichts da, woher auch, und so kam sie nach fünf Minuten zurück, in der alten Hose und einem ausgeleierten T-Shirt, ohne BH. Den hatte sie vergessen anzuziehen, was sich aber als günstig erwies, um Beyer von den Tränensäcken abzulenken und von ihrem allgemeinen Zustand. Die Ablenkung war übrigens vollkommen.

Er saß noch immer auf dem grünen Sessel, ziemlich selbstverständlich, wie sie fand, und hielt ihr die Rose hin.

Vielleicht gibt's etwas Wasser dafür? fragte er und sah ihr bewundernd entgegen.

Wasser, dachte Bella, genau das, was ich brauche.

Sie ging in die Küche, um eine Vase zu suchen, und Beyer kam ihr nach. Er versuchte jetzt, ein wenig dezenter auf ihren Busen zu starren.

Wahrscheinlich einer von denen, die's gern groß haben, dachte sie. Aber er war ihr nicht unsympathisch, und deshalb beschloß sie, seine Glotzerei nicht zu beachten. Ganz langsam begriff sie auch, was er mit Montag, Essen und Wirtin gemeint hatte. Während sie sich in den grünen Sesseln gegenübersaßen, sie mit einem Glas Zitronensaft ohne Wodka, er mit, beschloß sie, ihm die Lage zu erklären, jedenfalls ihre Lage. Er zeigte volles Verständnis dafür, daß sie am Abend vorher genötigt gewesen war, mit dem Wirt zu trinken. Aber er wollte nicht darauf verzichten, sie zum Essen einzuladen.

Hinterher geht es Ihnen sicher besser, erklärte er freundlich, und so fand sie sich ziemlich bald neben ihm in einem engen, schwarzen Sportwagen, den er glücklicherweise langsam fuhr, um den schönen Abend zu genießen, wie er grinsend erklärte. Ihr tat noch immer der Kopf weh, und die Bewegung zur Seite, um ihn anzusehen, verursachte ihr Übelkeit.

Sie wollte auf keinen Fall schon wieder in die Dorfkneipe und ließ ihn deshalb ein paar Kilometer weiterfahren.

Als sie ihm in dem kleinen Gasthaus, zu dem sie ihn dirigiert hatte, gegenübersaß, fand sie wieder, daß er überhaupt nicht wie ein Kriminalbeamter aussah. Das gefiel ihr und machte sie gleichzeitig traurig.

Dich werden sie verbiegen, dachte sie.

Er bestellte für sie – sie hatte gesagt, es sei ihr völlig gleichgültig, was sie essen würde – eine kräftige Brühe, Rührei ohne Schinken und eine Tasse starken Kaffee. Er selbst schien einen Riesenhunger zu haben, denn er aß Rühreier mit Schinken als Vorspeise, ein riesiges Steak mit grünen Bohnen und Brot und bestellte dann für beide ein großes Stück Himbeertorte, wovon er behauptete, daß sie besonders gut gegen Kopfschmerzen sei.

Bella hatte schon nach der Suppe kaum noch Kopfschmerzen gehabt und aß jetzt mit Vergnügen die Himbeertorte. Es gefiel ihr, daß er Brot anstatt der angebotenen Pommes frites verlangt hatte, ihr war der Geruch von Pommes frites zuwider, besonders in ihrem lädierten Zustand. Sie beschloß, ihm zu erzählen, daß das Haus ihr gehörte und sie keine

Wirtin fragen mußte, ob er ein Zimmer haben könne. Als er begriff, daß sie ganz allein in dem großen Haus wohnte, strahlte er sie an.

Toll, dann kann ich ja übers Wochenende bei Ihnen bleiben.

Nach einigem Zögern stimmte sie zu. Vielleicht konnte es nützlich sein, ihn beim Sommerfest dabei zu haben. Trotzdem zögerte sie noch immer, ihm ihre Vermutung über die Toten auseinanderzusetzen. Sie sprachen weiter von »Selbstmord« und machten sich gemeinsam über Kohlaus Spinnereien lustig, sowohl über seine Selbstmordtheorie als auch über die Montagslagen, die sie Montagsplagen nannten.

Dann bemerkte sie, daß er große dunkle Augen hatte und ziemlich kleine Hände, und als sie sich dabei ertappte zu überlegen, wie empfindsam er wirklich war, beschloß sie, den Abend zu beenden. Auf dem Rückweg schwiegen sie. Sie zeigte ihm sein Zimmer im ersten Stock, erklärte ihm, daß die Haustür offenbleiben könne, forderte ihn auf, ruhig noch einen Spaziergang zur Kneipe zu unternehmen, und ging mit einem entschlossenen »gute Nacht« in ihr Zimmer.

Wie er dann ebenfalls in ihr Zimmer und in ihr Bett gekommen war, war nicht ganz klar. Auf jeden Fall hatte sie eine sehr angenehme Nacht gehabt. Offenbar liebte er nicht nur große Busen, sondern Frauen von Kopf bis Fuß, und es tat ihr ein bißchen leid, daß sie ihn zurückschicken mußte. Das war dann allerdings gar nicht nötig, denn am nächsten Morgen saß er reisefertig vor dem gedeckten Frühstückstisch in der Küche. Er mußte in den nächsten Ort gefahren sein, um einzukaufen, ohne daß sie etwas gehört hatte. Und jetzt wartete er auf sie. Für Bella war immer klar gewesen, keine Affären mit Kollegen anzufangen. Als er ihr jetzt gegenübersaß und ganz ernsthaft erklärte, er fände sie wundervoll, aber er hätte sich vorgenommen, nie im Dienst eine Affäre anzufangen, fand sie ihn deshalb besonders liebenswert. Es gab keinen Grund, ihm das nicht zu sagen, aber jeden Grund, nicht noch einmal im Bett zu landen. Deshalb lobte sie seine Grundsätze ein wenig von oben herab, um ihn abzukühlen, denn er richtete seine Blicke schon wieder ziemlich begehrlich auf ihren engen Morgenrock und auf die Teile ihres Körpers, die in Modezeitungen »Problemzonen« genannt wurden.

Nach dem Frühstück fuhr Beyer ab. Unter dem Frühstücksgeschirr kam, als sie abräumte, das Schwein zutage, das der Junge von nebenan auf die Tischplatte gemalt hatte. Sie wunderte sich, weshalb Beyer es nicht abgewischt hatte, bevor er den Tisch deckte.

Der Kuckuck ist ein braver Mann,
der sieben Frauen halten kann.
Die erste fegt die Stube aus,
die zweite bringt den Unflat raus,
die dritte nimmt den Flederwisch
und fegt dem Kuckuck seinen Tisch.
Die vierte holt ihm Brot und Wein,
die fünfte schenkt ihm fleißig ein,
die sechste macht ihm's Bette warm,
die siebte schläft in seinem Arm.

Die leere Scheune gab keine Anhaltspunkte her, wonach suchte sie denn? Kein Seil hing vom Deckenbalken, der Boden war leergefegt, Staub und Spinnweben überall und der Geruch nach Stroh. Und Schweinemist. Der kam aber von draußen. Bella lehnte am Türpfosten, das Scheunentor hatte sie offen vorgefunden. Plötzlich hörte sie hinter sich das Geräusch eines Wagens, der auf den Hof fuhr und hart bremste. Ein BMW, dachte sie automatisch, drehte sich um und sah in aufwirbelndem Staub einen großen, weißen BMW mitten auf dem Hof stehen. Sie rührte sich nicht, wartete nur, was geschehen würde. Sie mußte nicht lange warten. Die beiden Vordertüren öffneten sich gleichzeitig. Zwei Männer in hellen eleganten Hosen, schwarzem und rotem Seidenhemd, der eine ein goldenes Armband, der andere – sie kam gar nicht dazu, die beiden ausgiebig zu betrachten. Jedenfalls paßten sie auf den Hof wie Schweinezüchter im Arbeitsanzug in die Spielbank von Monte Carlo. Sie verschwanden eilig um die

Hausecke, erschienen wieder im Hof, nachdem sie das Haus umrundet hatten. Gingen auf sie zu, eilig an ihr vorbei, wobei sie ihr einen so widerlich abschätzenden Blick zuwarfen, daß sie vor Wut rot wurde, sahen kurz in die Scheune.

Sechzigtausend, mehr nicht, sagte der mit dem schwarzen Hemd.

Darauf der andere:

Der Umbau wird teuer genug. Und die Weiber müssen auch tagsüber Platz haben. Alles andere ist Mist.

Will der Wiener denn mitmachen?

Er muß, er muß.

Beide lachten, während sie an ihr vorüber zum Auto gingen. Sie hatte darauf gewartet, daß sie sie anrempelten. Mindestens einer wäre hinterher für die Reinigung in Frage gekommen. Aber sie nahmen sie so wenig zur Kenntnis wie das Gras, das zwischen den Kopfsteinen des Hofes gewachsen war, seit die Frau ihn nicht mehr bewirtschaftete. Als der Wagen aufheulend an ihr vorüberfegte, meinte sie, auf dem Rücksitz zwei Mädchen zu sehen mit gelangweilten Gesichtern.

Noch keine achtzehn.

Der Gedanke gab ihrer Wut noch mal einen Tritt, so daß sie aufsprang und im Magen einen kleinen Aufstand anzettelte. Vergeblich natürlich, vollkommen sinnlos. Während diese beiden Kinder mit ihren Zuhältern spazierenfuhren, waren überall auf der Welt noch jüngere den Herren zu Diensten, für Geld oder ums Überleben. Sie würde es nicht ändern. Nicht mal, wenn's vor meiner eigenen Haustür passiert? Nicht mal dann. Das hatte sie nach einer halben Stunde sogar amtlich bestätigt. Ihr Versuch, den Bürgermeister aufzuklären, was die Käufer des Hofes vorhatten, scheiterte kläglich. Der Bürgermeister, ein kleines, nervöses Männchen, in einem Wust von Papieren am Schreibtisch in der guten Stube sitzend, empfing sie offenbar ungern. In dem totalen Durcheinander war er mit der Vorbereitung des Sommerfestes beschäftigt. Und überfordert. Über dem Sessel hingen einige Transparente. Sie konnte nur »Willkommen in« lesen. Während sie mit ihm sprach, rief zweimal jemand aus der nahen Kaserne an. Sie verstand, daß es um Erbsensuppe ging und eine englische Paradetruppe. Im übrigen stellte sich heraus, daß der Bürgermeister den Verkauf des Hofes »für die Kinder« selbst in Gang gebracht hatte. Er hätte auch schon so seine Vermutungen gehabt, aber die Leute seien liquide, und seine Stimme wurde vertraulich, und sie täuschte sich nicht über das träumerische Glitzern in seinen Mausaugen, seien wir mal ehrlich, ein bißchen Aufmunterung können wir doch alle vertragen, was?

Seine Frau war, das wußte Bella, seit einem halben Jahr im nahe gelegenen Kreiskrankenhaus. Sie war nach dem letzten Jägerball die Treppe hinuntergefallen. An den komplizierten Brüchen laborierten die Ärzte bis jetzt.

Ja, sagte sie, das stimmt.

Drehte sich um und ging, um sich zu Hause einen Wodka zu genehmigen. Er war als Aufmunterung gedacht, aber erst mal schlief sie auf dem Sofa ein.

Geweckt wurde sie durch durchdringendes, hohes Katzengeschrei, das nach kurzer Zeit verstummte. Einen Augenblick blieb sie wie betäubt liegen. Irgend jemand hatte in ihrem Traum Kinder geschlagen. Dann spürte sie einen mächtigen Hunger. Aber der Anblick der Reste vom Frühstück im Kühlschrank, das der kleine Beyer besorgt hatte, stimmte sie melancholisch.

Mein Gott, ich werde sentimental, dachte sie, nahm die Jacke vom Haken und ging dem obligatorischen Bauernfrühstück entgegen.

Schon von weitem sah sie den weißen BMW vor der Tür der Kneipe stehen. Die Fenster standen weit offen, und sie hörte brüllendes Gelächter, als sie näher kam. In der festen Absicht, sich von den Zuhältern nicht die Laune verderben zu lassen, ging sie weiter. Vor dem ersten geöffneten Fenster wurde sie von einer Lachsalve gestoppt. In das Lachen hinein hörte sie die Stimme des Mannes mit dem roten Hemd.

Und weshalb werden die Schweine heute künstlich befruchtet, na?

Die fettige Stimme des Wirts, von Lachen unterbrochen: Das ist praktischer und billiger, weil da der Bauer gleich mehrere Säue auf einmal vornehmen kann.

Brüllendes Gelächter. Es mußten mindestens sechs Männer in der Kneipe sein. Die Stimme des Wirts überschlug sich fast. In das Grölen hinein betrat sie die Kneipe und sagte laut: Hier stinkt's nach Loddel.

Es wurde still. Die Männer sahen ihr entgegen. Sie ging an den Tresen. Es war immer noch still. Der mit dem roten Hemd patschte einen Fünfzigmarkschein auf den Tresen.

Los, wir gehen.

Um die Ecke, aus dem hinteren Teil der Gaststube kamen zwei Mädchen, blaß, langhaarig, vollbusig. Die vier zogen zur Tür. Der mit dem roten Hemd drehte sich noch einmal um, hob die Hand, den Daumen zwischen Zeigefinger und Mittelfinger geschoben, grinste und sagte: Nicht vergessen, mehrere Säue auf einmal.

Entweder sie wissen, wer ich bin, oder der Vertrag ist noch nicht unterschrieben, wahrscheinlich ist es der Vertrag, dachte sie und bestellte in das grinsende Gesicht des Wirts hinein eine Currywurst mit Salat, damit ihre Übelkeit einen konkreten Grund bekam.

Diesmal nahm sie, während sie auf das Essen wartete, nicht die Zeitung vors Gesicht. Sie setzte sich in die Nähe der noch immer am Tresen stehenden Männer. Der Wirt, der Fahrer des Ölwagens, ein kleiner dunkler Typ, der aussah, als hätten seine Vorgänger, die noch Kohlen gefahren hatten, ihm den schwarzen Staub hinterlassen, und der pickelige Jüngling aus dem Nachbardorf waren übriggeblieben. Sie sah ihnen an, daß sie noch nicht ganz abgekühlt waren. Aber sie trauten sich nicht, unter ihren herausfordernden Blicken die Schweinigeleien fortzusetzen.

So begannen sie ein Gespräch, das ziemlich bald bei den Vorbereitungen zum Sommerfest landete. Die Männer hatten ihr den Rücken zugedreht. Nur das Gesicht des Wirts konnte sie sehen. Er hatte tiefe dunkle Ränder unter den Augen. Immer noch lachte er viel zu laut. Er war auch blasser als sonst. Ständig wischte er sich mit dem Handrücken über das Gesicht. Sein Hemd war naß. Viermal hatte er sein Schnapsglas nachgefüllt, seit sie gekommen war.

Wenn er so weitermacht, wird er nachher nur noch lallen können, dachte sie, aber es war ihr gleichgültig. Sie hatte sowieso keine Lust, mit ihm zu reden.

Die Männer gingen früher als sonst, nicht ohne daß der schwarze Fahrer ihr einen bösen Blick zugeworfen hatte. Sie saß allein vor dem unbeschreiblichen Matsch aus Mayonnaise, Ketchup, Kartoffelstückchen und Industriefleisch, das als Currywurst mit Kartoffelsalat den ersten Platz auf allen Speisekarten der Gegend erobert hatte.

Welche merkwürdigen Formen der Fortschritt annimmt, dachte Bella tiefsinnig und ließ genüßlich weiße und rote Matschströme ineinanderfließen, so daß sie am Ende eine wunderschön rosafarbene Soße auf dem Teller hatte, die ohne weiteres auch zur Verzierung einer Buttercremetorte geeignet gewesen wäre. Jedenfalls was die Farbe betraf. Beschäftigt wie sie war, überhörte sie das Räuspern des Wirts, bis es so laut wurde, daß es nicht mehr zu überhören war.

Sie sah hoch und grinste ihn an, locker und immer noch wütend. Am liebsten hätte sie ihm wortlos den Matsch auf dem Teller ins Gesicht geklatscht. Er nahm ihr herausforderndes Grinsen nicht zur Kenntnis. Im Gegenteil, er schien kleiner geworden zu sein, seit die anderen weg waren, und noch nervöser.

Er hat tatsächlich Angst, dachte sie, na gut, dann soll er mal rausrücken damit, was hier eigentlich los ist. Er kam hinter dem Tresen hervor und setzte sich zu ihr. Neben sich stellte er die beschlagene Schnapsflasche und zwei Gläser. Als er den Schnaps einschenkte, der dickflüssig in die Gläser lief, stieß er ein paarmal mit dem Flaschenhals an den Gläserrand. Er trank sein Glas hastig leer. Als sie keine Anstalten machte, das andere Glas anzufassen, nahm er es kurzentschlossen und kippte es hinterher.

Sie müssen auf mich aufpassen, sagte er unvermittelt und sah sie mit einem jämmerlichen Hundeblick von unten herauf an. Mit der linken Hand fummelte er aus seiner Hosentasche ein zerknülltes Stück Zeitung hervor und schob es ihr über den Tisch. Es war ein Schwein darauf abgebildet. Bella hatte keine Lust, es sich anzusehen. Sie schnippte es mit den Fingern zu ihm zurück. Da begann er zu reden.

Hau der Katz den Schwanz ab,
hau ihn doch nicht ganz ab,
laß ihr noch ein Stummel dran,
daß sie kann zur Kirche gahn.

Später ging sie auf der Landstraße zurück ins Dorf. Im Mondlicht lag es vor ihr, schwer und dunkel, erst im Näherkommen unterschied sie Häuser, Scheunen, Büsche. Es war still, aber der Motor, der den ganzen Tag über die Kornlüftungsanlage betrieben hatte, war abgestellt worden. Warm und schwer vom Gestank nach Schweinemist hing die Nachtluft über dem Dorf. Bella hätte gern nachgedacht über das, was der Wirt ihr schwitzend, flüsternd erzählt hatte. Es ging nicht, jedenfalls nicht so, wie es sein sollte. Geschichten fielen ihr ein, die in keinem Zusammenhang standen mit dem, was sie gehört hatte. Einmal hatte sie mit einem Jungen aus der Nachbarschaft, er war zwei Jahre jünger als sie, gemeinsam Schularbeiten gemacht. Sie hatte seinen Aufsatz über einen Besuch im Zoo auf Fehler durchgesehen und war über den Satz – »Sie haben dort 3,4 Giraffen« – erstaunt gewesen.

Was sind denn 3,4 Giraffen? hatte sie gefragt.

Drei Männer und vier Frauen natürlich, die hinterm Komma sind die Frauen.

Aus irgendeinem Grund, sie hätte damals nicht sagen können, weshalb, war sie wütend geworden und hatte ihm den Aufsatz vor die Füße geworfen. Von da an hatte sie sich geweigert, ihm bei seinen Schulaufgaben zu helfen, sehr zum Ärger ihrer Mutter.

Ohne Übergang, sie konnte den Hof im Licht des Mondes nur in seinen Umrissen erkennen, fiel ihr die Frau des Bauern ein, die sie aufgesucht hatte, um sich über den Jungen zu beschweren. Und es schien ihr, als gäbe es nicht nur diese völlig überarbeitete Frau, als wären vielmehr auf allen diesen Höfen, in allen Dörfern überarbeitete Frauen dabei, mühsam die Höfe zu erhalten durch Arbeit, Arbeit, Arbeit ...

Sie versuchte ihre Gedanken zu ordnen. Der Geruch nach Schweinemist wurde stärker, je näher sie dem Dorf kam. Sie wollte nicht in das dunkle, stinkende Dorf zurück, setzte sich an den Straßenrand und versuchte sich einzureden, daß nichts geschehen war. Da vorn lag das Dorf, und ihr Haus, von Holunderbüschen umgeben. Von der alten Terrasse würde sie morgen einen wunderschönen Blick über Wiesen und Knicks bis hin zum Waldrand haben. Es gab nichts Schöneres als den Wechsel der Jahreszeiten vom Fenster ihres Arbeitszimmers aus zu beobachten. Es würde einen wunderbaren Herbst geben. Die rotgelben Boskopäpfel mußten in die Mosterei gebracht werden, es waren immer zu viele. Und im November erstarrt das Land, langsam, bis auch das Geschrei der Gänse verstummt. Dann würde es Bratäpfel geben und Glühwein, wenn sie von langen Spaziergängen zurückkam. Sie würde Lebensmittel einkaufen und sich selbst etwas zu essen machen. Sie mußte nicht in die Kneipe gehen. Es war gar nicht nötig. Sie würde anfangen das Dach auszubauen. Es würde sich jemand finden, der ihr half. Nach der Arbeit würden sie vor dem Kamin sitzen und lesen. Schon lange hatte sie im Herbst Tulpen und Narzissen pflanzen wollen, das könnte sie diesmal schaffen. Sie müßte sich nur einen Zettel schreiben und endlich eine Pinnwand in der Küche aufhängen.

Ja, dachte sie, es geht, mit ein bißchen Überlegung kann der Garten noch schöner werden. Und die netten Herren, die den Sauna-Club gegenüber besuchen, haben auch etwas davon. Bewundernd werden sie über die Gartenmauer sehen und denken: War doch eine gute Idee, diesmal aufs Land zu fahren. Wo hat man das schon, so junge Mädchen und so schöne Gärten ... Sie stand auf und konnte sich doch nicht entschließen weiter zu gehen. Sie wollte nicht zurück ins Haus, bevor – aber es gab nichts, was vorher zu klären war. Nur einen kleinen Plan mußte sie machen für die nächsten zwei Tage. Sie mußte jetzt nicht entscheiden, ob sie das Haus behielt und zurückging an ihre Arbeit. In die Montagslage, wo sie Bericht geben würde über den Fall in Roosbach, und Kohlau die übliche Maschinerie in Gang setzen würde, während die Kollegen in der Mittagspause sie mit dem gewissen Glitzern in den Augen, aber vollkommen sachlich nach Einzelheiten fragen würden.

Langsam ging sie weiter. Ein leichter Wind war aufgekommen, der Geruch würde verschwinden in den nächsten Stunden. Vielleicht könnte sie bei offenem Fenster schlafen. Zwei Tage würde sie noch bleiben. Der Wirt fürchtete sich. Er war bedroht worden, und er hatte Angst, daß er während des Sommerfestes getötet werden würde. Sie hatte ihm versprochen, da zu sein und einen dritten Unfall zu verhindern. Das Versprechen würde sie halten. Dann würde sie abfahren.

Im Dorf waren alle Fenster dunkel. Als sie am Haus der Bäuerin vorüberkam, meinte sie, hinter einem abgedunkelten Fenster einen Lichtschein zu sehen. Es mußte das Zimmer der Alten sein, denn sie hörte einen wimmernden Ton, oder sie glaubte, ihn zu hören.

Ihr Haus lag im Mondlicht wie ein verwunschenes Schloß. Behutsam öffnete sie die Haustür, um die Stille nicht zu durchbrechen. Durch die hohen Fenster am anderen Ende der Halle fiel genug Mondlicht, so daß sie den Weg in die Küche fand, ohne das elektrische Licht anmachen zu müssen. Auch die Küche war hell. Die Stühle warfen lange Schatten auf den Fußboden. Sie ging an den Kühlschrank und holte die Wodkaflasche hervor. Auf dem Küchentisch, der im Mondlicht glänzte, stand noch das Glas vom Nachmittag. Sie goß es voll und stellte sich ans Fenster, um hinauszusehen.

Es war, als hätt' der Himmel die Erde still geküßt. Eichendorffs »Mondnacht« fiel ihr ein, und während sie die Zeilen zusammensuchte, gerade als sie angekommen war bei »... und meine Seele spannte weit ihre Flügel aus«, fiel ihr Blick auf die Katze, die am Rand der Terrasse lag. Der Wind blies sachte über das schwarzweiße Fell, das sich ein wenig nach oben stellte. Da lag wirklich die toteste Katze, die sie je gesehen hatte.

Mich dünkt, wir geben einen Ball,
sprach die Nachtigall.
So? sprach der Floh.
Was werden wir essen?
sprachen die Wespen.
Nudeln! sprachen die Pudeln.
Was werden wir trinken?
sprachen die Finken.
Bier, sprach der Stier.
Wein! sprach das Schwein.
Wo werden wir tanzen?
sprachen die Wanzen.
Im Haus! sprach die Maus.
Auf dem Tisch! sprach der Fisch.

Bella Block schlief unruhig und war schon sehr früh wach. Sie zog sich an, ohne zu duschen, holte einen Spaten und die Schubkarre aus der Tenne, balancierte die tote Katze, die steif auf dem Spaten lag, in die Karre und schaffte sie unter die Eichen am Rand des Gartens. Dort begann sie ein Loch auszuheben, tief. Sie erinnerte sich an den Schäferhund, der ein Stück Aas ausgegraben und durch die Terrassentür gezerrt hatte. Sie konnte das Haus ein paar Tage nicht betreten. Sie grub noch tiefer, ließ dann die tote Katze von der Karre in das Loch rutschen und begann, die Erde wieder zurückzuschaufeln. Als die erste Ladung Erde auf den toten Körper fiel, gab es ein unangenehmes Geräusch. Sie trat die oberste Erdschicht fest, schob Gartenabfälle über die frische Erde, legte den Spaten auf die Karre und fuhr diese zurück in die Tenne. Sie hatte keine Lust, weiter über den Tod der Katze nachzudenken, nicht an einem so herrlichen Sommermorgen.

Im Dorf war es still. Die Erntefahrzeuge waren

schon sehr früh ausgefahren. Am Himmel war keine Wolke zu entdecken, und die Sonne wärmte schon jetzt. Bella setzte sich auf die Stufen vor der Haustür, schob die Hosenbeine hoch und ließ sich von der Morgensonne bescheinen. Aus den Feldern kam langsam ein Trecker gefahren, den Anhänger hoch beladen. Als er näher gekommen war, unterschied sie drei junge Männer, die im Fahrerhaus saßen. Auf dem Anhänger waren Holz und trockene Zweige gestapelt. Der Trecker fuhr langsam auf den Dorfplatz und hielt. Die jungen Männer begannen abzuladen. Der Holzstoß wurde aufgeschichtet für das Feuer am nächsten Abend.

Drüben im Garten erschien Frau Petersen, sah sie in der Sonne sitzen und winkte guten Morgen über den Zaun. Bella stand auf, ging über den Rasen an den Gartenzaun und wechselte ein paar Worte mit der Nachbarin. Die war auf dem Weg zum Friseur. Vor dem Fest mußte die Dauerwelle erneuert werden. Der Friseur hatte seinen Laden am Ausgang des Dorfes. Es war der einzige Laden, der noch existierte. Er lebte davon, vor den Dorffesten den Frauen die traditionellen Dauerwellen zu verpassen und hin und wieder einem jungen Mädchen die erste Dauerwelle anzutun. Damit war das Mädchen dann in den Kreis der Kundinnen aufgenommen und wurde von da an regelmäßig vor den Dorffesten ebenfalls in der Anmeldeliste für eine Dauerwellenbehandlung geführt. Diese Liste wurde nach einer bestimmten Rangordnung aufgestellt, wobei die Frau des Bürgermeisters als letzte verschönert wurde, und die jungen Mädchen sich schon ein paar Tage vor dem großen Ereignis der Behandlung zu unterziehen hatten. Frau Petersen erzählte, daß neuerdings eine gewisse Unzufriedenheit unter den Kundinnen herrschte, was zum einen die fachlichen und zum anderen die menschlichen Qualitäten des Friseurs anging. Es war langsam offenbar geworden, daß, wie Frau Petersen sagte, er nur »eine einzige Frisur konnte«, und alle Frauen nach der Behandlung gleich aussahen. Zudem hatte seine Monopolstellung ihn mit der Zeit wohl übermütig gemacht, denn es ging das Gerücht, daß er beim letzten Mal zur Frau des Bürgermeisters in Anwesenheit anderer Damen gesagt haben sollte:

Na, dann wollen wir mal versuchen, aus Ihren drei Haaren das Beste zu machen.

Sowohl wegen der Gleichmacherei als auch wegen dieser Unhöflichkeit braute sich über dem Friseur eine Existenzkrise zusammen, aber im Augenblick grollte es erst im Untergrund. Frauen waren übrigens die einzigen Kunden des Friseurs. Männern und Kindern wurden die Haare von Müttern oder anderen weiblichen Familienangehörigen geschnitten. Aus Sparsamkeitsgründen. Was den Effekt hatte, daß die Dauerwellenbehandlung der Frauen als Luxus galt und den Frauen ein schlechtes Gewissen machte. Das wiederum wurde dann nach den Friseurbesuchen durch ein besonderes Entgegenkommen im Bett entlastet; allerdings frühestens am Abend des ersten Festtages, um die teure Pracht nicht vorzeitig in Unordnung zu bringen.

Noch während Bella am Zaun mit Frau Petersen sprach, erschien wie zur Illustration der segensreichen Tätigkeit des Friseurs ihre Schwester, die am Tage zuvor behandelt worden war. Bella konnte sich ein genaues Bild davon machen, wie Frau Petersen in drei Stunden aussehen würde.

Der Schwester schien es besserzugehen als bei ihrem letzten Treffen am Kaffeetisch. Sie lächelte freundlich und etwas schüchtern über den Zaun und erkundigte sich nach der Ursache für das Katzengeschrei am gestrigen Nachmittag. Bella lächelte aufmunternd zurück und erzählte den beiden Frauen von der verendeten Katze. Sie sprachen einen Augenblick über die Unsitte, Giftköder auszulegen. Dann ging sie zurück ins Haus, um zu duschen. Frau Petersen machte sich auf, ihrer Schwester noch ähnlicher zu werden. Die Schwester verschwand im Haus, um, wie sie sagte, »die Küche zu machen«. Vom Dorfplatz herüber klangen die ersten Hammerschläge. Die Bretterbuden wurden aufgebaut, in denen am Nachmittag Landwurst aus der eigenen Schlachterei und Kitsch aller Art aus den in der Gegend ansässigen, alternativen Werkstätten angeboten werden sollte. Ein paar fahrbare Verkaufsstände hatten ihre Plätze schon eingenommen, auch der Bierstand war schon installiert. Zu jedermanns Freude versprach der Tag, ein herrlicher Sommertag zu werden.

Unter der Dusche überkam sie ein so heftiges Verlangen nach dem jungen Beyer, daß sie laut fluchte. Sie überlegte, ob sie ihn anrufen und seine Unterstützung während des Sommerfestes erbitten sollte. Sie entschied sich dagegen. Voraussichtlich würde nichts passieren. Der Wirt hatte einfach nur ein schlechtes Gewissen, und das hatte er verdient.

Zum Schutz dieses Widerlings würde sie Beyer nicht herbitten, und ihretwegen …

Ich muß unterscheiden zwischen körperlichem Verlangen und dem Bedürfnis, mit einem angenehmen Menschen zusammen zu sein. Was den Körper angeht, so gibt's auch andere Möglichkeiten, und was das Sichwohlfühlen in Gegenwart eines anderen betrifft, so ist dieses Haus nicht mehr der richtige Ort.

Beim Abtrocknen betrachtete sie ihren Körper aufmerksam im Spiegel. Sie fand sich aufregend, die großen Brüste und das Fett an Bauch und Hintern gefielen ihr, und es gelang ihr, für einen Augenblick das Bedrohliche zu vergessen, das seit ein paar Tagen ihr Verhältnis zum Dorf und zu den Bewohnern belastet und gestern abend durch die Erzählung des Wirts konkrete Gestalt angenommen hatte.

In der bimbambolischen Kirche
geht es bimbambolisch zu:
tanzt der bimbambolische Ochse
mit der bimbambolischen Kuh.
Und die bimbambolische Mutter
kocht den bimbambolischen Brei,
und die bimbambolischen Kinder
fassen mit den Fingern drein.

Pünktlich um 16.00 Uhr begann das Sommerfest. Sie lag auf der Terrasse und trank Wodka mit Orangensaft, als sie die krächzende, dünne Stimme des Bürgermeisters hörte. Der stand vor dem Mikrofon, das ihm die Grenzschutztruppe aufgebaut hatte, und hielt dieselbe Rede wie jedes Jahr. Sie hatte die Rede schon ein paarmal gehört, dieses »Meine-Damen-und-Herren-ich-freue-mich-daß-Sie-wieder-so-zahlreich«-Geschwafel, das er mit großer Inbrunst vortrug. Dreimal im Jahr hatte er Gelegenheit, vor der versammelten Gemeinde ins Mikrofon zu sprechen, und er nutzte diese Gelegenheit schamlos aus. Dabei war er unfähig, einen Satz gedanklich zu Ende zu führen. Seine Sätze endeten etwa nach zwei Dritteln dessen, was er sagen wollte, und trotzdem war es möglich, nach Beendigung der Rede wiederzugeben, was er gesagt hatte.

Den krähenden Gockel schenk' ich mir, dachte sie und wartete darauf, daß er seine Rede beendete.

Redete er wirklich so lange, oder hatte der Wodka ihr Zeitgefühl verändert?

Endlich hörte sie den üblichen Eröffnungsposaunenchor. Sie zog Jeans und ein weites Hemd über den Bikini. Am liebsten wäre sie barfuß gegangen, es war sehr warm, aber sie wollte sich nicht die mißbilligenden Blicke der Frauen zuziehen. Also suchte sie ein paar alte, goldene Sandalen hervor, als Verbeugung vor den Frauen, die sich seit Tagen neben ihrer Arbeit mit Friseur- und Garderobefragen beschäftigt hatten, und ging zum Festplatz. Inzwischen waren viele Besucher aus den Nachbardörfern eingetroffen. Sie hatte Mühe, sich zwischen den Autos hindurch auf die andere Straßenseite zu schlängeln. Nachdem sie sich auch zwischen den Verkaufsständen und Menschentrauben davor durchgedrängt hatte, war der Posaunenchor mit seinen Darbietungen fertig. Der Bürgermeister ergriff noch einmal die Gelegenheit, ans Mikrofon zu kommen. Umständlich erklärte er das Fest für eröffnet, aber diesmal hörte ihm niemand mehr zu. Der allgemeine Trubel hatte begonnen. Eine Raketenbahn, Auto-Scooter und das Kinderkarussell mit Pferdchen und Feuerwehr setzten gleichzeitig ihre Lautsprecher in Gang. In der Fischbude warb der Chef über Mikrofon für Schillerlocken und Aalbrötchen, junge Männer übten sich im Nägeleinschlagen, auf der hölzernen Tanzfläche tobten Kinder, um den Bierstand hatten sich sämtliche erwachsenen Männer versammelt. Ein leichter Dunst von Bier und Schnaps hing schon über der Festwiese.

Die Holzbänke rund um die Tanzfläche hatten

die Frauen in Beschlag genommen. Deutlich zu erkennen waren die Opfer des Friseurs, auch aus den Nachbardörfern schien ein Teil seiner Kundschaft gekommen zu sein. Die Frauen trugen ungewohnte Festkleider aus Kunststoffen in Hellblau, Rosa, Grün und Bunt, in denen sie schwitzten, weil der Stoff die Luft nicht durchließ und die Kleider zu eng oder zu lang waren. Einige hatten Zeitungen zu Fächern gefaltet und wedelten damit vor roten Gesichtern hin und her. Die mit Häkelkanten versehenen Taschentücher, die eigentlich zur Zierde in den selten benutzten Handtaschen steckten, waren schon naß und zerknüllt. Alle trugen trotz des heißen Sommertages Perlonstrumpfhosen, und beim Gehen über den Festplatz sanken die hohen Absätze der Sommerschuhe in den Grasboden ein. Manche hatten ein großes Glas Bier vor sich stehen, die meisten tranken Kaffee aus Plastiktassen und aßen von dem selbstgebackenen Kuchen, mit Zunge und Gaumen prüfend, ob die Nachbarinnen ebenso viele Eier und die gleiche Menge Butter beim Backen verwendet hatten wie sie selbst. Automatisch, während sie sich fächelten und mit den Frauen links und rechts über Backen, Kochen und Krankheiten redeten, folgten die Blicke der Frauen den Kindern, die sich auf dem Tanzboden vergnügten oder auf einem umgestürzten Baumstamm balancierten und dabei mit langen Plastikschwertern in der Luft herumfuchtelten, was in dem allgemeinen Gedränge zu blauen Flecken für einige Festbesucher führte. Es entgingen den Blicken der Frauen weder die tobenden Jungen, die je nach Lautstärke und Gewaltanwendung als »richtige

Männer« oder »ein bißchen still« bezeichnet wurden, noch die am Rand stehenden und den Jungen neidisch zusehenden Mädchen, die nach dem Aufwand, mit dem die selbstgenähten Kleider hergestellt worden waren, mit »ein richtiges Mädchen« oder »eine kleine Dame« betitelt wurden. Besonders liebevoll ruhten die Blicke der Mütter auf einer Fünfjährigen, die in all dem Trubel selbstvergessen vor ihrer Puppenkarre saß und einen dicken Plastiksäugling trockenlegte. Sie stießen sich an, um sich gegenseitig auf den Anblick aufmerksam zu machen, und die stolze Mutter, eine noch junge Frau im hellblauen Jackenkleid, mit hochgeschlossener weißer Bluse und angeschwollenen Füßen in zu engen weißen Pumps, lächelte selbstgefällig. Bella hätte eine Flasche Wodka gegeben für einen winzigen Anflug von Trauer im Gesicht der Frau.

Kein Mann verirrte sich auf die Bänke der Frauen. All die Kleiderpracht und Frisierkunst reichte nicht aus, um die Männer vom dicht umlagerten Bierstand wegzulocken. Im Gegenteil, seit Beginn des Festes waren nach einer ungeschriebenen Regel Männer und Frauen unterschiedliche Bereiche zugeteilt. Den Männern der Bierstand, die Schießbude, der Auto-Scooter, den Frauen die Bänke, das Kinderkarussell, Kaffee und Kuchen. Nur von ganz jungen Paaren wurde die Regel hin und wieder durchbrochen. In den Blicken und Gesten der Frauen war dann etwas wie Neid zu sehen und auch eine geheime Schadenfreude, denn sie konnten ja sicher sein, das junge Mädchen, das sich jetzt vor ihren Augen wunderbar amüsierte, in wenigen Jahren zwischen sich auf den Bänken begrüßen zu dürfen.

Und doch, dachte sie, es sind die Frauen, die schuften, Kinder kriegen und durch ihre unbezahlte Arbeit die Höfe schlecht und recht über Wasser halten. Eigentlich haben sie ein schöneres Fest verdient. Ein Wunder überhaupt, daß sie hier so friedlich beieinander sitzen, trotz des Konkurrenzdrucks, dem die kleinen Bauern ausgesetzt sind. Sie merkte, daß sie sentimental wurde, verordnete sich einen starken Kaffee, keinen Alkohol mehr und setzte sich mit einem Plastikbecher in der Hand am Rand des Festplatzes auf einen Strohballen. Suchend wanderten ihre Augen über die durcheinanderquirlende Menschenmenge.

Auf der anderen Seite des Festplatzes, in der runden Bierbude, entdeckte sie den Wirt. Um ihn mußte sie sich, zur Zeit jedenfalls, keine Sorgen machen. Er stand am Zapfhahn und ließ, aus Leibeskräften lachend und heftig schwitzend, halbe Liter Bier in große Pappbecher laufen. Noch nie hatte sie ihn so schnell arbeiten sehen, aber sie sah auch, daß er hin und wieder zwischen zwei Pappbechern mit einem kurzen Schluck das Schnapsglas leerte, und mehrmals schon hatte er mit den Männern unter lautem Gelächter angestoßen. Er war gut in Form. Irgendwann heute abend würde er so betrunken sein, daß sie sich um ihn keine Sorgen mehr zu machen brauchte. Die Männer würden ihn dann in der Schubkarre nach Hause fahren wie jedes Jahr, und am nächsten Mittag würde er wieder in der Bierbude stehen, Selter trinkend, schwitzend und gegen Abend das erste Bier versuchend. Dann würde er sich erneut betrinken. Am Tag nach dem Sommerfest blieb seine Kneipe geschlossen. Er schlief dann in aller Ruhe seinen Rausch aus, und dann ging das Leben weiter mit den abendlichen kleinen Besäufnissen hinter der Theke, mit den Männern zwischen sieben und acht und hin und wieder einem kleinen Spaß mit Weibern.

Sie dachte an die Frau hinter der Essensklappe und begann, die Frauen auf dem Festplatz zu mustern. Vielleicht war sie hier? Ihr war nicht ganz klar, wonach sie eigentlich suchen sollte, unmöglich konnte die Frau so aussehen wie in ihren Träumen, langarmig und mit Spinnenfingern, und so stellte sie die Suche bald wieder ein.

Die Wirkung des Wodkas ließ langsam nach, und ebenso langsam begriff sie, daß sie seit gestern abend, seit der Wirt mit ihr gesprochen hatte, nichts anderes versuchte als zu vergessen, was er ihr erzählt hatte. Aber sie wußte jetzt, daß die Frau sich nicht selbst aufgehängt hatte, auch wenn sie noch nicht wußte, wie es wirklich geschehen war. Sie wußte auch, daß der Mann der Bäuerin, der geile Bock, wie der Wirt gesagt hatte, nicht von allein auf die Idee gekommen war, Abgase in seinen Wagen zu leiten. Auch wenn ihr noch nicht klar war, wie sie das bewerkstelligt hatte. Und wenn sie genauer darüber nachdachte, hielt sie es durchaus für möglich, daß der Wirt, der jetzt grölend und schwitzend zwischen seinen Kumpanen stand, nicht mehr lange leben würde. Es war ihr klar, daß sie ihn nicht aus den Augen lassen durfte, ebenso wenig wie die Frau, deren Rachefeldzug erst beendet sein würde, wenn auch der Wirt tot war.

Wieder wanderten ihre Augen über den Platz. Gründlich musterte sie die Menschen vor den Verkaufsbuden, auf den Bänken, bei den Karussells. Aber die Frau war nicht darunter.

Sie zwang sich, in Gedanken zu der Geschichte zurückzukehren, die der Wirt ihr erzählt hatte. Und plötzlich, sie fühlte in ihrem Innern eine Art Schock, ein Gefühl, als stürze sie mit der Achterbahn nach unten, plötzlich wußte sie, weshalb sie versucht hatte, die Geschichte zu verdrängen. Tief in ihrem Innern wollte sie, daß die gequälte und zerstörte Frau ihr Werk vollenden konnte.

Das war die Wahrheit, die sie nicht mehr länger beiseite schieben konnte.

Sie fröstelte in der heißen Nachmittagssonne. Über ihre Arme und ihren Rücken lief eine Gänsehaut. Sie stand auf, um sich einen zweiten Becher heißen Kaffee zu holen.

Zurück auf dem Strohballen ließ sie ihre Blicke erneut über den Festplatz wandern. Ihre Augen blieben an den Schwestern hängen, die ein bißchen verloren am Rand der Tanzfläche standen. Die Frauen auf den Bänken waren nicht zur Seite gerückt. Ihr fiel wieder ein, daß Frau Petersen über den kleinen Dorffriedhof gesagt hatte: Da kommen wir nicht hin, der ist für die Reichen.

Die Schwestern gingen weiter und versuchten, durch die dichtgedrängte Männeransammlung zum Tresen durchzukommen. Das gelang nach einer Weile jedenfalls einer. Bella konnte nicht erkennen, welche von beiden mit dem gefüllten Pappbecher und vom Gelächter der Männer begleitet, aus dem Gedränge zurückkehrte.

Fall außer, fall eine,
die kleinen Kinder greinen,
die großen lachen,
die Bäcker backen,
die Schnitter mähen,
die Gockel krähen: Kikeriki!

Durch den allgemeinen Lärm drang die Stimme des Bürgermeisters, der sich noch einmal des Mikrofons bemächtigt hatte. Er schaffte es nicht, Ruhe zu erzwingen, nur mit Mühe war zu verstehen, daß er eine besondere Darbietung ankündigte. Sie hörte Marschmusik. Der Lärm verstummte. Die Karussells hatten ihre Lautsprecher abgestellt. Und dann, sie traute ihren Augen nicht: Auf dem Festplatz erschien eine Truppe englischer Kolonialsoldaten, marschierend und musizierend, direkt aus den überseeischen Kolonialgebieten, Indien vermutlich, denn der Anführer, der so munter den Taktstock schwang, als seien sämtliche Befreiungskämpfe spurlos, aber siegreich an ihm vorübergegangen, trug auf dem Rücken ein Tigerfell, dessen schwerer Kopf über seinem Hintern hin und her baumelte.

Die Truppe, etwa dreißig Männer zwischen zwanzig und fünfzig, marschierte direkt auf den Tanzboden zu, nahm dort Aufstellung und begann, tutend und blasend einmal nach rechts, dann nach links, dann rückwärts und dann wieder vorwärts, gemessenen Schrittes hin und her zu stolzieren. Die Männer trugen schwarze, enge Lastexhosen, die mit einen Steg unter dem Fuß sehr stramm gehalten wurden. Dazu kurze rote Jäckchen mit viel Silberzeug und schwarze Lackstiefelchen mit riesigen silbernen Sporen. Auf dem Kopf thronte eine hohe, rot-schwarze Lackmütze.

Sie glichen aufs Haar einer Truppe von Gockeln der Rasse »Italiener«, die unter Führung des Oberhahns mühsam erlernte Kunststücke aufführte. Dieser, ein dünner bleicher, sehr schöner Mann, hatte, um seine Macht zu unterstreichen, schließlich hing der furchteinflößende Tigerkopf auf seinem Rücken und war für die Gockeltruppe nicht ständig sichtbar, einen feinen, silbernen Degen neben sich in das Holz der Tanzfläche gebohrt. Seine linke Hand ruhte lässig auf dem Degenknauf. Er stand unbeweglich. Mit einem Silberstöckchen in der rechten Hand dirigierte er sparsam und präzise die Vor-zurück-und-seitwärts-Schritte seiner Truppe. Ungläubig starrte Bella Block das Schauspiel auf der Tanzfläche an. Die stolzen Schrittchen, die dreißigmal unterschiedlich geformten Ärsche, dicke, plumpe, spitze, flache, die die kurzen Jäckchen den bewundernden Blicken der Zuschauer und Zuschauerinnen freigaben, langsam rot anlaufende Gesichter – stolzieren und blasen zugleich war offenbar anstrengend –, der wunderschöne, bleiche Obergockel – sie erwachte erst wieder durch die Klänge des Radetzky-Marsches, der als Verbeugung vor dem deutschen Publikum die Vorführung abschloß.

Nach einem kurzen Moment andächtigen Schweigens begannen die Leute begeistert zu klatschen. Die Kolonialgockel gaben mehrere Zugaben, und wenn auch nur die kleine Gruppe grün gekleideter Männer, Hosenbeine in den Stiefeln, frisch gebügelte Hemden, ernst und halbhoch die Hand zum deutschen Gruß erhob, so war doch ganz deutlich auf den Gesichtern der meisten Zuhörer ein Ausdruck erschienen, nicht von dieser Welt, sondern aus der von vor tausend Jahren.

Bella, nach ungläubigen Blicken in die Mienen der Umstehenden, ging an den Bierstand, der bis auf den Wirt und einen völlig betrunkenen, sich mühsam am Tresen festhaltenden Mann leer war, und verlangte einen Doppelten.

Schlaf, Kindle, schlaf!
Der Tod sitzt auf der Stange.
Er hat ein weißen Kittel an,
er will die bösen Kinder han.
Schlaf, Kindle, schlaf!

Wir haben ein Schwein im Stall gehabt. Das ist jetzt tot. Es lag einfach da und rührte sich nicht mehr. Der Tierarzt sagt, es hat sich Silvester bei der Knallerei erschrocken, und da haben sich ein paar Muskeln verkrampft. Der Krampf hat sich immer mehr ausgebreitet in seinem Innern. Zum Schluß war es innen ganz hart und verkrampft, und daran ist es gestorben. Ich wollte nicht sterben. Ich mußte ihn umbringen, damit der Krampf wegging. Ich dachte an die beiden anderen, und mir wurde ganz leicht innen, und dann fiel er mir ein, und der Krampf ging mir schon fast bis ans Herz. Den ganzen Winter und das Frühjahr hab' ich gewartet. Mir fiel nichts ein. Es war so schwierig. Er war groß und fett. Ich konnte ihn nicht überwinden. Und er war nicht geil wie der andere. Und dann kamen die ersten warmen Tage. Der Gestank nach Schweinemist war wieder da, und ich würgte und würgte. Tagelang blieb ich steif auf dem Bett liegen. Ich wollte nicht sterben. Ich wollte nicht enden wie das

Schwein. Ich bin kein Schwein. Ich mußte ihn umbringen. Es wurde mir leichter, wenn ich daran dachte. Er traute mir nicht. Er hatte Angst, seit er ein paarmal die Bilder an seiner Tür gefunden hatte. Er begann zu fürchten, die anderen könnten sich nicht selbst umgebracht haben. Aber er wußte es nicht. Und mir fiel nicht ein, wie ich es tun konnte. Als der Trecker mit dem Holz am Haus vorbeifuhr, wußte ich noch immer nicht, wie ich es mache. Ich wußte es nicht, nichts fiel mir ein. Nur daß er weg mußte, damit meine Krämpfe verschwanden, das war alles, was ich wußte. Bis ich auf den Festplatz kam, da hab' ich es plötzlich ganz deutlich vor mir gesehen. Und mir war leicht. Ich wußte, das wird das schönste Sommerfest für mich. Ich werde noch viele Sommerfeste erleben, aber dies wird das schönste. Und ich setzte mich am Rand der Wiese ins Gras und trank mein Bier, nicht weit von dem Platz, wo wir damals gesessen hatten. Und ich weinte vor Freude.«

So wie das böse Ziegenbock
die grüne Blatt am Rosenstock
mit seine Maul abbeißen tut
so macht die Tod das Mensch kaputt

Seit die Gockeltruppe ihre Parade aufgeführt hatte, hatte das Fest für Bella etwas Unwirkliches bekommen. Sie sah die Menschen überdeutlich, so, als sei die Luft plötzlich klarer geworden. Und dennoch waren sie unendlich weit entfernt, so weit, daß sie die Geräusche um sich herum nur noch gedämpft wahrnahm. Nach und nach kehrten die Männer an den Bierstand zurück. Sie wurde angesprochen und antwortete freundlich. Der Wirt schien erleichtert, sie in seiner Nähe zu sehen. Da ging sie zurück auf ihren Strohballen und trank dort den zweiten Becher Bier. Hin und wieder bewegte sie sich von dem Strohballen weg, stellte sich zu einer Gruppe von Frauen oder stand am Rand der Auto-Scooter-Bahn und sah den Wagen zu, die aufeinander zurasten und mit dumpfem Krachen zusammenstießen. Aber der Lärm kam aus irgendeiner Ferne zu ihr herüber und erreichte sie nicht wirklich.

Der Wirt hatte Angst. Sie hätte seine Angst riechen können, wenn sie in seiner Nähe gestanden hätte. Sie lächelte ihm zu, wenn immer sich ihre Blicke trafen.

Lange saß sie mit Frau Petersen auf dem Strohballen und hörte ihr zu, wie sie mit schwerer Zunge und halb klagendem, halb rührseligem Tonfall über ihre Jugend jammerte. Es war von zu wenig Schlaf die Rede.

Jeden Morgen um vier raus, die Schweine ausmisten, melken, Frühstück machen, ohne Schulbrot in die Schule, auf dem Nachhauseweg getrödelt, um nicht sofort aufs Feld zu müssen, so ging es endlos weiter, und Bella warf hin und wieder eine Frage ein, aber in ihrem Kopf gingen ganz andere Dinge vor. Wörter hatten sich eingefunden, die keinen Zusammenhang ergaben, aber doch einen Sinn. Eins dieser Wörter hieß »subversiv«, und sie begann, in Gedanken Reime darauf zu erfinden. Subversiv als Korrektiv, subversiv – nichts geht schief, subversiv – weg der Mief, subversiv – nichts geht schief. Es fielen ihr viele Reime ein, auch die furchtbaren Verse ihres Großvaters:

Nein, manchmal wachst du auf
Berührt, beunruhigt
Von leisem Erinnern
Einem heimlichen Vorgefühl ...
Und im Gehirn beginnen zu klopfen
Allzu klare Gedanken ...
Und, ihren Aufruhr verhaltend,
Wie in Angst vor etwas, denkst du:
Wäre es nicht besser, wenn auch der neue
Tag hinginge wie alle:
Im stillen Irrsinn?

Und sie lächelte Frau Petersen freundlich und tröstend zu, die inzwischen bei der Schilderung ihrer harten Jugend in Tränen ausgebrochen war. Als am Rand des Platzes eine kleine Gestalt in dunklem Mantel und Pudelmütze auftauchte, stand Bella auf und ging über den Platz auf sie zu. Im Vorbeigehen schenkte sie dem Wirt ein freundliches Lächeln. Ein Jugendfreund fiel ihr ein, der eine Katze streichelnd, die auf seinem Schoß lag, mit zärtlicher Stimme gesagt hatte:

Jetzt werden wir dir gleich den Kopf abhacken, mein kleines Kätzchen.

Die Katze hatte wohlig geschnurrt.

Sie widerstand der Versuchung, sich umzudrehen und dem Wirt noch einmal zuzulächeln.

Die Alte war weitergegangen. Jetzt stand sie am Zaun ihres Vorgartens. Die Margeriten reichten ihr bis an die Schultern, ein kleiner See aus Milch und Butter, der sich im Wind bewegte. Sie sah Bella entgegen.

Jeder hat heute seine besondere Art von Fest, sagte sie. Ihre Stimme war tief. Sie sprach langsam, und in ihrem gelben Gesicht klebte die Haut wie angetrocknet über den Knochen. Ein kleines, irres Lächeln lag um ihren Mund. Sie setzte sich auf die Bank vor der Haustür und zeigte mit einer unbestimmten Geste in den Hausflur.

Einen ganzen Topf voll hat er bringen lassen, das reicht für ein paar Tage. So großzügig war er schon lange nicht mehr. Sie kicherte und lud Bella mit einer Handbewegung ein, sich neben sie zu setzen. Sie saßen da, die Margeritenbüsche verdeckten den Blick auf die Felder, nur das geöffnete Gartentor ließ einen Ausschnitt sehen. Weit entfernt fuhren zwei Heulader umeinander herum, riesige, schwerfällige Insekten, sich abtastend, wie in einem unbekannten Paarungsritual. Nach einer Weile sagte die Alte:

Sie werden abfahren und nicht wiederkommen.

Sie erwartete keine Antwort. Was hätte auch geantwortet werden können außer »ja«. Sie sah die alte Frau von der Seite an, sah wieder das irre Lächeln und wußte, sie würde nichts mehr sagen.

Es gibt auch nichts zu sagen, dachte sie, und stand auf, um zu gehen. An der Gartenpforte wandte sie sich um. Die Alte hatte eine Hand erhoben. Ein dünner gelber Arm ragte aus dem weiten Mantelärmel hervor. Das Gesicht verschwand fast unter der Wollmütze. Nur die dunklen Augenhöhlen und das Lächeln waren zu sehen.

In manchen Dörfern, dachte Bella verwundert, sitzt in den Margeriten der Tod.

Guten Abend, gut Nacht,
mit Rosen bedacht,
mit Näglein besteckt,
schlupf unter die Deck.
Morgen früh, wenn Gott will,
wirst du wieder geweckt.

Vom Festplatz waren die kreischenden und quäkenden Kinder verschwunden. Das Kinderkarussell hatte seinen Betrieb eingestellt. Dennoch war es nicht ruhiger geworden. Aus dem Lautsprecher an der Tanzfläche dröhnte Plastikmusik. Auf den Bänken saßen nicht mehr die Mütter, sondern junge Pärchen, händchenhaltend oder sich in den Armen liegend. Auf den Brettern mühte sich ein Paar ab. Der junge Mann war zu betrunken, um die richtigen Schritte zu finden. Ergeben hing das Mädchen in seinen Armen und ließ sich die Schuhe demolieren.

Bella, die nach dem Zusammentreffen mit der Alten ins Haus gegangen war und eine Weile geschlafen hatte, sah hinüber zum Bierstand, der, von einer Kette bunter Glühbirnen erleuchtet, immer noch umlagert war. Aber nicht mehr der Wirt, sondern ein junger Mann, den sie nicht kannte, wahrscheinlich aus einem der Nachbardörfer, zapfte das Bier. Sie ging näher heran und sah den Wirt im Innern der Bude. Er lehnte vollkommen betrunken an einem Pfeiler. Sie drängte sich durch und stellte sich neben ihn. Er erkannte sie, versuchte ein Gespräch anzufangen, aber aus seinem Mund kam nur ein unverständliches Blubbern – sie meinte, das Wort »Wache« verstanden zu haben –, auf das nichts zu antworten war. Sie beschloß, vorerst neben ihm stehenzubleiben.

Der Platz wurde leerer. Alle Buden waren jetzt dunkel. Die Umrisse des Holzstoßes, der am Vormittag aufgebaut worden war und am nächsten Abend niedergebrannt werden sollte, hoben sich vom nächtlichen Himmel ab. Wie eine schwarze Riesenspinne ragte die Raketenbahn in den Himmel. Die bunten Lichter an der Tanzfläche warfen ihren Schein über die letzten Pärchen auf den Bänken. Die Tanzfläche und die Bierbude waren die einzigen Lichtinseln auf dem Platz und die einzigen Flecken, wo sich noch Menschen aufhielten. Die Frauen waren ebenso verschwunden wie die Kinder. Bella konzentrierte sich darauf, dem hin und wieder blubbernden Wirt keine Beachtung schenkend, die dunklen Ecken des Platzes mit den Augen abzusuchen. Niemand war zu sehen. Dann löste sie sich mit einem Ruck vom Tresen, umkreiste den Platz, aber auch jetzt sah sie niemanden. Sie kehrte an den Tresen zurück, bestellte ein Bier und blieb schweigend neben dem Wirt stehen. Auch die Männer wurden jetzt weniger. Schließlich blieben nur noch die übrig, die in der Nacht den Holzstoß bewachen würden. Sie hörte aus den Gesprächen, daß es darum ging, irgendwelche Burschen aus der Nachbarschaft daran zu hindern, den Holzstoß vorzeitig in Brand zu stecken. Es gab Gelächter und wilde Drohungen gegen den Feind, und die Schichten wurden eingeteilt.

Durch das laute Gerede war auch der Wirt wieder zur Besinnung gekommen und bestand darauf, an der ersten Schicht beteiligt zu werden. Die Männer beruhigten ihn, indem sie ihm versprachen, ihn auf jeden Fall mitzunehmen, und er sackte brabbelnd und blubbernd wieder in sich zusammen. Mit dem Wirt standen noch acht Männer am Tresen, als das Licht über der Tanzfläche ausging und die Musik abbrach. Sie sah zu, wie die letzten Pärchen sich auf den Heimweg machten, der für einige sicher nur bis zum nächsten Knick führen würde.

Jetzt war der Tresen der einzige Lichtfleck auf dem Platz. Sie machte noch einmal die Runde, aber bis auf ein Paar, das es lediglich hinter die Rückwand der Fischbude geschafft hatte und sich jetzt dort im Gras wälzte, und die Männer am Tresen war der Platz leer.

Dann gingen die Männer der zweiten Schicht.

Wenn überhaupt, dann kommen sie, wenn wir Wache schieben, sagten sie.

Deshalb wollten sie noch eine Runde schlafen, um nachher fit zu sein. Sie zweifelte nicht daran, daß die vier pünktlich um zwei wieder erscheinen würden. Die waren pünktliches Aufstehen gewöhnt. Wahrscheinlich würden sie sogar von verschlafenen Frauen noch einen Kaffee serviert bekommen, ehe sie sich auf den Weg machten.

Der junge Mann, der in den letzten Stunden den Wirt vertreten hatte, rechnete die Einnahmen zusammen, packte Scheine und Kleingeld sorgfältig in eine orangefarbene Stahlkassette und steckte dem Wirt den Schlüssel in die Tasche des feuchten, zerknitterten Oberhemdes. Der Wirt, der eingeschlafen war, erwachte.

Ich komme, murmelte er, machte einen Schritt nach vorn und knickte ein. Er wäre umgefallen, wenn ihn der junge Mann nicht aufgefangen hätte.

Moment, hörte sie einen der beiden außen am Tresen stehenden Männer sagen. Der Mann verschwand in der Dunkelheit. Der Wirt wurde wieder an den Tresen gelehnt. Der junge Mann öffnete die Bierbude, indem er ein Brett des Tresens hochklappte und die kurze Holzwand darunter zur Seite schob. Aus der Dunkelheit erschien der Mann mit einer Schubkarre. Die schob er in das Innere der Bierbude, dicht neben den Wirt. Die Männer bugsierten den Betrunkenen, der räsonierte, aber unfähig war, Widerstand zu leisten, in die Karre, und der junge Mann steckte ihm die Stahlkassette zwischen die Oberschenkel. Es war der einzige Platz, der noch blieb, als sie den fetten Körper eingeladen hatten. Das alles erledigten sie so routiniert, daß zu erkennen war, daß sie ihm diesen Samariterdienst nicht zum ersten Mal angedeihen ließen.

Bella, die unbeachtet am Tresen gelehnt hatte, sah, wie der junge Mann das Licht ausmachte. Er schob den Karren mit dem Wirt aus dem Innern der Bierbude. Einer der beiden anderen Männer schloß das Rund wieder, und die drei zogen in Richtung Holzstoß, die Karre mit dem Wirt vor sich her schiebend. Der Holzstoß war nicht weiter als dreißig Meter entfernt. Sie hörte sie rumoren. Ein paar Bierflaschen klirrten aneinander, als sie sich niederließen. Dann war es still auf dem Platz. Bella ging eine letzte Runde um die dunklen Buden, aber bis auf die Männer am Holzstoß war der Platz leer. Nur hinter der Fischbude lag ein einzelner Mann in völlig derangiertem Zustand. Ihm fehlte die Hose, und die Unterhose hing in den Kniekehlen. Er lag auf dem Bauch und schlief. Sein weißer Hintern leuchtete im Dunkeln.

Änige, bänige, doppeldee
triffel, traffel, trummermee
Sündernot, Schwarzer Tod,
rußige Pfannen, draußengestanden.

Es war furchtbar. Sie hatten die Tür aufgelassen. Sein Haus war abgeschlossen. Das machten sie sonst nie. Aus unserem Schweinestall hatte ich die Kanister geholt. Da stellen wir unser Werkzeug rein, seit das Schwein tot ist. Als Ruhe draußen war, bin ich mit den Kanistern zu seinem Haus gelaufen. Ich wußte, sie würden ihn hinbringen. Sie tun das immer und stellen ihn dann mit der Karre neben den Tresen. Alle lachen darüber, aber ihm schadet es nicht, wenn sie lachen. Das Haus war zu. Ich bin auf den Kanister gestiegen und habe ins Fenster gesehen. Da sah ich, er war gar nicht drin. Ich hab' mich auf den Kanister gesetzt und geheult. Ich dachte, daß er jetzt irgendwo sitzt und von mir erzählt. Ich hab' immer mehr geheult. Ich dachte, daß ich mich selber anstecke. Aber erst wollte ich wissen, wo er war. Da hab' ich die Kanister genommen und bin wieder zurückgegangen. Meine Knie waren weich, ich hab' mich gefürchtet, auf den Platz zu gehen. Als ich weiter rankam, hörte ich sie lachen. Ich hab' die Kanister abgestellt und bin den Stimmen nachgegangen. Da hab' ich die drei Männer gesehen, die an dem Holzstoß saßen. Er war nicht dabei. Ich hab' gewartet, bis sie ruhig wurden. Sie wurden müde und sind eingeschlafen. Dann bin ich dichter rangegangen. Und da hab' ich die Griffe von der Karre gesehen, die ragten aus dem Holzstoß raus.

Sie hatten ihn mit der Karre in den Holzstoß geschoben. Ich bin ganz dicht rangegangen. Er lag da und schnarchte, besoffen wie jedesmal. Ich hab' gewartet, bis sie fest schliefen. Ich hab' die Karre noch weiter reingeschoben. Ich bin zurückgegangen und hab' den Kanister geholt.

Ich war so erleichtert, daß ich ihn doch noch gefunden hatte.

Dann hab' ich etwas Benzin unter die Karre geschüttet und um den Holzstoß herum, ein brennendes Streichholz reingeworfen und bin zurück ins Haus gelaufen. – Ich bin noch mal zurück, weil ich die Kanister vergessen hatte. Da brannte schon alles. Ich hab' ihn nicht gehört, aber die Männer waren aufgewacht und schrien durcheinander. Sie haben mich nicht gesehen, sie waren zu aufgeregt. Ich hab' die Kanister zurück in den Stall gestellt. Es fehlte nur ein wenig Benzin, das trockene Holz brennt ja von allein. Vom Fenster meines Zimmers aus konnte ich das Feuer sehen. Es war sehr hell. Irgendwann ist ein Krankenwagen gekommen. Die Sirene konnte ich schon von weitem hören. Ich dachte, daß das nichts nützen wird. Ich bin dann schlafen gegangen. Jetzt kann ich wieder schlafen. Es ist alles in Ordnung.«

Die Schweden sind kumma,
ham alles mitgnumma,
ham die Fenster neigschlagen,
hams Blei davongetragen,
ham Kugeln draus gossen
und alle derschossen.
Eia Viktoria, jetzt hat der Krieg ein End.

Bella hatte den Festplatz gegen Mitternacht verlassen. Während sie ging, hörte sie hinter sich noch einen Augenblick lang die schläfrigen Stimmen der Männer, dann kam sie in das Dunkel und die Stille ihres Gartens. In ihrem Schlafzimmer hatte sie die Fenster weit geöffnet und sich dann, sie hätte nicht sagen können weshalb, angezogen auf das Bett gelegt. Es war nicht der Schein des Feuers gewesen, der sie später geweckt hatte, sondern die Sirene des Krankenwagens. Als sie die Augen öffnete, das vom Schein des Feuers hell erleuchtete Zimmer sah, wußte sie, was geschehen war.

Sie erhob sich, setzte sich aber gleich wieder auf das Bett, dachte nach und kam zu dem Ergebnis, daß ihre Anwesenheit dort drüben nicht notwendig war. Die Sirene des Krankenwagens, die eine Weile geschwiegen hatte, begann, aufs neue zu heulen.

Der Feuerschein an der Wand ihres Zimmers war jetzt nicht mehr so hell. Sie beschloß, doch zum Platz zu gehen. In dem vom Feuer matt erleuchteten Garten warfen die Holunderbüsche riesige Schatten.

Der halbnackte Mann hinter der Fischbude war verschwunden. Sie hatte eine Menschenansammlung erwartet, aber nur wenige Männer standen um die Reste des langsam in sich zusammenfallenden Feuers, aus dem sich jedesmal, wenn einer der inneren Balken herunterfiel, ein Funkenwirbel in die Luft erhob. Langsam ging sie näher heran. Ihre Augen suchten den Platz nach der Frau ab. Sie fand sie nicht. Als sie die Männer erreichte, sah sie in verstörte Gesichter. Außer den dreien, die Wache gehalten hatten, war der Alte erschienen, den sie ein paarmal auf dem Hof der Bäuerin gesehen hatte. Er trug eine dicke Joppe und Gummistiefel, aus denen die Beine der Schlafanzughose hervorsahen. Weshalb er gekommen war, konnte sie nur raten. Er stand am Rand des Feuers und brabbelte vor sich hin. Dann waren da noch zwei jüngere, übernächtigte Männer, die Feuerwehranzüge trugen oder jedenfalls Teile davon. Von der Sirene des Krankenwagens geweckt, hatten sie den Feuerschein gemerkt. Ein um das andere Mal versicherten die beiden, daß sie so schnell gerannt seien wie noch nie, aber es wäre eben zu spät gewesen. Sie waren so aufgeregt, daß der Polizeiposten, der, im Nachbardorf stationiert, gleichzeitig mit dem Krankenwagen gerufen worden war, begann, sie mißtrauisch zu beäugen. Er war sich darüber klar, daß es jetzt seine Pflicht war, ein Protokoll aufzunehmen. Und obwohl er auch bisher schon hin und wieder Hühner- oder Fahrraddiebstähle protokolliert hatte, wußte er nicht, wie er anfangen sollte.

Protokoll aufnehmen oder mit den anderen über die Schuldigen spekulieren – er konnte sich nicht entscheiden. Schließlich kannte er die versammelten Männer. Wahrscheinlich war es nur ein Zufall, daß er in der Nacht nicht selbst zum Bewachen des Holzstoßes zurückgeblieben war.

Hättet ihr ihn denn nicht nach Hause schieben können? fragte er. Dabei versuchte er, seiner Stimme einen strengen Ausdruck zu geben, aber sie klang doch eher jämmerlich, so, als wollte er in Wirklichkeit sagen: Hättet ihr mir nicht die Arbeit ersparen können?

Die drei Bewacher des Holzstoßes hatten sich in einer Reihe auf den dicken Baumstamm gesetzt, auf dem noch vor wenigen Stunden die Kinder ihre Kunststücke vorgeführt hatten.

Sie boten einen jammervollen Anblick. Der junge Mann, der die Arbeit des Wirts hinter dem Tresen übernommen hatte, ließ die Hände zwischen den Knien herunterhängen. Sie waren schwarz, und auf den Handflächen mußte er Brandblasen haben, aber er kümmerte sich nicht darum. Es stellte sich heraus, daß er, wahrscheinlich weil er am wenigsten getrunken hatte, als erster aufgewacht war und den Ernst der Lage erkannt hatte. Es war trotzdem zu spät gewesen. Er war es gewesen, der sich bis dicht an den lichterloh brennenden Holzstoß herangetraut und versucht hatte, die Karre mit dem Wirt herauszuziehen. Seine Augenbrauen und ein Teil seiner hellblonden Haare waren abgesengt. Er saß da und starrte vor sich hin. Die beiden anderen redeten auf ihn ein, langsam und in stockenden Sätzen. Sie fühlten sich mitschuldig, schließlich hätten sie nicht einschlafen dürfen. Keiner von ihnen konnte sagen, wer wohl den Holzstoß angezündet haben könnte.

Die kriegen wir nie, war alles, was zu den Tätern zu hören war. Auch der Polizist war dieser Meinung, als Bella ihn fragte. In den letzten zehn Jahren war es zweimal vorgekommen, daß der Holzstoß nachts vorzeitig abgebrannt worden war. Beide Male war es aber zu Ostern und nicht während des Sommerfestes gewesen, und niemand hatte die Täter herausbekommen. Die hätten eine gehörige Tracht Prügel erwischt, schließlich war es harte Arbeit, so einen Holzstoß in der richtigen Größe und Form aufzuschichten. Deshalb hielten sie dicht und freuten sich im geheimen. Diesmal war wahrscheinlich ein Mensch dabei getötet worden, da würden sie sich erst recht nicht freiwillig melden.

Ob der Wirt tot war, wußten sie übrigens nicht, aber sie nahmen es an. Der Anblick des gekrümmten, angekohlten Mannes, dessen Beine brannten, und der keinen Laut von sich gegeben hatte, ließ keine andere Vermutung zu. Die Männer waren unfähig, über das Aussehen des Mannes auf der Karre zu sprechen. Der Schock war zu groß. Nur der Polizist, der wußte, was er seinem Ansehen als Amtsperson schuldig war, bemühte sich, Bella eine Beschreibung zu geben.

Dann kamen die Männer der zweiten Schicht. Einer nach dem anderen kam angerannt und fragte atemlos, was passiert sei. Der Polizist versuchte ihnen eine Erklärung zu geben. Plötzlich fiel ihm ein, daß er eigentlich amtlich tätig zu werden hatte.

Er unterbrach sie ungehalten, verlangte Ruhe, obwohl außer dem Alten, der noch immer brabbelnd am Rand des fast verloschenen Feuers stand, niemand mehr etwas gesagt hatte, und begann die Anwesenden umständlich nach dem Hergang dessen zu befragen, was er gerade selbst erzählt hatte. Bella flüsterte ihm zu: Mich brauchen Sie hier wohl nicht, ich bin im Haus, und ging zurück.

Vor der Haustür setzte sie sich auf die steinernen Stufen und sah hinüber zum Haus der Nachbarinnen, dessen Fenster dunkel waren.

Sie fürchtete sich nachzudenken, aber sie mußte sich Klarheit verschaffen, wenn sie handeln wollte.

Sie schloß die Augen und lehnte den Kopf an den Pfosten des Vordachs.

Anstatt nachzudenken, schlief sie ein. Als sie erwachte, begann es hell zu werden. Ein paar frühe Schwalben schossen in halber Höhe durch den Garten, ein leichter Brandgeruch lag in der Luft, und hinter dem Haus der Nachbarinnen ging die Sonne auf. Sie blieb noch einen Augenblick in den ersten Sonnenstrahlen sitzen und erhob sich dann, um ins Haus zu gehen.

Das warme Wasser der Dusche tat ihr gut. In ihrem Arbeitszimmer begann sie, in den Schubladen des Schreibtisches zu wühlen, und fand nach einer Weile das kleine Aufnahmegerät, das sie gesucht hatte. Sie steckte das Gerät in die Hosentasche und ging, ohne sich im Haus umzusehen, wieder nach draußen. Sie ging durch den Garten auf die Straße. Der Festplatz lag jetzt verlassen da. Nichts deutete auf die Ereignisse der Nacht hin. Aus dieser Entfernung waren nicht einmal die

Reste des Holzstoßes zu erkennen. Sauber und friedlich lag das Dorf in der Morgensonne.

Sie klingelte an der Haustür der Schwestern, und während sie wartete, betrachtete sie die Rosen und den Jasmin im Vorgarten. Die Rosen standen auf sauber abgezirkelten Beeten, aber sie blühten so üppig, daß ihre schweren Köpfe über die schmalen Wege hingen und die Begrenzungen zwischen den Beeten verdeckten.

Die Tür wurde geöffnet, und Frau Petersen sah sie an.

Sie schläft noch, sagte sie. Sie hat die ganze Nacht geschlafen.

Hier ist grün,
dort ist grün
unter meinen Füßen.
Hab' verloren meinen Schatz,
werd' ihn suchen müssen.

Als sie das Haus der Schwestern verließ, konnte sie ihr eigenes Haus, das nur wenige Schritte entfernt lag, kaum erkennen. Ungewöhnlich dichter Morgennebel lag über dem Dorf. Sie ging langsam durch das feuchte Gras, vorbei an den Holunderbüschen, die wie Fetzen aus dem Nebel hingen. Wie immer schrammte die Haustür laut über den Boden. Sie schloß sie hinter sich und blieb in der Halle stehen.

Dies war also ihr Haus gewesen. Ihr Blick ging langsam über die riesige, altmodische Polstergruppe, die um den Kamin stand, über den langen, selbstgebauten Eßtisch und die schönen Stühle mit den hohen Lehnen, die sie vor zwei Jahren zufällig beim Trödler im Nachbardorf gefunden hatte. Sie sah die hohe Decke mit den dunklen Balken und die hölzerne Treppe, die nach oben führte. Es roch auch jetzt im Sommer nach Holzfeuer.

Langsam ging sie durch die Halle in die Küche. Sie nahm automatisch einen Schwamm, streute Scheuersand auf den Tisch und rieb mit langsamen

Bewegungen das aufgezeichnete Schwein von der Tischplatte. Der Blick aus dem Fenster über die Felder hatte ihr immer besonders gut gefallen, jetzt sah sie auf eine Nebelwand. Mit langsamen Schritten ging sie zum Kühlschrank, sie hatte Hunger. Es war nichts drin, wie immer in den letzten Tagen, woher auch, sie hatte nicht eingekauft. Sie ging zurück durch die Halle in ihr Arbeitszimmer. Es war hell und freundlich, denn die Fenster gingen nach Osten, und durch den langsam aufsteigenden Nebel drangen Sonnenstrahlen. Sie blieb an der Tür stehen, und ihr Blick fiel auf die Zeile eines an die Wand gehefteten Gedichts:

Der schreckliche Sommertag,
viel schöner noch als Salomonis Seide

Das hatte sie angepinnt, als sie eingezogen war, und sie würde es hängen lassen.

Es waren nur wenige Dinge einzupacken, die Beretta, der Brief von Kohlau, die Bücher aus der Bibliothek. Vielleicht würde sie irgendwann noch ein paar Sachen abholen, aber nicht jetzt. Sie nahm ihre Jacke von der Garderobe und schloß die Haustür hinter sich ab. Der Wagen war naß vom Nebel – einen kleinen Augenblick erfaßte sie Panik bei dem Gedanken, er könne nicht anspringen.

Das Aufnahmegerät legte sie neben sich auf den Sitz. Sie fuhr bis ins nächste Dorf und hielt vor dem Café. Sie ging hinein und bat um eine Tasse Kaffee und ein Brötchen. Das Café war leer zu dieser frühen Morgenstunde. Durch ein geöffnetes großes Kippfenster sah sie nach draußen. Der

Nebel hatte sich noch weiter zurückgezogen. Orangefarbene Dahlienbüsche, ein gepflasterter Hof und jenseits eines Zauns ein schmaler Weg. Es war warm, eine milde Wärme, die an Wespen und Altweibersommer denken ließ. Draußen auf dem schmalen Weg fuhr ein Trecker vorbei, den Anhänger hoch beladen mit Korn.

Die Ladenglocke bimmelte, und ein Mann kam herein. Er trug lodengrüne Hosen, die Ärmel des Oberhemds waren hochgekrempelt, seine blonden Haare kurz geschnitten. In der breiten gemütlichen Sprache der einheimischen Bauern verlangte er Brötchen.

Die junge Frau hinter dem Tresen beklagte die Fliegenplage, die in diesem Sommer besonders unangenehm sei. Sie brachte den Kaffee und das Brötchen, das wie Wellpappe mit Mohnkrümeln schmeckte.

Sie zahlte, und die junge Frau sah ihr durch das Schaufenster nach, wie sie ins Auto stieg und davon fuhr.

Zu Hause würde sie ihr Entlassungsgesuch schreiben und ihren letzten Bericht. Ihr neues Leben würde nicht einfach sein, aber einfacher als die Zusammenarbeit mit Kollegen, die sie verachtete. Sie dachte an den jungen Beyer und lächelte.

Der Bericht, den sie abzufassen hatte, würde ihr letzter sein. Ihr würde schon etwas einfallen, besondere Mühe war nicht notwendig. Weshalb sollte sich eine Frau nicht aus Einsamkeit umbringen, so etwas kam alle Tage vor. Und ein Landwirt, der Frau und Kind nicht mehr ernähren konnte, weshalb sollte der nicht Schluß machen? Der Tod des Wirts war ein Unfall, das war eindeutig.

Es lohnte nicht, länger darüber nachzudenken.

Der Nebel war jetzt endgültig verschwunden. Ein leichter Dunst lag über den Feldern, auf denen die zusammengerollten Strohballen lagen, wie Noppen auf einer Trachtenjacke. Eine schwarzweiße Katze lief über ein Feld. Sie sah der Katze ähnlich, die vor ihrem Haus gelegen hatte.

Bella Block griff neben sich und stellte das Aufnahmegerät an. Sie wartete und hörte dann die Stimme.

»Es kam nicht oft vor, daß sie mit mir sprachen ...«

Ein Fall mit Liebe

Ungestorben aber
die finstere Zeit, umher
geht meine Sprache und ist rostig von Blut.

Johannes Bobrowski

Ich weiß nicht, wie Sie darüber denken, aber manchmal kommt es mir vor, als hätten unsere Eltern uns zu etwas Besonderem erzogen, sagte die Frau.

Mit einer Gabel, deren mittlere Zinken zusammengebogen waren, versuchte sie ein Salatblatt aufzuspießen. Es gelang ihr nicht, und sie blickte auf. Bevor sie ihr Gegenüber ansah, fiel ihr Blick auf eine Reihe von Rehgeweihen, die an der Wand angebracht worden waren. Es waren sieben, und sie waren alle gleich klein.

Entschuldigen Sie mich bitte einen Augenblick, sagte der Mann, zu dem sie gesprochen hatte. Er stand auf und verließ den Raum. Die Frau sah ihm nach, bevor sie sich wieder dem Salatblatt zuwandte. Sie legte das Messer und die verbogene Gabel sorgfältig über das Blatt, die Messerkante nach außen, und schob den Teller von sich.

Ein Bier trinke ich noch, dachte sie. Er wird nichts mehr sagen. Aber jetzt einfach weggehen, wäre dumm.

Sie trank das Glas leer und hielt es dem Mann entgegen, als er wieder zur Tür hereinkam. Die Tür war eine Schwingtür, und sie schlug heftig hinter ihm hin und her. Ein Bier noch, sagte sie lächelnd.

Der Mann kam zu ihr an den Tisch und nahm ihr das Glas ab, bevor er hinter den Tresen ging und sich an der Zapfsäule zu schaffen machte.

Ihr Vater war ein wunderbarer Mann, sagte er, während er darauf wartete, daß der erste Schaum im Glas zusammensank. Auf Ihre Eltern können Sie stolz sein. Ihre Mutter hat geholfen, wo sie nur konnte. Und Ihr Vater war wirklich ein wunderbarer Mann. Wissen Sie eigentlich, nein, das können Sie wohl nicht wissen, was sein Lieblingsgetränk war? Apricot Brandy! Ja, da staunen Sie, was?

Wir größeren Jungens durften manchmal an seinem leeren Glas nuckeln. Warten Sie, wir trinken ein Glas auf sein Wohl, während das Bier einläuft.

Einen Augenblick lang war nur das Ticken der Uhr über der Schwingtür zu hören. Die Uhr sah aus, als sei sie eine Kuckucksuhr. Die Zeiger zeigten genau acht Uhr an, aber die Frau wartete vergeblich darauf, daß sich die kleine Tür unter dem Zifferblatt öffnete. Wahrscheinlich war der Mechanismus kaputt.

So kaputt wie alles hier, dachte die Frau.

Der Mann kam hinter dem Tresen hervor und brachte das gefüllte Likörglas an ihren Tisch. Er stellte es vor sie hin, blieb stehen und sah von oben auf sie herab.

Weshalb setzen Sie sich nicht, sagte die Frau. Es ist so angenehm, von alten Zeiten zu reden.

Sie griff nach dem Glas und nahm einen kräftigen Schluck.

Mit dir nicht, du alte Hexe, dachte der Mann, während er zusah, wie die Frau einen sehr kurzen Augenblick nach Luft rang und dann auf der Bank vor ihm zusammensank. Er hatte noch nie einen Menschen getötet, und er war nicht sicher, wie lange er warten mußte, bis die Frau wirklich tot war. Also blieb er stehen und zählte, ohne die Lippen zu bewegen, bis hundert, bevor er begann, den Oberkörper der Toten aus der Bank zu ziehen. Die Frau war zu Lebzeiten leicht gewesen, und noch hatte der Tod sie nicht schwerer gemacht.

Jetzt hab' ich tatsächlich eine Leiche im Keller, dachte der Mann, während er den Körper der Toten durch die Schwingtür zog. Bisher hatte es die Leiche im Keller nur in seinen Träumen gegeben.

Bella fuhr langsamer, entdeckte eine Parklücke und lenkte den Porsche nach rechts. Sie parkte ihn langsam und sorgfältig, beobachtet von zwei Zwölfjährigen, die neben der Parkuhr standen und das alte Modell bewunderten. Sie stellte die Zündung ab, und die Kassette sprang heraus. Sie horchte den Versen von Alexander Block nach, die sie gerade gehört hatte.

Ich lief in bunten Lappen herum
Und trug eine häßliche Maske.
Andauernd lachte ich auf den Festen
Und erzählte Geschichten.

Es war ihm wohl nicht gut gegangen, ihrem Großvater, als er das geschrieben hatte. Der Dichter als Narr.

Sie stieg aus und schloß den Wagen ab. Die beiden Jungen waren verschwunden. Auf dem Straßenschild neben dem Wagen stand: Porschestraße.

Sie hatte einen Teil des Nachmittags in der Herzog-August-Bibliothek in Wolfenbüttel verbracht, die Stadt und das Lessinghaus angesehen und nach dem sorgfältig restaurierten 18. Jahrhundert, das sie gerade verlassen hatte, erschien ihr der Anblick der Wolfsburger Innenstadt brutaler, als er vielleicht wirklich war.

Nach ein paar Schritten erreichte sie die strahlend beleuchtete Beton-Fußgängerzone. Sterne hingen über ihrem Kopf. Aus verborgenen Lautsprechern waren Weihnachtslieder zu hören. Es war kurz nach sechs Uhr, und dafür, daß die Läden um diese Zeit schlossen, waren entschieden zu viele Menschen unterwegs. Während sie langsam weiterging, eine Kneipe suchend, wurde sie ein paarmal angerempelt. Sie setzte sich in das erste Café, das sie sah, fühlte sich hinter den Scheiben in Sicherheit und bestellte Glühwein.

Vor den Scheiben wurden es nicht weniger, sondern mehr Leute. Neben ihr am Tisch saß ein Pärchen, Mann und Frau im Partnerlook. Draußen liefen ähnliche Pärchen herum, meist zwischen dreißig und vierzig, teuer und geschmacklos gekleidet, mit gierigen Gesichtern. Manche hielten einander an den Händen gefaßt, um sich im Gewühl nicht zu verlieren. Ein Trupp brüllender Kahlköpfe zog vorüber. Hinter ihr, in einer Ecke des Cafés, erzählte jemand einen Witz, in dem ein »Ossi« von einem »Wessi« betrogen wurde, ohne es zu merken. Der Witz war lang und dumm, ebenso wie das anschließende Gelächter. Als die Serviererin mit dem Glühwein kam, sah Bella zwei Paaren zu, die sich gegenseitig von einem Schaufenster mit Spielwaren zu verdrängen suchten. Kinder sah sie nicht. Die Serviererin stellte das Getränk vor ihr auf den Tisch. Es duftete plötzlich nach Zimt und Orangen.

Riecht ja wunderbar, sagte Bella.

Ist unsere Spezialität, antwortete die Serviererin und wandte sich zum Gehen.

Sagen Sie, was ist hier los? fragte Bella, ich meine, weshalb sind so viele Leute unterwegs?

Die Frau drehte sich noch einmal um. Auch das Paar vom Nachbartisch sah auf.

Wieso, sagte die Serviererin, es ist doch langer Donnerstag. Sie hätte auch sagen können: Wissen Sie nicht, daß die Welt rund ist? Der Ton wäre der gleiche gewesen.

Bella sah wieder auf die Einkaufsstraße. Das Gewühl war so dicht, daß es ihr schwer fiel, einzelne Frauen oder Männer zu beobachten. Die Stimmung schien so aggressiv, daß sie froh war, durch die Glasscheibe von den Menschen getrennt zu sein. Wölfe, dachte sie, die Wolfsburger reißen sich gerade ihren Wohlstandsanteil aus den Läden. Dabei zuzusehen war kein Vergnügen.

Sie trank den Glühwein zu schnell, verbrannte sich die Zunge, legte Geld auf den Tisch und verließ das Café. Draußen empfingen sie Weihnachtslieder. Sie beeilte sich, das Auto zu erreichen. Als sie den Wagen anließ, begann ein Sprecher, die Themen der Abendnachrichten vorzulesen. Im Kommentar würde sich ein Journalist mit der Einführung der Vier-Tage-Woche bei VW in Wolfsburg befassen. Bella stellte das Radio ab. Vor ein paar Tagen hatte Olga sie angerufen, zu früh und zu laut, wie üblich.

Bella, mein Kind, stell dir vor, was ich eben gelesen habe: Die Nazis haben diesem Porsche neunzehnhundertsiebenunddreißig die »Goldene Fahne für Musterbetriebe« überreicht!

Bella, verschlafen und ärgerlich, hatte nicht verstanden, weshalb Olga sie deshalb wecken mußte. Es blieb ihr trotzdem nichts anderes übrig, als Olga zuzuhören.

Überleg doch mal: VW, damals Musterbetrieb, heute Musterbetrieb!

Mutter, wovon sprichst du?

Sag mal, liest du keine Zeitungen? Also, sie machen doch jetzt die Vier-Tage-Woche, aber ohne Lohnausgleich. Die Gewerkschaft kriecht zu Kreuze, und die VW-Belegschaft geht wieder mit gutem Beispiel voran.

Bella hatte »bis später« gemurmelt und den Hörer aufgelegt. Jetzt fiel ihr das Gespräch wieder ein. Wahrscheinlich hat Olga recht, dachte sie, mustergültiger kann zur Zeit wirklich niemand vormachen, wie man mit dem Trick der Vier-Tage-Arbeits-Regelung eine große Belegschaft bei der Stange hält.

Sie fuhr an und war froh, als sie die Landstraße erreicht hatte. Es waren nur wenige Autos unterwegs, erst in zwei Stunden würde der Verkehr wieder zunehmen.

Was werden die Leute tun, wenn sie mehr freie Zeit und weniger Geld haben, überlegte sie. Darüber müßte sich mal jemand Gedanken machen.

Im Schnee am Straßenrand standen die gläsernen Augen eines Fuchses. Sie fuhr langsamer, stellte das Radio an, schob die Kassette zurück und hörte Willy zu, die Gedichte von Alexander Block vortrug.

Wilhelmina van Laaken, genannt Willy, war Bellas Sekretärin, Mitarbeiterin, Diskussionspartnerin, Putzfrau – sie war unentbehrlich und fühlte sich auch so. Bella hatte sie über eine Vermittlung studentischer Arbeitskräfte kennengelernt. Willy studierte Astrophysik und hörte nebenbei Vorlesungen über Literatur, im Augenblick gerade bei den Slawisten. Sie war klein, blond, pummelig und ungeheuer lebendig und klug. Die Kassette war eine Überraschung »für unterwegs«. Willy gab sich beim Sprechen große Mühe, und Bella lächelte. Sie war froh, bald zu Hause zu sein.

Seit Olga, Kommunistin und hoch in den Achtzigern, eingesehen hatte, daß sie den Sieg des Sozialismus nicht mehr erleben würde, stand sie morgens nicht mehr um sieben Uhr, sondern erst um acht auf. Der Entschluß war nicht plötzlich gefaßt worden, sondern das Ergebnis längerer sorgfältiger Überlegungen. Sie hatte beschlossen, der großen Müdigkeit, die sie, wie viele andere, nach dem Zusammenfallen der DDR überkommen hatte, nicht nachzugeben. Das einzige Zugeständnis, das sie zu machen bereit war, hatte darin bestanden, morgens eine Stunde später aufzustehen.

Es war ihr nicht schwergefallen, sich zu beschäftigen, auch als die Genossen immer weniger wurden und sie schließlich das Parteibüro aufgeben mußten, weil die Zuschüsse aus dem befreundeten Ausland ausblieben. Als Beschäftigung hatte sie allerdings nicht die üblichen Tätigkeiten gewählt, mit denen Frauen im Alter gemeinhin ihre Zeit totschlagen.

Ich bin keine Köchin und keine Putzfrau, pflegte sie Bella zu antworten, wenn die, was hin und wieder vorkam, über die Unordnung in der Wohnung ihrer Mutter oder deren Vorliebe für Pommes frites mit Mayonnaise ein Wort verlor.

Früher hat sie ihre Unordnung mit der notwendigen Arbeit für die bevorstehende Revolution begründet, dachte Bella, lächelte und schwieg. Sie bewunderte Olgas Fähigkeit, flexibel auf die Veränderung der Welt zu reagieren, ohne ihre Prinzipien aufzugeben.

Olga hatte ihren Glauben an den Sieg des Sozialismus nicht verloren. Nur über den Zeitraum, der dazu noch durchmessen werden mußte, machte sie keine genauen Angaben mehr. Sie wurde auch von niemandem mehr danach gefragt. Regelmäßig traf sie sich mit einigen alten Freunden. Gemeinsam analysierten und kritisierten sie, was das Zeug hielt. Aber auch in dieser Runde war niemand mehr bereit, Prognosen abzugeben, wann die ersehnte grundsätzliche Veränderung der gesellschaftlichen Verhältnisse Wirklichkeit werden würde.

Eine Zeitlang waren sie ohne Anleitung von oben geblieben, als die Strukturen der Partei zerfielen und sich niemand darum kümmerte, was die wenigen noch existierenden Mitglieder dachten, geschweige denn zu denken hatten. Trotzdem war Olga immer sehr gut über innen- und außenpolitische Ereignisse informiert gewesen und sicher, wie sie zu beurteilen waren. So hatte es sich ergeben, daß Olga bei diesen Zusammenkünften der Vorsitz zugefallen war.

Sie hatte ihre neue Tätigkeit mit Vergnügen aufgenommen. Mit diesem Amt hing zusammen, daß sie sich nicht langweilte. Olga las Zeitungen und wertete sie aus. Die Unordnung, die Bella gelegentlich kritisierte, hing damit zusammen, daß sie ein ungewöhnliches System entwickelt hatte, die Ausschnitte, die ihr wichtig erschienen, zu archivieren. Sie hatte sich, Sonderanfertigung eines mit ihr befreundeten Mannes, der sich nach einigen Jahren erfolgloser politischer Arbeit auf seine eigentlichen Fähigkeiten besonnen hatte und wieder Tischler geworden war, über zwei Wände ihres Wohnzimmers Archivkästen bauen lassen. Die Anregung dazu hatte sie aus einem Buch über Peter Weiss entnommen, dessen Werk sie bewunderte. Der Bau der Kästen war so teuer geworden, daß Olga sich zu der Bemerkung veranlaßt sah: Bella, mein Kind, ich werde dir kaum Bargeld hinterlassen können.

Bevor die Ausschnitte in die sorgfältig beschrifteten Kästen gelangten, hatten sie die Zwei-Monats-Prüfung zu überstehen, die Anlaß für die Unordnung in Olgas Wohnung war. Die Ausschnitte wurden, nach Themen sortiert, auf jeder sich anbietenden freien Fläche gelagert.

Im Lichte der Geschichte, pflegte Olga erstaunten Besucherinnen zu erklären (sie hätte übrigens auch gern männliche Besucher empfangen, es gab aber kaum noch Altersgenossen), verlieren manche Ereignisse sehr schnell an Bedeutung. Aber das ist nicht entscheidend. Das Wichtigste ist, daß viele Lügen sich schon nach kurzer Zeit als das herausstellen, was sie sind. Oder wollt ihr, daß ich meine teuer bezahlten Archivwände mit den Lügen der Politiker anfülle?

Das Argument überzeugte immer. Die Besucherinnen versuchten zwischen der angeblichen oder wirklichen Trunksucht des russischen Präsidenten, gerade bekanntgegebenen Arbeitslosenzahlen der europäischen Länder, Prognosen über die wirtschaftliche Entwicklung der Bundesrepublik oder zum Waldsterben in der Tschechischen Republik ein Plätzchen zu finden. Ihre Kaffeetassen hielten sie in den Händen, vergnügt und mit dem Bewußtsein, ihren Nachmittagskaffee in einer Wohnung zu sich zu nehmen, in der den Regierenden in aller Welt auf die Finger gesehen wurde.

Jetzt allerdings hatte Olga ihr Tagewerk noch nicht begonnen. Sie war wach, hatte sich vorsichtig und langsam auf den Rücken gelegt und horchte auf die Geräusche aus dem Treppenhaus. Ihre Wohnung lag im Parterre. Sie wußte, ohne es zu sehen, wer gerade die Treppe herunterkam, wer das Haus verließ und wer zurückkehrte; ein Ergebnis des Umstandes, daß sie seit mehr als dreißig Jahren in diesem Haus wohnte. Ende der fünfziger Jahre war sie, gemeinsam mit Bella und sieben anderen Familien, in das von Bomben beschädigte und wiederhergestellte Haus eingezogen. Zuerst nahm man im Haus an, daß Olga Kriegerwitwe sei, was sie bei jeder passenden Gelegenheit richtigzustellen versuchte. Sie begann dann mit ausführlichen Erklärungen darüber, daß sie Russin sei, vor Stalin nach Spanien geflohen, also eigentlich Spanienkämpferin. Deshalb habe Bella auch keinen bestimmten Vater (und sie sei nicht Witwe), sondern sei ein »Kind der Republikaner«. Selbstverständlich verwirrte diese Erklärung die Hausbewohner nur. Diese Tatsache und ihre kommunistische Überzeugung hatten ihr Verhältnis zu den anderen Mietparteien im Laufe der Jahre erheblichen Schwankungen unterworfen. Inzwischen waren die Ehemänner im Haus gestorben, begraben und lebten nur noch in der Erinnerung der zurückgelassenen Frauen. Olgas äußere Existenz unterschied sie nicht mehr von der der anderen. Jetzt schienen sie vor der Zeit alle gleich zu sein. Die Folge war, daß sich im Haus unter den acht alten Frauen eine friedliche, ein wenig wehmütige Atmosphäre entwickelt hatte, in der es sogar möglich war, einander Trost zu spenden. Auch Olga, in manchen Dingen im Alter eben doch ein wenig nachlässiger geworden, wäre durchaus bereit gewesen, sich dieser Atmosphäre, über alle Klassenschranken hinweg, hinzugeben. (Die Witwe eines Regierungsrates und eine, allerdings sehr arme, Tiermalerin, deren Mann ebenfalls Tiere bei jeder Beleuchtung gemalt hatte, gehörten nach Olgas Vorstellungen nicht unbedingt zur arbeitenden Klasse.) Nur die Person, die gerade jetzt die Treppe heruntergehumpelt kam, hinderte sie daran. Selbst in diesem Augenblick, durch Bettdecke, Flur und Wohnungstür von der Person getrennt, mit der sie in Dauerfehde lag, kniff Olga die Augen zusammen und verzog verächtlich den Mund. Die unzähligen Runzeln in ihrem Gesicht und die auf dem Kopf zusammengebundenen weißen Haare ließen sie dabei aussehen wie die Hamburger Zitronenjette auf einem alten Stich.

Olga lag und wartete darauf, daß die Person zur Tür hinaushumpelte und die Tür hinter ihr ins Schloß fiele. Statt dessen waren die Schritte plötzlich nicht mehr zu hören. Olga sah auf die Uhr. Es war kurz vor acht. Der Briefträger konnte noch nicht dagewesen sein. Besuchte die Person die Nachbarin?

Die Nachbarin im Parterre war eine flinke kleine Frau, die mit allen im Haus gut Freund, aber mit niemandem wirklich befreundet war. Sie verbrachte ihre Zeit mit Beten und Singen im nahegelegenen Gemeindezentrum. Olga nahm ihr übel, daß sie dort nicht wenigstens etwas Nützliches tat, Wäsche flicken oder Kindern etwas vorlesen, kam aber sonst ganz gut mit ihr aus. Weshalb sollte die Person die Kirchenmaus besuchen?

Als es an ihrer Wohnungstür klingelte, war sie erstaunt. Die Abneigung, die sie für ihre Mitbewohnerin hegte, beruhte auf Gegenseitigkeit. Jetzt, es konnte nicht anders sein, stand die Person vor ihrer Tür und klingelte zum zweiten Mal.

Moment, ich komme gleich, rief Olga. Es fiel ihr schwer, schnell aus dem Bett zu klettern und sich den Morgenmantel überzuziehen. Morgens waren ihre Gelenke steif. Sie brauchte eine Weile, bis sie sich fähig fühlte, die Tür zu öffnen. Sie sagte den unfreundlichen Satz nicht, den sie sich vorgenommen hatte zu sagen, sondern öffnete die Tür etwas weiter und ließ die Person an sich vorbei ins Wohnzimmer humpeln. Da saß sie, ein Häuflein Unglück, auf dem einzigen freien Stuhl neben dem Schreibtisch und starrte vor sich hin. Olga wartete und ging dann achselzuckend ins Bad. Der Besuch war ihr unangenehm. Sie hoffte, ihn besser zu bewältigen, wenn sie gewaschen und angezogen der ungebetenen Besucherin gegenübertreten würde.

Eine Viertelstunde später erschien sie wieder, jetzt

nicht mehr Schwester der Zitronenjette, sondern Schwester der Äbtissin des Klosters Lüne: korrekt gekleidet, sorgfältig frisiert und mit überlegenem Gesichtsausdruck auf den ungewöhnlichen Besuch zur ungewöhnlichen Zeit hinblickend.

Die Person saß noch immer in zusammengesunkener Haltung am Schreibtisch. Sie hielt ein Stück Papier in der Hand, einen Brief, wie es schien. Als Olga sich räusperte, sah sie hoch und nahm Haltung an. Sie richtete den Oberkörper auf und stellte die übereinandergeschlagenen Beine nebeneinander auf den Fußboden. Das Schuhband am rechten schwarzen Stiefel war unordentlich gebunden und hing auf den Boden.

Gehen Sie davon aus, daß es mir nicht leichtfällt, zu Ihnen zu kommen, sagte die Person.

Ihre Stimme nötigte Olga Bewunderung ab. Sie selbst hätte keinen kühleren Ton finden können.

Ich komme, um Sie nach der Telefonnummer Ihrer Tochter zu fragen. Ich weiß, daß sie sich mit – die Stimme zögerte einen Augenblick, genauso lange wie Olga brauchte, um den Entschluß zu fassen, Bellas Nummer auf keinen Fall preiszugeben – Ermittlungen beschäftigt. Olga antwortete nicht. Ihrem verschlossenen Gesicht war die Absicht abzulesen.

Das ist das letzte Lebenszeichen, das ich von meiner Tochter habe, sagte die Person und streckte Olga den Brief entgegen. Ihre Stimme war tonlos, alle Aggressivität war daraus verschwunden. Olga dachte an die Tochter, die schon lange nicht mehr im Haus lebte, an den Mann der Person, der inzwischen tot war, und änderte ihre Haltung nicht.

Der Brief ist vier Wochen alt. Sie schreibt darin, daß sie in zwei Tagen zurückkommen und mich dann anrufen wird. Sie hat sich nicht gemeldet.

Als Olga sich noch immer nicht rührte, ließ die Person den Arm mit dem Brief sinken und fiel in sich zusammen. Olga fühlte Mitleid und ärgerte sich darüber.

Meine Tochter hat Gründe, ihre Telefonnummer nicht bekanntzugeben, sagte sie. Im übrigen hat sie ihren Beruf aufgegeben. Sie ermittelt nicht mehr.

Sie sprach mit Genugtuung. Bellas Arbeit war ihr immer anrüchig vorgekommen. Als Kriminalkommissarin hatte sie sich, ihrer Ansicht nach, zu sehr mit der Staatsmacht eingelassen. Als Privatdetektivin hatte sie in ihren Augen schon fast zur Unterwelt gehört.

Die Person ließ den Arm sinken und begann vor sich hin zu schluchzen. Dann fiel ihr ein, daß sie sich auf feindlichem Territorium befand. Sie raffte sich auf und humpelte zur Tür. Der Brief fiel auf den Boden.

Lassen Sie ihn liegen, sagte Olga großzügig. Ich werde ihn meiner Tochter geben. Sie wird sich bei Ihnen melden.

Die Person humpelte zur Tür hinaus, ohne zu antworten, aber auch, ohne sich nach dem Brief zu bücken. Olga blieb in der Zimmertür stehen, sah auf den Brief und ärgerte sich über ihre Nachgiebigkeit.

Alte Nazisse, sagte sie, der Tag fängt ja gut an.

Er hatte immer gewußt, daß die Frau, die er geheiratet hatte, dumm war. Sie war nicht mal besonders hübsch gewesen. Jung, ja, aber den Reiz, der darin lag, hatte er damals übersehen, weil er selbst jung gewesen war. Trotzdem hatte er sie geheiratet. Ihre Heirat war nicht einfach deshalb zustande gekommen, weil sie sich schon als Kinder gekannt hatten. Nein, er hatte sich ganz bewußt diese Frau ausgesucht. Sie besaß eine Eigenschaft, über die damals nur wenige Frauen verfügten: Sie gehörte zu der neuerdings herrschenden kommunistischen Klasse. Es gab verschiedene Gründe, weshalb für ihn keine andere Frau in Frage gekommen war als so eine. Die Gründe hatte er im Laufe der Jahre vergessen, denn seine Rechnung war aufgegangen. Er hatte sein Leben umsichtig geplant, und es war nach Plan verlaufen.

Plan – das war auch so ein Wort, das inzwischen jede Bedeutung verloren hatte. Für das neue Leben, auf das er sich seit drei Jahren mit Erfolg konzentrierte, brauchte er keinen Plan. Jetzt brauchte man Strategien, am besten mehrere, jetzt, da nichts mehr berechenbar war. Jederzeit konnten sich Änderungen ergeben, auf die man keinen Einfluß hatte, Ereignisse eintreten, die nicht vorherzusehen waren. So wie diese Frau im letzten Sommer.

Er hörte seine Frau die Küchentür schließen und dann die Treppe emporsteigen. Sie ging langsam wegen der Mühe, mit der sie das Tablett mit dem Glas und der Wasserflasche balancierte. Er sah auf die Türöffnung, in der sie gleich erscheinen würde, das graue Haar für die Nacht gebürstet, das Nachthemd unter dem Bademantel hervorhängend, Pantoffeln an den Füßen. Die Pantoffeln waren hübsch. Er hatte sie ihr vorhin gegeben, ein Geschenk, um sie für das bevorstehende Gespräch zugänglich zu machen. Er stand von der Bettkante auf, ging seiner Frau entgegen und nahm ihr das Tablett ab.

Das Küchenfenster war nicht zu, sagte sie.

Ihre Stimme ist wie sie selbst, dachte er, unscheinbar, aber man bemerkt sie trotzdem. Laut sagte er: Früher hätten wir auflassen können, und ärgerte sich im gleichen Augenblick über seine Worte. Früher war früher. Einmal, bald nach dem Fall der Mauer, hatte er in Berlin zu tun gehabt, in dem Teil, den sie gewohnt waren, »Hauptstadt« zu nennen. Die Straße »Unter den Linden« war voller Menschen gewesen, Menschen von drüben und von hier. Sie waren herumgeschlendert, mit schräggehaltenen Köpfen nach Veränderungen Ausschau haltend, und wie eine dichte gewisperte Wolke hatte das Wort »früher« über ihnen gehangen. Er hörte es ununterbrochen, leise und laut, so lange, bis er genug hatte und die Stadt verließ. Er hielt nichts davon, von vergangenen Zeiten zu träumen. Das führte zu nichts. Außerdem war es gefährlich, weil es von dem ablenkte, was zu tun war. Jetzt waren andere Zeiten.

Das einzige Problem, das er darin sah, auch die neuen Zeiten erfolgreich zu bestehen, war das Alter. Man konnte nicht übersehen, daß man nicht mehr zwanzig, sondern fünfundsechzig war. Die Kräfte ließen nach, und jeder Gedanke an früher verhinderte die unbedingt notwendige Konzentration auf heute. Heute – er hatte seiner Frau das Tablett abgenommen, war zurück auf seine Seite des Ehebetts gegangen, blieb dort stehen und sah vor sich hin. Er verstand noch immer nicht, weshalb dieses Heute ihm von Anfang an so vertraut vorgekommen war, obwohl alle Welt damit Schwierigkeiten hatte.

Während er eigentlich nichts weiter zu tun brauchte, als in sich hineinzuhören, dabei lange vergessen geglaubte Worte wiederzufinden und zu beginnen, ein neues Leben zu entwickeln, quälte sich seine Frau mit vergangenen Strukturen, die sie vergeblich in der neuen Zeit suchte. Natürlich gab es jetzt weniger Arbeit für Frauen. Aber war es so schlecht, daß die Mütter sich wieder mehr um ihre Kinder kümmern konnten? Was war falsch daran, wenn die jungen Frauen im Familienbetrieb aushalfen und sich dabei ein schönes Taschengeld verdienten? Seiner Tochter jedenfalls ging es nicht schlecht. Natürlich war dies alles erst der Anfang. Damals –

Willst du dich nicht hinlegen? fragte die Frau.

Sie saß im Bett, die Decke bis zu den Schultern hochgezogen, und sah aufmerksam zu ihm hinüber. Sie lebten zu lange miteinander, als daß ihr hätte entgehen können, wie sehr sich ihr Mann verändert hatte, seit die Fremde dagewesen war. Doch, natürlich, sagte er. Ich überlege nur gerade, wie ich es dir erklären soll.

Was erklären, fragte die Frau.

Sie war beunruhigt. Sie spürte etwas Neues auf sich zukommen, etwas, das vielleicht über das Neue hinausging, das zu lernen ihr in den letzten Jahren so schwergefallen war. Sie liebte und bewunderte ihren Mann. Sie hatte ihn von Anfang an bewundert, beinahe von Anfang an, erinnerte sie sich. In den Wochen bevor der Krieg zu Ende ging, ihr Vater war noch im Konzentrationslager, und sie war mit ihrer Mutter allein geblieben, war er jeden Tag in seiner HJ-Uniform als Briefträger zu ihnen gekommen. Ihre Mutter sah es nicht gern, daß sie ihn anhimmelte. Ja, anhimmelte, so hatte sie gesagt. Das war ihr peinlich gewesen. Deshalb hatte sie ihn dann heimlich getroffen. Nur ein paarmal. Einmal war er sehr verstört gewesen. Er hatte etwas gesagt oder getan – es war ihr nicht klar geworden, worum es ging. Und dann war der Krieg vorbei gewesen. Alles war plötzlich anders. Sie hatte Angst gehabt, er würde sie vergessen. Aber er war hin und wieder gekommen, zuerst heimlich, dann bald ohne Scheu. Die ganze Zeit über, acht Jahre lang, hatte sie gehofft. Neunzehnhundertdreiundfünfzig war ihre Hoffnung in Erfüllung gegangen: er hatte sie geheiratet. Ein paar Monate nach ihrer Hochzeit war er in die Partei eingetreten. Von da an hatte ihm ihre Bewunderung uneingeschränkt gehört. Es war so gewesen, als sei damit die letzte Schranke zwischen ihnen gefallen.

Jetzt, im Bett sitzend und ihrem Mann dabei zusehend, wie er sich umständlich zurechtsetzte, fiel ihr staunend der Abend wieder ein, an dem er spät von einer Versammlung nach Hause gekommen war. Sie hatte im Bett gesessen, wie jetzt. Er sprach darüber, was auf der Versammlung beschlossen worden war. Und daß er den Antrag gestellt hätte. Sie hatte damals nicht nach seinen Gründen gefragt. Wortlos war sie zu ihm hinübergerutscht, einfach in dem Bedürfnis, die politische Nähe, die er damit zwischen ihnen hergestellt hatte, durch körperliche Nähe zu ergänzen. Sie waren lange stumm nebeneinander liegen geblieben. Jetzt, sie wußte nicht weshalb, aber es war so, erst jetzt kamen ihr plötzlich Zweifel daran, daß sie damals das gleiche gedacht und gefühlt hatten.

Erinnerst du dich an die Frau, die im Sommer hier war? Sie hatte es gewußt, nickte nur stumm mit dem Kopf. Sie hatte es schon geahnt, als sie die Frau beim ersten Mal über den Plattenweg durch den Garten kommen sah. Niemand von hier ging so, in dem Alter mit Turnschuhen und die Hände in den Jackentaschen. Später, als die Frau am Stammtisch saß und aß, war sie aus der Küche in den Schankraum gegangen, um zu hören, was ihr Mann mit der da zu reden hatte. Es ging um früher, die Zeit, als sie und ihr Mann sich noch nicht näher kannten, weil ihre Familien, wie er sich einmal ausgedrückt hatte, an verschiedenen Enden am Seil zogen. Gerade dieses Seil, an dessen Enden angeblich nach Westen und nach Osten gezogen wurde, war ihr wieder eingefallen, als sie ihren Mann sah, ins Gespräch vertieft mit dieser Fremden. Sie war nie ganz davon überzeugt gewesen, daß es nur darum gegangen war, in die verschiedenen Himmelsrichtungen zu ziehen. Ihr Vater jedenfalls war anderer Meinung gewesen. Ihm war es darum gegangen, die braune Pest zu bekämpfen. Vom Seil war da nie die Rede gewesen.

Als ihr Mann sie der Fremden nicht vorgestellt hatte, war sie zurück in die Küche gegangen. Er würde ihr später sagen, was die Frau wollte. Denn daß sie etwas wollte, war klar. Weshalb hätte sie sonst an einem ganz gewöhnlichen Dienstagnachmittag in das Lokal kommen sollen?

Sie sah die Frau über den Plattenweg davongehen, die Hände in den Jackentaschen, die Schultern ein wenig hochgezogen, und in der Dämmerung verschwinden. Weshalb bog sie nicht nach rechts ab, auf die Straße, die zum Dorf führte? Weshalb schlug sie den Weg in den Wald ein?

Eine leichte Unruhe war in ihr zurückgeblieben. Die gleiche Unruhe meinte sie bei ihrem Mann zu spüren, nachdem die Frau gegangen war. Aber sie fragte ihn nicht. Es war besser zu warten, bis er sich entschließen würde, mit ihr über den Besuch zu sprechen.

Jetzt war es soweit. Erwartungsvoll sah sie ihn an.

Hast du sie erkannt, fragte er. Sie schüttelte den Kopf.

Nein, sagte sie, nur, daß sie von drüben war.

Ja, jetzt, antwortete er. Ist auch besser so. Sie ist tot, ich habe sie umgebracht.

Seine Hände fuhren auf der Bettdecke hin und her wie zwei Teile, die nicht zu ihm und nicht zueinander gehörten. Sie trafen sich zufällig, hielten sich fest und blieben vor ihm auf der Decke liegen. Die Frau spürte Angst. Sie kroch langsam ihre Waden hoch, saß in den Knien, sie wußte, sie hätte jetzt keinen Schritt tun können, kroch die Oberschenkel herauf in den Leib, kroch in den Magen und saß da fest. Sie begann zu zittern. Ihre Zähne schlugen aufeinander. Sie zog die Bettdecke zum Gesicht und drückte die Decke mit beiden Händen gegen ihren Kiefer. Sie versuchte den Kopf zu schütteln. Sie wollte sagen, daß sie den Worten ihres Mannes nicht glaubte, aber es gelang ihr nicht. Schließlich brach sie in Tränen aus.

Der Mann war erleichtert. Der Anblick der zitternden, mit beiden Händen den Kiefer haltenden Frau war ihm unerträglich gewesen. So wie jetzt, schluchzend und stöhnend, kannte er sie. Er mußte sie nur gewähren lassen.

Nach einer Weile hob sie den Kopf.

Aber warum, sagte sie.

Einen Augenblick dachte er, sie würde von neuem anfangen zu weinen. Aber sie nahm sich zusammen.

Das war die Frage, auf die er gewartet hatte. Seit die Frau tot war, hatte er darüber nachgedacht, ob er seiner Frau den Grund sagen sollte, sie an das erinnern sollte, was er ihr vor sehr langer Zeit unüberlegt und krank vor Angst und Ekel gesagt hatte. Er hatte beschlossen, es nicht zu tun. Er wollte sie um ihre Hilfe bitten, sie bitten, ihm zu vertrauen, wie sie es in den ganzen Jahren getan hatte. Er wollte es nicht allein durchstehen, und er wußte, wenn sie sich darauf einließe, würde alles gut werden.

Du mußt mir helfen, sagte er statt einer Antwort. Ich will nicht, daß sie hier im Keller bleibt. Sie muß verschwinden.

Er sah, wie der Unterkiefer seiner Frau erneut zu zittern begann, meinte zu hören, daß ihre Zähne aufeinanderschlugen, beugte sich zu ihr hinüber und nahm sie in die Arme. Nach einer Weile hörte sie auf zu zittern und lag schlaff vor seiner Brust. Er dachte ungläubig, sie sei eingeschlafen, schüttelte sie ein wenig, spürte, daß sie wach war und schob sie behutsam zurück auf ihre Seite des Bettes. Sie lag stumm da, die Augen geschlossen. Die Hände, zu Fäusten verkrampft, hielten die Bettdecke auf den Schultern.

Ich geh' und hol' dir ein Schlafmittel, sagte er. Morgen werden wir sie wegbringen. Es wird nichts passieren, glaub mir. Ich hab' mir alles genau überlegt. Sie hat allein gelebt. Niemand wird nach ihr fragen. Wer weiß denn, daß sie hier gewesen ist. Manchmal verschwinden Leute. Das ist so. Es hat doch sowieso niemand Zeit, sich darum zu kümmern.

Als sie nicht antwortete, stand er auf und ging ins Bad. Er zögerte, das Licht anzumachen. Die Neonröhre über dem Spiegelschrank würde sehr hell sein. Einen Augenblick blieb er neben dem Fenster stehen und sah hinaus. Es hatte nicht mehr geschneit. Das schwarze Band des Plattenweges reichte bis an den Zaun. Auf den Zaunpfählen saßen Schneehauben. Das Land hinter dem Zaun war weiß und weit. Als er seine Frau stöhnen hörte, machte er das Licht an und begann, im Schrank nach einem Schlafmittel zu suchen.

Bella stand vor der Tür des Hauses, in dem Olga wohnte und drückte den Klingelknopf. Sie war daran gewöhnt, mehrmals zu klingeln, bevor ihre Mutter öffnete. Olga bestritt, daß ihr Hörvermögen nachließ, aber Bella wußte, daß sie die Klingel nicht nur deshalb überhörte, weil sie zu beschäftigt war. Endlich wurde von innen der Türöffner in Gang gesetzt. Bella trat ein und winkte ihrer Mutter zu, die in der offenen Wohnungstür stand und ihr kampflustig entgegensah.

Hier, sieh dir das an, rief sie, einen Zeitungsausschnitt hochhaltend wie der Kapitän einer Fußballmannschaft den eben gewonnenen Wanderpokal.

Laß mich erst mal reinkommen, sagte Bella, begrüßte ihre Mutter mit einem Streicheln über die Schultern und betrat die Wohnung. Es war das übliche Chaos.

In die Küche, mein Kind, wir setzen uns in die Küche. Bella haßte Küchengespräche, ging aber gehorsam dorthin.

Bist du sicher? fragte sie. Sie stand neben dem Küchentisch und sah sich ratlos um.

Diese Sachen nehmen wir runter, sagte Olga neben ihr und begann, Papiere von den Stühlen zu räumen und neben dem Herd zu stapeln.

Eines Tages wirst du das Zeug auf die heiße Herdplatte legen und die Wohnung in Brand setzen. Bella schob die Zeitungsausschnitte beiseite, ließ Wasser in einen Kessel laufen und schaltete eine Herdplatte ein.

Zeug, meine Liebe, ist vielleicht nicht ganz der richtige Ausdruck für das hier. Sie las laut und langsam:

»Man möge leise reden, es ist ein Sterbender im Zimmer. Die sterbende deutsche Kultur, sie hat im Innern Deutschlands nicht mal mehr Katakomben zur Verfügung. Nur noch Schreckenskammern, worin sie dem Gespött des Pöbels freigegeben werden soll; ein Konzentrationslager mit Publikumsbesuch. Das wird toll und immer toller.«

Was ist das? fragte Bella. Was redest du da von Konzentrationslagern? Doch nicht jetzt, neunzehnhundertsiebenunddreißig. Ich habe dir gerade vorgelesen, was Ernst Bloch über die Ausstellung »Entartete Kunst« gesagt hat.

Wozu hebst du das auf? Ich denke, es ist die Tagespolitik, die dich interessiert. Bella überlegte einen Augenblick. Dann fragte sie: Sag mal, meinst du den Bloch, den die DDR in den siebziger Jahren nicht für wert befunden hat, in ihr zwanzigbändiges Lexikon aufgenommen zu werden?

Olga überhörte die grobe Anspielung auf einen der Irrtümer ihrer politischen Vergangenheit.

Du wirst es nie lernen, mein Kind, antwortete sie bekümmert und fröhlich zugleich. Man kann die Tagespolitik nur auf dem Hintergrund fundierter geschichtlicher Kenntnisse verstehen. Während ich in der fraglichen Zeit in Spanien gegen Franco meinen Mann stehen mußte – Mutter, unterbrach Bella eine Rede, die sie so oder ein wenig anders nur zu gut kannte, erstens einmal MUSSTEST du nicht nach Spanien gehen, zweitens ehrt es dich, daß du dort gewesen bist und drittens: gibt es in dieser Wohnung irgend etwas, das man, in Form von Kuchen oder Keksen vielleicht, zum Kaffee zu sich nehmen könnte?

Olga sah ihre Tochter an, drehte sich wortlos um und ging ins Wohnzimmer. Bella hörte sie in der Schublade kramen, in der sie im allgemeinen Kekse aufbewahrte. Sie hörte sie »ach, du lieber Himmel« sagen, und sah ihr entgegen, als sie ohne Kekse zurückkam.

Nichts, es ist nichts da, mein Kind. Willst du schnell zum Bäcker laufen?

Laß nur, sagte Bella, die sah, daß ihre Mutter einen Brief in der Hand hielt, aber so tat, als hielte sie nichts.

Ist der für mich? fragte sie.

Die Nazisse hat ihn abgegeben, sagte Olga überhaupt nicht schuldbewußt. Du sollst ihn wohl haben. Ich hab's einfach vergessen. Was kann auch schon drinstehen.

Bella kannte das gespannte Verhältnis Olgas zu ihrer Mitbewohnerin. Die Frau war überzeugte Faschistin und hatte ihrem Glauben auch neunzehnhundertfünfundvierzig nicht abgeschworen.

In ihrer Wohnung hing, wenn auch nicht immer an deutlich sichtbarer Stelle, ein Bild des »Führers«. Im Haus erzählte man sich, daß dieses Bild seit einiger Zeit im Wohnungsflur angebracht sei, so daß jeder, der einen Blick in die Wohnung werfe, sofort »den Schnauzbart« zu sehen bekäme. Bella hatte vor Jahren, sie konnte sich nicht erinnern, weshalb sie in der Wohnung der Frau gewesen war, mehrere Hakenkreuzwimpel gesehen, die an Tischgestellen aus hellem Holz angebracht waren und so aussahen, als würden sie häufig gewaschen und gestärkt. Olgas Abneigung war begründet, wenn auch die Form, in der sie die zum Ausdruck brachte, mitunter übertrieben war. Andererseits war Olgas politische Einstellung ebenfalls im Haus bekannt, und die Nazisse, wie Olga sie nannte, stand ihr in nichts nach, wenn es darum ging, Verachtung zu demonstrieren. Bella war deshalb erstaunt, von dem Besuch zu hören.

Diese Frau war bei dir? fragte sie.

Vor drei Wochen. Also, ich kann dir sagen, etwas Unangenehmeres als diese Person –

Zeig mal her, sagte Bella und griff nach dem Brief.

Olga gab ihn bereitwillig heraus. Er war an Charlotte Böhmer adressiert, Olgas Intimfeindin.

Ich sollte ihn haben? fragte Bella, während sie den Brief öffnete und ein Blatt Papier herausnahm, das aus einem Ringblock herausgerissen worden war.

»Liebe Mutter«, las sie, »ich bin froh, allein hierhergefahren zu sein.« Bella sah auf die Rückseite des Umschlags. Dort stand »Christa Böhmer« und der Name einer Stadt an der Ostsee in Vorpommern.

Sonst nichts. »Ich werde noch zwei oder drei Tage hierbleiben. Mehr brauche ich nicht, um zu erfahren, was ich wissen will. Dann komme ich zurück, und wir werden weitersehen. Grüße! Christa. PS: Ich brauche nicht zu schreiben, wie schön es hier ist.«

Bella sah auf das Datum.

Der Brief ist zwölf Wochen alt, sagte sie. Hat er die ganze Zeit bei dir gelegen?

Natürlich nicht. Olga war beleidigt, vergaß es aber, weil der Wasserkessel zu pfeifen begann.

Ja, sagte Bella, und was soll ich nun damit? Sie schob Papier zur Seite, um auf dem Küchentisch Platz für die Kaffeetassen zu machen.

Du sollst mit ihr reden, antwortete Olga. Diese Tochter (sie sprach das Wort so aus, wie man vor hundert Jahren »Bankert« ausgesprochen hätte) hat nichts mehr von sich hören lassen. Das scheint ihr an die Nieren zu gehen. Wer weiß, was die da drüben treibt. Da amüsiert sich ja inzwischen alles mögliche Gesindel.

Bella schenkte den Kaffee ein, sagte aber nichts. Sie spürte, daß sie sich über Olga zu ärgern begann. Das Telefon klingelte, und Olga verschwand aus der Küche. Als sie zurückkam, erklärte sie, daß gleich zwei Genossinnen kämen, mit denen sie eine Besprechung zu führen hätte.

Stell doch noch eine Tasse auf den Tisch, sagte sie.

Bella erhob sich, froh, gehen zu können. Sie hielt den Brief noch immer in der Hand.

Wenn ich du wäre, hätte ich Besseres zu tun, als mich um solche Leute zu kümmern, sagte Olga noch, aber da war Bella schon halb aus der Tür.

Vor dem Haus stand die Böhmer. Sie hatte offenbar auf Bella gewartet.

Meine Mutter hat mir Ihren Brief gegeben, sagte Bella. Ich glaube kaum, daß ich in dieser Sache etwas für Sie tun kann. Dafür, daß Ihre Tochter sich nicht mehr gemeldet hat, kann es viele Gründe geben. In solchen Fällen ist die Polizei die sicherste Adresse. Haben Sie dort nachgefragt?

Ich habe ein Paket bekommen, sagte die Frau. Alle ihre Sachen waren drin. Es war kein Absender dabei. Hier – sie hielt Bella einen Block entgegen –, wenn Sie das lesen würden. Vielleicht gibt es Ihnen einen Anhaltspunkt.

Bella nahm der alten Frau den Block aus der Hand und verabschiedete sich, so schnell sie konnte. Sie würde nichts von dem lesen, was in dem Block stand, ihn nach ein paar Tagen in einen Umschlag stecken und mit dem Rat, sich an die Polizei zu wenden, zurückschicken. Sie hatte genug von alten Frauen, heute und überhaupt. Immer noch war sie gekränkt, wenn sie, so wie gerade eben, für irgendwelche Genossen das Feld zu räumen hatte. Was sie jetzt brauchte, war ein langer Spaziergang und ein paar Gläser Wodka mit Orangensaft. Und eine Partie Billard, dachte sie belustigt. Zwei alte Damen kamen langsam die Straße entlang, und sie startete den Wagen schneller und lauter als es nötig gewesen wäre.

Es war zu früh, zu Eddi zu fahren. Bella erinnerte sich nicht mehr, wie es gekommen war, aber schon seit langem stand fest, daß ihre Treffen nachts stattfanden. Und so sollte es bleiben. Sie fuhr langsam, und als neben ihr die Lichtreklame eines Kinos auftauchte, suchte sie einen Parkplatz und stieg aus. Kino war genau das richtige, um die Zeit totzuschlagen. Sie hätte auch nach Hause fahren können. Aber vermutlich saß dort Willy und erwartete einen Bericht darüber, wie der Besuch bei Olga verlaufen war.

Willy bewunderte Olga ohne Einschränkung. Sie selbst kam aus einem kleinbürgerlichen – klitzekleinbürgerlich, wie Willy sagte – Elternhaus. Olgas russische Herkunft, ihre politische Vergangenheit, ihre kommunistische Überzeugung, die sie nicht verleugnete, sondern stolz vor sich hertrug, all das war für Willy Anlaß zur Bewunderung. Den gereizten Ton, den Bella manchmal anschlug, wenn von Olga die Rede war, verstand sie nicht, ja, sie mißbilligte ihn zutiefst. Bella hatte dann das Gefühl, sich für die ambivalenten Gefühle, die sie ihrer Mutter gegenüber hegte, rechtfertigen zu müssen. Dazu aber hatte sie gerade jetzt keine Lust.

Die Frau an der Kasse sah so gelangweilt aus, wie es ihrem langweiligen Job entsprach. Bella erkundigte sich nach der Länge der Filme. Sie kaufte eine Karte für »Lebwohl, meine Konkubine«. Nach drei Stunden verließ sie das Kino, niedergeschlagener, als sie gekommen war und in der festen Überzeugung, daß der Urgrund für die Fehlentwicklung der Welt in der Übernahme der Macht durch das männliche Geschlecht zu sehen war und daß die Frauen dabei die erbärmliche Rolle gespielt hatten, die sie auch heute noch bevorzugten. Die Tatsache, daß sie diese Erkenntnisse auch früher schon gehabt und daß der Film sie nur wieder aufpoliert hatte, verbesserte ihre Stimmung nicht.

Während sie im Kino gewesen war, hatte es geschneit. Da keine Wahlen bevorstanden, lag eine dicke Salzschicht auf den Straßen, so daß die Autos unbehindert fahren konnten. (Fiel die Frostperiode in eine Vorwahlzeit, so ließ die Stadtverwaltung Sand streuen, um umweltbewußte Wählerstimmen zu gewinnen. Da schon seit Jahren in der Stadtreinigung Stellen eingespart wurden, hatte das für gewöhnlich ein Verkehrschaos zur Folge, denn die wenigen Arbeiter schafften es nicht, alle Straßen gleichzeitig zu streuen. Bei Salz war das einfacher. Man streute es zu Beginn der Frostperiode sehr dick, und dann blieb es den Winter über liegen.)

Eddies Laden war voll wie immer. Die weibliche Ware, die sich an den Straßenrändern anbot, war trotz der Kälte hübsch leicht verpackt, so daß der Umsatz an Rumgrog und hochprozentigen Schnäpsen beträchtlich sein mußte.

Bella sah ein überraschtes Lächeln auf Eddies Gesicht, aus dem sie schloß, daß er sich über ihren Besuch freute, und suchte sich einen Platz. Eddie schickte den Kellner mit einem Wasserglas, das aussah, als sei es mit Orangensaft gefüllt. Mindestens die Hälfte der Flüssigkeit war sicher kein Orangensaft.

Er sagt, in einer halben Stunde kommt Ablösung, sagte der Kellner, während er das Tablett absetzte.

Bella nickte ihm zu. Ich hab's nicht eilig, antwortete sie. Der Kellner drängte sich zum Tresen zurück. Bella begann, Eddies Gäste zu betrachten. Im Winter war die Zusammensetzung anders als im Sommer. Jetzt fehlten die Wohlstandsbürgerpaare, die sich einen interessanten Abend machen wollten. Man saß zu Hause, hatte Freunde eingeladen und spielte Doppelkopf. Die, deren sexuelle Bedürfnisse auch im Winter funktionierten und die sich zur Befriedigung dieser Bedürfnisse nicht nur den eigenen Mann oder die eigene Frau ausgesucht hatten, waren dabei, intime Partys zu arrangieren, deren Höhepunkt in einem Spiel bestand, das »Flaschendrehen« hieß. Oder sie verwendeten beträchtliche Phantasie darauf, zu begründen, weshalb in der Firma, in der sie beschäftigt waren, an mehreren Wochenenden in der Vorweihnachtszeit Überstunden angesetzt worden waren, Weihnachtsfeiern abteilungsweise stattfanden oder auswärtige Seminare besucht werden mußten.

Ein Mann mit einer Weihnachtsmannmütze auf dem Kopf kam zur Tür herein. In der Hand hielt er einen Packen Zeitungen. Er begann an den Tischen nach Abnehmern zu suchen. Bella wartete darauf, daß Eddie ihn rauswarf. Aber Eddie winkte dem Mann freundlich zu.

Sie kaufte eine Zeitung. Die Hand des Mannes zitterte, als er das Geld dafür entgegennahm. Bella sah ihm nach und sah einen angetrunkenen Bettler aufstehen und den Zeitungsverkäufer anrempeln.

Bist wohl was Besseres, hörte sie.

Was heißt denn das: besser als betteln. Was dagegen, wie ich meine Kohle zusammenhole? Was dagegen?

Der Mann schrie fast. Eddie wurde aufmerksam, sprach kurz mit dem Kellner, blieb aber hinter dem Tresen stehen. Der Zeitungsverkäufer nahm die rot-weiße Zipfelmütze ab und zog den Aufgebrachten an einen Tisch. Die Zeitungen rutschten über den Boden.

Da hast du den Scheiß, rief der Bettler und stieß mit dem Fuß dagegen. Der Kellner kam mit einem Glas Bier, sagte ein paar leise Worte zu dem Krakeeler, drückte ihm das Bier in die Hand und half die Zeitungen aufzuheben. Bella erwartete, daß der Zeitungsverkäufer die Kneipe verließe, aber er tat es nicht. Er setzte sich mit dem Bettler an den Tisch und begann auf ihn einzureden. Der Lärm war nicht geringer geworden. Niemand hatte sich für die Szene interessiert.

Bella nahm die Zeitung zur Hand. Sie hieß »Hinz und Kuntz« und war gegründet worden, um Obdachlose zu organisieren. Die Verkäufer waren obdachlos und am Umsatz beteiligt. Sie hatten sich verpflichtet, während des Verkaufs keinen Alkohol zu trinken. Bella begriff, weshalb Eddie nur ein Glas Bier geschickt hatte. Als sie aufsah, verließ der Verkäufer gerade die Kneipe. Er hatte die Mütze wieder aufgesetzt. Kalte Luft kam durch die Tür. Bella meinte Schnee riechen zu können. Am Tisch saß der Bettler und sah auf die vor ihm liegende Zeitung. Die Tatsache, daß er schon mehr als ein Bier getrunken hatte, hinderte ihn am Lesen.

Es dauerte fast eine Stunde, bis Eddies Ablösung erschien, ein älterer Mann, der aussah, als sei er der Zwillingsbruder des Kellners, der schon seit Jahren bei Eddie beschäftigt war. Die beiden taten so, als seien sie sich fremd. Bella begann, vom Wodka leicht beflügelt, über Verwandtschaftsbeziehungen nachzudenken, beendete den Ausflug in schmerzliche Gefilde jedoch, als sie Eddie im Billardzimmer verschwinden sah. Sie bahnte sich einen Weg durch das Gedränge und den Gestank von Grog, Rauch, Bier und Schnee und folgte ihm.

Für längere Zeit der letzte Gedanke, der ihr durch den Kopf ging, war die Vorstellung, daß Olga sie sehen könnte: außerordentlich spärlich bekleidet neben Eddie auf dem Billardtisch, der große Raum angenehm wenig beleuchtet, leise klingelnde Eisstücke in den Gläsern, mit denen sie sich zutranken und das aufmerksame Glitzern in Eddies Augen.

Miles Davis. Wo hast du denn die aufgetrieben, fragte sie, hast du gewußt, daß ich ihn gern höre?

Ich glaube nicht, daß das alles ist, was ich von dir weiß, antwortete Eddie, und sie sagte sich, daß er damit vermutlich recht habe.

Später lagen sie nebeneinander auf zwei wackeligen Campingliegen, hörten die Geräusche aus der Kneipe und hin und wieder ein Auto, das draußen vorbeifuhr.

Was ist los? sagte Eddie endlich. Du hast doch was, erzähl schon.

Ich könnte einen Auftrag annehmen, antwortete Bella.

Dann tu's. Eddie stand auf, wickelte sich die Wolldecke um die Hüften und ging hinüber zur Fensterbank, auf der vor der heruntergelassenen Jalousie das Tablett mit den Flaschen stand.

Das Eis ist hin, sagte er, willst du neues?

Nein, sagte Bella, der Haken ist, die Sache wird sich vermutlich drüben abspielen.

Oh, sagte Eddie. Und dann: Fahr einfach mit der Bahn. Bella lachte. Eddie kam zurück und setzte sich neben sie. Was hast du gegen drüben, fragte er, es heißt, sie könnten nicht Autofahren, aber sonst? Und das mit dem Autofahren kann auch daran liegen, daß sie nicht die richtigen Straßen haben. Obwohl –

Laß den Quatsch, sagte Bella. Ich hab' mein Leben ganz gut eingerichtet. Ich vermisse diese Arbeit nicht.

Worum geht's denn? fragte Eddie.

Bella sagte es ihm. Er schwieg einen Augenblick.

Du weißt so gut wie nichts, sagte er schließlich. Das muß dich doch reizen. Ehrlich gesagt, ich glaube, du willst nur, daß ich deinen Entschluß bestätige.

Westler sind da nicht gerade beliebt, antwortete Bella.

Ach ja? Aber hier bist du beliebt, was? Mach dich nicht lächerlich. Was du brauchst, ist eine interessante Unterbrechung in deinem gut eingerichteten Leben.

Du meinst, wie die ganzen abgehalfterten Westluschen, die sich da drüben zur Zeit eine goldene Nase verdienen?

Eddie zog es vor zu schweigen. Schließlich, als das Schweigen lange genug gedauert hatte, sagte er: Ich vermute, du wirst von dieser Frau sowieso kein Geld nehmen.

Natürlich nicht, antwortete Bella. Du hättest sie sehen sollen. Das Kleid, das sie trug, war mindestens dreißig Jahre alt. Weiß der Himmel, weshalb gerade solche Leute immer auf die falschen Propheten reinfallen. Ich glaub', ich werd' jetzt nach Hause fahren und mir mal den Block ansehen, den sie mir in die Hand gedrückt hat.

Vielleicht solltest du erst mal schlafen. Sagst du mir Bescheid, wann du fährst?

Wieso das denn, fragte Bella. Das wäre ja ganz neu. Vielleicht ruf' ich dich an, wenn ich die Tochter gefunden habe. Damit du meine detektivischen Fähigkeiten bewundern kannst.

Du ahnst ja nicht, wie sehr ich deine Fähigkeiten bewundere, sagte Eddie. Der anzügliche Ton in seinen Worten ließ Bella einen Augenblick darüber nachdenken, ob sie schon gehen sollte. Eddie spürte ihre Überlegungen und streckte die Hand nach ihr aus. Als habe er damit ein Zeichen gegeben, stand sie auf und begann sich anzuziehen. Ich würd' gern mal mit dir in Urlaub fahren, sagte Eddie.

Er saß auf der wackeligen Liege und sah ihr zu.

Ach ja? sagte Bella. Ich nicht.

Draußen fiel wieder Schnee. Die Frauen waren vom Straßenrand verschwunden. Der Schnee fiel dicht und gerade, so, wie er an einem bestimmten Abend in Moskau gefallen war.

Alle Leere hält mich umdunkelt
Letzter Schlaf umfängt meine Schar.
Und der Stern von Bethlehem funkelt
Wie die Liebe hell und klar.

Manchmal warst du ganz schön kitschig, Großvater, dachte Bella, während sie zum Wagen ging. Der Schnee hatte eine Haube auf den Seitenspiegel gesetzt.

Den ganzen Tag über war es ruhig gewesen. Der Schnee hatte die Leute wohl abgehalten, aus dem Haus zu gehen. Sie hätten eigentlich schließen können. Die Tochter kam einmal aus der Küche und fragte, ob sie nicht zumachen wollten. Der Mann und die Frau hatten so schnell abgelehnt, daß die Tochter sie erstaunt angesehen und dann achselzuckend den Schankraum wieder verlassen hatte. Erst gegen Abend waren fünf Jäger in das Lokal gekommen. Als die Jäger kamen, saß sie in der Küche und langweilte sich. Die Frau war in die Wohnung gegangen. Der Wirt begrüßte die Jäger allein. Sie verlangten etwas zu essen, aber vor allen Dingen brauchten sie Schnaps. Sie waren den ganzen Tag bis zum Einbruch der Dunkelheit unterwegs gewesen. Die Verpflegung und der Schnaps in den Taschenflaschen hatte nicht lange gereicht. Sie waren durchgefroren, stellten ihre Gewehre, Büchsen und Flinten, zwei Drillinge waren dabei, alles neu und sehr teuer, neben die Stühle, schlugen mit den Armen umeinander, schlugen sich gegenseitig auf die Schultern und verlangten lautstark nach der Bedienung. Die Tochter, erfreut über die Unterbrechung, kam mit Speisekarten aus der Küche gelaufen. Sie trug ein schwarzes Kleid und eine weiße Schürze, hatte die blonden Haare hochgesteckt und wurde von den Jägern mit lautem Hallo begrüßt. Der Wirt zapfte Bier und holte sechs geeiste Gläser aus dem Kühlfach, in die er den ölig fließenden, eiskalten Aquavit eingoß.

Ich bring schon mal 'ne Runde, sagte er, während er mit dem Tablett an den Stammtisch ging. Er reichte den Männern die Gläser, nahm das sechste Glas in die Hand und trank ihnen zu. In seinem Rücken hörte er die Frau den Gastraum betreten, einen Augenblick stehenbleiben und in die Küche gehen. Es wäre ihm lieber gewesen, sie hätte nicht gesehen, daß er den Männern zutrank.

Die Jäger bestellten ein ausgiebiges Essen, tranken, bis ihnen warm wurde, verlangten Wein, als das Essen kam, und tranken ein paar Flaschen Roten, während er aufmerksam hinter dem Tresen stehen blieb und darauf achtete, daß es ihnen an nichts mangelte. Die Leute waren aus dem Westen. Er hörte es an ihrer Sprache, die laut war und ungeniert. Er war sicher, sie hätten sich genauso verhalten, wenn sie nicht die einzigen Gäste gewesen waren. So ist das, dachte der Wirt, wenn einem die Welt gehört. Und uns wird sie auch gehören. Den Leuten gefällt's doch bei mir. Nichts mehr von dem alten Mief. Das merken die gleich. Im Sommer werden wir anbauen. Da kommen die Touristen haufenweise, wenn sie erst merken, wie gut sie hier bedient werden. Hin und wieder, wenn der Laden richtig läuft, werden wir ein paar Tage in Urlaub fahren und so internationale Aufkleber mitbringen, Aschenbecher, was weiß ich. Wir kriegen das schon hin.

Mit den Jägern war nicht alles so, wie es sein sollte. Der Wirt bemerkte es im Laufe des Abends, während er hinter dem Tresen stand und sie beobachtete. Die Gewehre waren nicht aus Suhl. Da kannte er sich aus. Er war selbst Jäger. Beim letzten Treffen der Hegegemeinschaft war über Leute aus dem Westen gesprochen worden, die hierherkamen und ohne Genehmigung in der Gegend rumballerten, angeschossenes Wild liegen ließen oder den Aufbruch nicht waidgerecht vornahmen.

Die sind bloß wild auf die Waffen, hatte einer gesagt. Die Kadaver mit abgeschnittenen Köpfen, die man gefunden hatte, gaben ihm recht. Sollte er sie ansprechen? Er hätte sie nach ihrer Jagderlaubnis fragen können, aber er ließ es sein, starrte bloß auf die neuen Hirschfänger, die sie am Gürtel trugen und achtete darauf, daß sie alles bekamen, was sie verlangten.

Die Männer wollten zum Schluß noch einen Kaffee, gaben der Tochter freundliche Worte und sagten, es täte ihnen leid, daß sie diesen Laden hier erst so spät entdeckt hätten. War bisher nicht so doll, sagte einer von ihnen, während sie ihre Jacken anzogen. Sie können sich ja nicht vorstellen, in was für Bruchbuden wir schon gegessen haben. Morgen noch, dann geht's wieder in den goldenen Westen. Sie lachten laut, als sie hinausgingen und versprachen mit nicht ganz sicherer Stimme, morgen noch mal wiederzukommen. Er hielt ihnen die

Tür auf, und sie stapften durch den Schnee hinter dem Zaun zur Straße zurück. Dort stand ihr Wagen, Landrover, sie hätten nicht gewußt, ob sie noch über einen Graben gemußt hätten, um den Laden hier zu erreichen.

Der Wirt sah hinter ihnen her, bis ihm bewußt wurde, daß er gern einer von ihnen gewesen wäre, einer, der dieses Haus lachend verlassen und nach Westen gehen konnte. Der Gedanke erschreckte ihn. Er schloß die Tür, ging durch den Flur zurück in den Schankraum und wollte den beiden Frauen in der Küche zurufen, daß für heute Schluß sei. Als er auf die Armbanduhr sah und feststellte, daß sie erst acht Uhr anzeigte, rief er nicht, sondern begann aufzuräumen. Nach einer Weile kam die Tochter aus der Küche und sah ihn fragend an.

Ich halt noch ein bißchen auf, sagte er, du hast jetzt Feierabend. Hast ja genug Umsatz gemacht.

Er lächelte ihr zu, und sie winkte und ging. Ihm war klar, daß an diesem Abend keine Gäste mehr kommen würden. Aber es war noch zu früh für das, was sie zu erledigen hatten. Sie mußten noch ein paar Stunden warten.

Später, die Frau hatte die Küche aufgeräumt und ihm ein paar kleingeschnittene, belegte Brote in den Schankraum gebracht, saß er allein am Fenster und sah hinaus. Sie würden Spuren im Schnee hinterlassen. Gut, daß die Männer vorhin dagewesen waren, da war wenigstens nicht mehr alles so weiß und unberührt. Vielleicht schneit's auch noch einmal, dachte er, keine Sterne am Himmel, das ist ein gutes Zeichen. Als die Frau nicht wiederkam, ging er nach oben und sah nach ihr. Sie saß in dem dunklen Zimmer vor dem Fernseher und sah den BERICHT AUS BONN. Er stellte sich neben sie und tätschelte ihre Schulter.

Ich bin unten, sagte er, bis elf hab' ich auf. Wenn du dann kommen würdest.

Sie nickte ihm zu. Im Licht des Fernsehers waren die Falten in ihrem Gesicht schwarz. Auch fand er ihr Gesicht merkwürdig klein. Sie tat ihm leid, und bevor er wieder hinunterging, brachte er ihr eins von den leichten Beruhigungsmitteln aus dem Badezimmer. Die Kälte nachher draußen würde sie schon wachhalten.

Zieh feste Schuhe an, sagte er, es ist kalt draußen, ziemlich viel Schnee.

Kurz vor elf Uhr schaltete er das Wirtshausschild vorn an der Straße aus, löschte auch die Lampen im Gastraum und setzte sich zurück an den Tisch. Er hörte die Frau die Treppe hinunterkommen. Sie öffnete die Tür und sah ihn nicht gleich.

Werner? rief sie halblaut, Werner?

Er meinte, ein wenig Angst in ihrer Stimme zu hören, aber noch mehr Schläfrigkeit.

Hier, sagte er, ich – bitte, komm mit.

Er kam vom Fenster her. Die Frau, deren Augen sich rasch an die Dunkelheit gewöhnt hatten, sah seinen Schatten gegen das Schneelicht von draußen. Er ging vor ihr her, und sie folgte ihm zur Kellertür. Als ihr Fuß gegen den Schlitten stieß, der davor an der Wand lehnte, erschrak sie und blieb stehen.

Den brauchen wir doch, sagte er. Ich hab' ihn schon rausgestellt. Unten ist alles klar. Du mußt nur noch mit anfassen.

Es dauerte noch ein paar Tage, bis Bella endgültig den Entschluß faßte, nach der Tochter der alten Frau zu suchen. Willy war begeistert, erbot sich sofort mitzufahren und war nur dadurch davon abzuhalten, daß Bella ihr klarmachte, wie wichtig es sei, daß das Büro besetzt bliebe. Außerdem sollte sie inzwischen Olga besuchen und die Böhmer informieren, ohne ihr aber zu große Hoffnungen zu machen. Da Bella beschlossen hatte, mit der Bahn zu fahren, würde Willy auch den alten Porsche zu ihrer Verfügung haben, was sie endgültig davon überzeugte, daß das Zurückbleiben nicht nur Nachteile hatte.

Jetzt, am Sonntagmorgen, war Bella auf dem Weg zur Bahn. Um sich vor der langen Reise Bewegung zu verschaffen und um Willy, die sonntags gern lange schlief, nicht zu stören, hatte sie beschlossen, zu Fuß zum Bahnhof zu gehen. Auf der Elbe trieben erste Eisschollen. Der Elbhang trug eine dünne Schneedecke, und ein scharfer Ostwind blies ihr ins Gesicht. Was für ein herrlicher

Wintermorgen, dachte Bella, keine Menschen unterwegs, die vereisten Weidenstämme im Wasser so tot, als würden sie nie mehr ausschlagen, schwarzes Pfützenglas, ein paar aufgeschreckte Drosseln in den Büschen, einfach wunderbar!

Ihre Begeisterung ließ nach, als sie der Stadt näher kam. Die Menschen, die ihr jetzt begegneten, hatten, sie konnte es nicht anders nennen, einen Ausdruck stumpfer Gier und gleichzeitiger Besessenheit in ihren Gesichtern, der nicht zu der erstarrten Natur um sie herum paßte. Auch die immergrünen Gewächse, die einige von ihnen im Arm trugen, wirkten merkwürdig unpassend im kalten Wind. Die Menschen, die mehr wurden, je näher sie den Landungsbrücken kam, waren auf dem sonntäglichen Fischmarkt gewesen. Neben dem Fenster eines Fischrestaurants blieb Bella stehen und sah dem Schauspiel zu, das sich ihr bot. Da drüben machten holländische Händler sich die Eigenheit der Käufer zunutze, gierig nach Waren zu greifen, die sie für billig hielten. Die Händler standen auf den Ladeflächen ihrer LKWs und boten Topfblumen, Bananen oder Räucherfisch an. Sie waren umringt von einer Meute Gläubiger. Alle, die da standen und darauf hofften, etwas geschenkt zu bekommen, waren in der Lage, im nächsten Laden das Objekt ihrer Begierde zu kaufen. Waren sie am LKW erfolgreich gewesen, schleppten Vater, Mutter und Kinder Gummibäume und Zimmerpalmen nach Hause, verfolgt von den scheelen Blicken derer, die gerade diesen Gummibaum oder diese Zimmerpflanze – die Pflanzen wurden industriell hergestellt und glichen sich wie ein Ei dem anderen – unbedingt selbst hatten erwerben wollen.

Bella stellte sich vor, wie der triumphale Abmarsch vom Fischmarkt überging in eine genüßlich ausgekostete Fahrt mit der Bahn oder mit dem Auto nach Hause, während der die Pflanze der Sehnsucht demonstrativ in die Gegend gehalten werden würde. Das ganze Spektakel würde enden in einer von den Nachbarn genau beobachteten Heimkehr – am Sonntagvormittag sah man aus den zum Lüften der Betten geöffneten Fenstern oder stand hinter geschlossenen Gardinen, neidete den Ankömmlingen den günstigen Kauf und beschloß, am nächsten Sonntag selbst auf den Fischmarkt zu gehen. Es mußte doch möglich sein, einen mindestens doppelt so großen Gummibaum für die Hälfte des Preises zu erwerben, den der Nachbar gezahlt hatte.

Betrunkene Männer, die die Nacht in den Lokalen der nahegelegenen Reeperbahn verbracht hatten, gingen an ihr vorbei. Sie zogen Salzheringe an Bändern hinter sich her. Sie sangen, was betrunkene Männer morgens auf dem Fischmarkt singen: Wir wollen unsern alten Kaiser Willem wieder ham, aber nur, aber nur, aber nur mit Bart; Auf der Heide blüht ein kleines Blümelein, und das heißt Eeerika; Schwarzbraun ist die Haselnuß und noch ein paar andere Perlen aus dem Schatzkästlein deutschen Liedguts.

Im Hauptbahnhof frühstückte sie ausgiebig beim Spanier. Der Spanier war ein echter Spanier, was nicht nur daran zu erkennen war, daß Fotos aus der Zeit, als er als Torero gearbeitet hatte, hinter der Bar hingen. Er war ein schöner, melancholischer, alternder Mann, der wunderbare spanische Sachen kochte, zärtlich mit seiner Frau umging und die farbigen Hilfskräfte hinter dem Tresen freundlich behandelte.

Sie aß ein Gericht, das aus Leber und Zwiebeln bestand und trank dazu einen schweren dunklen Rotwein, während um sie herum Hummer verkauft wurde, Trinker ihr erstes Glas Bier hinunterstürzten und halbverhungerte Fixer sich in den Eingängen der MARKT-HALLE genannten Restaurantzone herumdrückten. Als sie ging, nickte ihr der Spanier freundlich zu. Er kannte sie, weil sie manchmal bei ihm aß, war aber zu zurückhaltend, um sie anzusprechen. Der schwarze Wein hatte eine durchsichtige Wand zwischen sie und ihre Umgebung gestellt. Sie ging unbeeindruckt an zwei blauuniformierten Wachmännern vorbei, die zum Schutz der Hummeresser engagiert waren, suchte auf der Anzeigetafel das Gleis, an dem ihr Zug abfahren sollte, drückte einem jungen Mädchen, entsetzlich dünn und blaugefroren, etwas Geld in die Hand und saß schließlich im überheizten Abteil. Sie blieb allein und schlief sofort ein. Als sie erwachte, hatte der Zug Westdeutschland schon verlassen. Sie sah es an den langgestreckten niedrigen Gebäuden der Landwirtschaftlichen Produktionsgenossenschaften, die leer, mit geöffneten Türen und eingeschlagenen Fensterscheiben neben der Strecke lagen. Trotz des Schnees, der den Anblick milderte, verbreiteten sie eine stumme Trostlosigkeit. Als sie spürte, daß der Blick aus dem Fenster sie deprimierte, holte Bella den Block, den ihr die Böhmer gegeben hatte, aus der Reisetasche. Sie hatte den Text nicht gründlich gelesen, vielleicht fand sich ein Anhaltspunkt darin, wo sie mit der Suche beginnen würde. Die erste Eintragung war vom achten September:

»Nichts geht verloren. Alles, was ich gehört, gesehen, erlebt habe, ist noch da. Es muß nur wachgerufen werden. Das Erstaunlichste ist der Anblick des Namens. Jedesmal wenn ich den Namen der Stadt, in der ich geboren wurde, irgendwo lese, auf einem Straßenschild, im Kopf der Zeitung, in einem beliebigen Text, löst der Anblick in mir einen kleinen Schock aus, so, als sei gerade diese Verbindung von Buchstaben für mich von besonderer Bedeutung, einem Klang ähnlich, an den man sich immer wieder erinnert, weil er ein körperliches Wohlbehagen auslöst oder einen Geschmack, den man liebt und den man immer wieder schmecken möchte. Dann sehe ich die Menschen um mich herum an und bin voller Neid. So wie gestern im Restaurant des Stadttheaters. Ich war hingegangen, um zu prüfen, welche Erinnerungen der niedrige Saal in mir hervorrufen würde. Am Nebentisch saßen sechs Frauen, vielleicht ein Arbeitskollektiv aus vergangenen Zeiten. Ich hörte sie lachen und sprechen. Ich hörte ihre breite dialektgefärbte Sprache, und mein Neid auf sie, die nie diesen Ort verlassen hatten, die immer zu Hause gewesen waren, wurde so groß, daß ich aufstand und ging, ohne etwas zu bestellen. Ich wäre sonst in Versuchung geraten, mich an ihren Tisch zu setzen. Ich will hierher zurück, ich weiß es jetzt genau. War es wirklich notwendig, daß wir damals von hier fortgegangen sind?«

Bella legte den Block beiseite und sah aus dem Fenster. »Damals« war vermutlich im Winter 1944 oder im Frühjahr 1945 gewesen. Da begannen selbst die überzeugtesten Nazis zu fürchten, daß der Krieg verloren sein könnte. Aus Angst vor der näher kommenden Roten Armee zog ein Heer von faschismusgläubigen Frauen mit ihren Kindern nach Westen. Sie konnten es nicht sicher wissen, aber eine Art Instinkt sagte ihnen, daß sie dort nach dem Krieg besser aufgehoben sein würden als im Osten. Wenn die Bekämpfung und Vernichtung des bolschewistischen Untermenschentums schon nicht siegreich geendet hatte, so wollten die Frauen sich und ihre Kinder auf jeden Fall nicht der Rache der in ihren Augen entmenschten Horden aussetzen.

Oder waren die Böhmer und ihre Tochter erst bei der zweiten Welle der Flüchtlinge dabeigewesen? Nach dem Ende des Krieges, als die übriggebliebenen Männer aus der Gefangenschaft entlassen worden waren, hatten viele bekannte Nazis sich nicht mehr in ihre Heimatorte zurückzukehren getraut, wenn sie im Osten lagen. Sie hatten darauf bestanden, in den Westen entlassen zu werden. Die Frauen und Kinder waren ihnen später gefolgt.

Hat schon mal jemand untersucht, dachte Bella, inwieweit das reaktionäre Klima der Nachkriegszeit im Westen auch mit dieser Wanderungsbewegung zusammenhängt? Oder war eine solche Untersuchung sinnlos, weil ja, wie inzwischen bekannt, auch die im Osten zurückgebliebene Bevölkerung nur durch Zwang zur Demokratisierung zu bewegen gewesen war.

Und wenn beides nicht stimmte? Konnten die

Böhmers nicht auch Bauern gewesen sein, die geflohen waren, weil sie sich mit der Kollektivierung der Landwirtschaft nicht abfinden wollten? Oder ganz normale Leute, die das Land verließen, weil es ihnen zu lange dauerte und zu mühsam erschien, im Osten zu Wohlstand zu kommen, wo doch im Westen alles schneller ging? Nein, die Vergangenheit des Mannes hatte eine Rolle gespielt. Sie erinnerte sich, daß Olgas Feindschaft sich auch auf ihn erstreckt hatte. »Der konnte sich da drüben nicht mehr sehen lassen, aber hier spielt er sich natürlich auf«, hatte sie oft von Olga gehört, wenn es irgendeinen Ärger mit der Familie Böhmer gegeben hatte. An die Tochter, die in ihrem Alter sein mußte, erinnerte sie sich kaum. Nur daran, daß sie in einem Internat gelebt hatte und ihre Eltern auch in den Ferien selten besuchte. Dafür fuhren die Eltern im Urlaub nach Berchtesgaden und trafen sich dort mit ihr, was Olga jedesmal zu spitzen Bemerkungen über »Besuche im Führerhauptquartier« veranlaßte.

Vor dem Fenster veränderte sich langsam das Licht. Die Grenze zwischen Schnee und Himmel verschwand. Gänse zogen durch die Dämmerung. Dann fuhr der Zug an vereisten Wiesen vorüber, auf denen Kraniche zur Rast eingefallen waren. Die großen grauen Vögel standen ruhig in der Erwartung der Nacht. Wenig später sah Bella ein mit Graugänsen bedecktes Feld. Der Schwarm hatte sich gerade niedergelassen, die Vögel suchten noch ihre endgültigen Schlafplätze. Das Geräusch des fahrenden Zuges übertönte die suchenden, singenden Laute der Gänse, aber Bella meinte, sie trotzdem zu hören. Als sie einen Bahnhof erreichten, war es draußen dunkel geworden. Plötzlicher Nebel hüllte die Bahnsteige ein, auf denen sich nur wenige Menschen bewegten. Die Schlaf suchenden Vögel auf vereisten Wiesen, der in der Dämmerung verschwindende Horizont, der in roten Nebel gehüllte Bahnhof gaben Bella ein Gefühl von Unwirklichkeit. Es war, als führe sie tatsächlich und nicht nur in ihren Gedanken in die Vergangenheit. Sie stand auf und ging in den Speisewagen. In den Abteilen saßen nur noch wenige Menschen. Kälte schlug ihr entgegen, als sie den Speisewagen betrat. An den Tischen saß niemand. Aus der Küche kam ihr ein Mann mit weißer Kochmütze im Wintermantel entgegen.

Die Heizung ist ausgefallen, sagte er, schon die ganze Fahrt. Ich nehm ja nicht an, daß Sie sich setzen wollen.

Nach dem überheizten Abteil empfand sie die Kälte als besonders unangenehm.

Zu trinken werden Sie doch haben, antwortete Bella. Ich hol' meinen Mantel. Wär schön, wenn Sie inzwischen einen doppelten Wodka einschenken würden.

Als sie zurückkam, standen zwei Gläser auf der Theke zum Bistro. Der Zug fuhr gerade langsamer und hielt auf offener Strecke. Ein Schaffner lief durch den Wagen, sah die Gläser, rief »mir auch, ich komme gleich«, und verschwand.

Natürlich dürfen wir im Dienst nichts trinken, sagte der Mann hinter der Theke, während er das dritte Glas füllte. Aber erstens sind wir ja nun bald da und zweitens: Sollen die doch mal stundenlang diese Kälte aushalten, und drittens ist das hier wirklich der größte Scheißjob, den man sich vorstellen kann. Prost.

Bella trank ihm zu. Sie müssen ja nicht hier arbeiten, oder? sagte sie. Der Mann sah sie an, als habe er von einer Frau, die ihren Mantel holte, um im Speisewagen Wodka trinken zu können, eine intelligentere Antwort erwartet. Speck? fragte er, Gurken?

Als Bella nickte, holte er ein Brett hervor, säbelte von einem unangebrochenen Speckstück die erste bräunliche Scheibe herunter, legte sie beiseite und schnitt kleine weiße Speckscheiben ab, die innen rosa waren und Bella zum zweiten Mal in den letzten Tagen an Moskau denken ließen. Der Kellner legte Gurkenscheiben neben den Speck, die er aus einem Glas fischte.

Polnische, sagte er zufrieden, das können sie.

Der Zug fuhr langsam weiter. Als der Schaffner kam, füllte er ihre Gläser nach, und sie tranken ihm zu.

Und was treibt Sie in diese Gegend, fragte er, als sie aufatmend die Gläser abgesetzt hatten. Der Wodka war wirklich eisig.

Dies und das, sagte Bella. Ich seh' mich einfach mal ein bißchen um. Sie hielt die Hand über das Glas, um zu verhindern, daß es zum dritten Mal gefüllt wurde.

Nicht so schnell, sagte sie, ich muß nachher noch ein Quartier suchen.

Der Schaffner kniff die Augen zusammen und sah sie an. Das mögen die Leute hier, sagte er, diese Westler, die ihnen über die Zäune sehen, über die bröckeligen Fassaden meckern und die wählen, die uns den Stuhl unterm Hintern wegziehen.

Er setzte sein Glas hart auf und verließ den Wagen.

Nehmen Sie's nicht krumm, sagte der Kellner. Sie wollen ihm gerade sein Haus wegnehmen. Wohnt er jetzt zwanzig Jahre drin, hat alles in Selbsthilfe renoviert, innen. Es fehlte wirklich nur die Fassade. Und nun ist Schluß. Soll ich Ihnen ein Quartier besorgen?

Er hatte das Glitzern in den Augen und den Ton in der Stimme, den Männer im allgemeinen bekommen, wenn eine Frau, die allein ist, mit ihnen trinkt. Bella legte zwanzig Mark auf den Tisch und ging zurück in ihr Abteil. Der Block lag noch immer neben ihrem Sitzplatz, und sie setzte sich und las weiter.

»Heute lieh ich ein Fahrrad und fuhr aus der Stadt, am Ufer des Flusses entlang. Bei den Speichern, braunrote Ziegelsteine, schwere Quader gegen den Himmel, begann das Gefühl, in die Vergangenheit zu fahren wie in einen Tunnel. Am Anfang wagte ich nicht zu atmen, aus Furcht, der Tunnel könne sich auflösen, verschwinden, und ich sei wieder ohne Erinnerung. Aber er verschwand nicht. Ich fuhr, in der Ferne sah ich, wie ein Licht am Ende des Tunnels, die alte Zugbrücke. Da wollte ich ankommen und unterwegs begreifen, was damals geschehen war auf diesem Fluß, der jetzt flach und ruhig an meiner linken Seite dahinfloß. Einmal kam mir ein kleines Segelboot entgegen. Es geschah nichts, aber der Tunnel war noch da. Und dann, kurz vor der Brücke, der Radweg war schon in die

Betoneinfassung des Ufers übergegangen, stieg ich vom Rad. Plötzlich kannte ich jeden Stein des Kopfsteinpflasters, das sich vor mir in einer kleinen Erhebung bis zur Brücke hinzog. Mehr als vierzig Jahre hatte ich diese Steine nicht gesehen, und ich erkannte jeden einzelnen. Ich sah auf den Fluß. Dort fuhr ein Schiff, eine Art Lastkahn, flach. An der Reling standen Männer und winkten zum Ufer herüber. Und wir, Kinder und Frauen, ich trug einen dunkelblauen gestrickten Rock und einen weißen Pullover, mir war warm, wir winkten zurück. Neben mir klatschten ein paar Frauen in die Hände. Am Heck des Schiffes war ein Seil befestigt, das ins Wasser führte. An dem Seil hing ein Mann. Ich sah nur die Füße und ein Stück der Unterschenkel, die ein wenig über die Wasseroberfläche hinausragten, und hin und wieder, wenn die Heckwelle ihn frei ließ, den Körper. Der Mann war tot. Er bewegte nicht die Arme, machte keinen Versuch, das Gesicht über Wasser zu halten, wie er es gemacht haben mußte, bevor das Schiff unter der Zugbrücke hindurch vom Bodden hergekommen war. Ich sah auf das Bündel im Wasser, sah einen der Männer an der Reling die Hände an den Mund legen und hörte ihn rufen. Er rief: Der tut uns nichts mehr. Abgeschossen. Wir haben ihn aufgefischt. Neben mir klatschten die Frauen. Auch ich hob die Hände, um zu klatschen. Der Druck des Fahrradrahmens, der gegen meine Hüfte fiel, ließ mich innehalten. – Ich möchte wissen, weshalb sie geklatscht haben. Und wo mein Vater war. Es muß hier Menschen geben, die sich erinnern können. Aber wo?«

Hier brachen die Aufzeichnungen ab. Es gab

noch eine kurze Liste mit Stichworten, vielleicht eine Art Arbeitsprogramm: Stadtarchiv / Elisenhain / Utkiek / Flugplatz / Bierkeller stand da.

Eigentlich merkwürdig, dachte Bella, daß sie über diese Orte keine Aufzeichnungen gemacht hat. Sie war doch lange genug da.

Der Zug fuhr wieder langsamer. Sie sah aus dem Fenster. Eine Mauer erschien, auf der übergroße Reklametafeln angebracht worden waren. Im Vorbeifahren las Bella:

»Kinder sind dankbarer als jeder Chef.«
»Kinder brauchen Aufmerksamkeit.«
»Kinder sind spannender als jeder Krimi.«

Sie sah ein nacktes Paar, Bierdosen in der Hand, die Produktion eines Kindes, mit der sie offensichtlich gerade beschäftigt sind, unterbrechend.

»Kinder machen glücklicher als Geld.«

Mit der Reklame leistete ein Kaufhaus-Konzern seinen Beitrag zur Beruhigung der Frauen, die in den letzten drei Jahren durch die Zerstörung der Einzelhandelsstrukturen arbeitslos geworden waren.

Als der Zug am Bahnhof hielt, stiegen außer Bella noch zwei Fahrgäste aus, die so schnell verschwanden, daß sie den Eindruck hatte, sie sei allein mit dem Zug gekommen. Die Bahnhofshalle war leer, alle Schalter geschlossen. Ein Restaurant gab es nicht. Bella hatte keine Lust, auf den Kellner zu warten, um ihn nach einem Hotel zu fragen. Vielleicht – aber es gab auch kein Taxi. Der Platz vor dem Bahnhof war der kälteste und unfreundlichste Anblick, der ihr seit Jahren begegnet war. Sie schulterte ihre Reisetasche und ging los. Irgendwo dahinten schienen die Lichter einer Kneipenreklame zu leuchten. Vor ihr lagen ein paar hundert Meter verschneiten Bürgersteigs. Es war so kalt, daß aus den Sielen Dampf entwich. Im Licht der Straßenlaternen färbte sich der Dampf schwefelgelb.

Wenigstens unter der Erde scheint noch Leben zu sein, dachte Bella. Trotz der langen Fahrt und der unfreundlichen Umgebung fühlte sie sich plötzlich wunderbar. Was konnte es Schöneres geben, als in eine fremde Stadt zu kommen, in der niemand etwas von ihr erwartete. Sie war frei, ihre Schritte dahin zu lenken, wohin es ihr allein sinnvoll erschien. Sie hatte sich eine Aufgabe gestellt, von der niemand wußte, auch die nicht, die sie kennenlernen würde, weil sie mit ihrer Aufgabe zu tun hatten. Sie wußte nicht, wo sie die Nacht verbringen würde, war neugierig und verstand nicht mehr, was sie dazu bewogen hatte, in den letzten zwei Jahren zu Hause zu hocken.

In Wirklichkeit bist du nichts weiter als eine gewöhnliche Schnüfflerin, Bella Block, dachte sie und grinste sich zu. Eine, die es genießt, Macht zu haben, weil ihre Arbeit von den Schwächen anderer lebt. Die davon begeistert ist, sich anzuschleichen, wenn das Opfer noch nicht mal eine Ahnung hat, was ihm droht. Die so gefährlich ist, daß ihr Name die Bösen erzittern und die Guten jauchzen läßt. Das Licht erwies sich tatsächlich als zu einer Gastwirtschaft gehörend. Bella öffnete die Tür, stand im Dunkeln, schob den dicken Filzvorhang zur Seite und war angekommen. Es zitterten nicht die Bösen und jauchzten nicht die Guten. Dafür starrten zwei heruntergekommene Männer in ihre fast leeren Biergläser und eine müde Wirtin auf das Bild des über der Tür angebrachten Fernsehers. Sie sah so endgültig über Bella hinweg, daß die kurz daran dachte, die gastliche Stätte schnell wieder zu verlassen. Nur der Gedanke daran, daß es anderswo ähnlich sein könnte, hielt sie davon ab.

Sie ging zu einem Tisch am Fenster. Die Gaststube hatte sehr große Fenster, wegen der Kälte war die untere Hälfte mit einer Decke verhängt worden. Die Art der Befestigung der Decken ließ darauf schließen, daß sie schon seit mindestens dreißig Jahren in jedem Winter auf die gleiche Weise befestigt wurden. Der Kälteschutz war sicher sinnvoll, denn die Heizung reichte nicht aus, um den großen Raum zu erwärmen.

Hier können nur Leute sitzen, bei denen es zu Hause noch kälter ist, dachte Bella.

Unvermittelt stand die Wirtin vor ihr. Bella bestellte Tee und Wurstbrote. Die Wirtin war nicht unfreundlich, eher schien es, als hätte sie es aufgegeben, irgend etwas zu erwarten. Bella beschloß, sie nach einem Quartier zu fragen, wenn sie aus der Küche zurückkäme. Ein leichtes Klacken erweckte ihre Aufmerksamkeit. In einer Ecke des großen Raumes stand im Halbdunkel ein Billardtisch. Sie erkannte eine junge Frau in einem kurzen, engen Rock und hohen Stiefeln. Die Frau war sehr groß und sehr dünn. Sie hantierte so selbstverständlich mit dem Queue, als sei sie damit zur Welt gekommen.

Sie hatte auf Anweisung ihres Mannes den Schlitten vor das Gartentor gestellt. Aus dem Keller hörte sie ein Geräusch, so, als schlüge jemand an eine Blechtonne. Die Tonne. Sie wußte sofort, was das zu bedeuten hatte. Die Tonne hatte schon im Keller gestanden, als sie in das Haus gekommen war. Sie war nicht weggeworfen worden, weil man nichts wegwarf, was man vielleicht irgendwann noch einmal gebrauchen konnte. Im Laufe der Jahre war sie von einer Ecke in die andere gewandert, zuletzt hatten sie sie wohl bewegt, als das Haus auf Zentralheizung umgestellt worden war. Damals hatten die Handwerker sie zur Seite gerückt, sie hatte sie danach ganz aus den Augen verloren.

Er hatte die Frau in die Tonne getan, und sie würden sie jetzt wegbringen.

Während sie in den Keller hinunterstieg, hielt sie sich am Geländer fest. Sie fühlte ihre Beine schwer und sich selbst ganz ruhig. Wie in Watte, dachte sie.

Der Mann hatte die Tonne mit Stoff umwickelt. Er schätzte die Kraft seiner Frau richtig ein. Wenn sie es schaffte, gemeinsam mit ihm die Tonne die Treppe hinaufzutragen, wäre sie oben nicht mehr in der Lage, weiterzumachen. Er würde die Tonne über den Plattenweg rollen müssen. Der Stoff sollte verhindern, daß dabei Lärm entstand.

Wo hat sie nur gestanden, dachte die Frau. Sie war am Fuß der Kellertreppe angekommen. Ihr Mann stand neben der Tonne, die umgekippt am Boden lag. Er ging ihr entgegen, legte einen Arm um ihre Schultern und führte sie ein Stück zur Seite.

Ich rolle sie bis dicht an die Treppe. Dann faßt du vorn an, und wir hieven das Ding gemeinsam hoch.

Das Ding, sagte sie. Ihre Stimme war vollkommen tonlos. Er ließ sie stehen, ging zurück und rollte die Tonne auf die Treppe zu. Von innen kam ein klatschendes Geräusch. Er rollte langsamer, als er sah, daß seine Frau einen panischen Ausdruck im Gesicht hatte. Vor der Treppe blieb er stehen.

Komm jetzt, sagte er, es ist gleich vorbei.

Gehorsam kam die Frau an die Treppe.

Da sind Griffe, sagte er.

Erst jetzt sah sie, daß er um das obere Ende der Tonne ein dickes Seil geschlungen hatte, das rechts und links zwei Halteschlaufen bildete. Sie griff in die Schlaufen, stieg rückwärts eine Stufe hoch und dann noch eine und noch eine. Langsam wuchteten sie die Tonne die Kellertreppe hoch.

Das Seil, sagte sie. Sie spürte, wie es über den Rand der zugeschweißten Tonne zu rutschen begann.

Setz ab.

Da waren sie auf der dritten Stufe von oben angekommen, und er konnte die Tonne kippen. Wieder gab es innen ein klatschendes Geräusch. Er sah, daß die Frau nicht mehr lange durchhalten würde.

Geh schon vor, sagte er, warte am Schlitten.

Sie wandte sich langsam um, so wie man sich im Traum bewegt, langsam und unfähig, dem Entsetzlichen zu entgehen, von dem man verfolgt wird. Er sah ihr nach. Hatte er ihr zuviel zugemutet? Doch dann sah er sie zurückkommen, Holzstücke in der Hand, mit denen sie die beiden Türen festklemmte, die sie vom Plattenweg trennten. Als er mit der Tonne den Weg erreicht hatte, ging sie an ihm vorbei und entfernte die Holzstücke unter den Türen. Sie schloß die Haustür ab. Er stand schon neben dem Schlitten und wartete. Gemeinsam hoben sie die Tonne auf den Schlitten. Ohne daß er etwas zu sagen wagte, nahm sie ihm das Seil aus der Hand und zog an. Leicht und schnell glitt der Schlitten durch den Schnee. Ihm blieb nichts anderes übrig, als neben dem Schlitten herzulaufen und die Tonne festzuhalten. Als sie die Straße erreichten, blieb sie stehen und sah sich um. Sie sprach nicht, aber es war klar, daß sie wissen wollte, wohin sie zu gehen hatte.

In den Bierkeller, sagte er, und sie zog sofort an und ging weiter. Die Straße war vereist. Sie ging so schnell, daß er Angst bekam, sie würde stürzen. Einmal kam ihnen mit aufgeblendeten Scheinwerfern ein Auto entgegen, aber auch da wurde sie nicht langsamer. Der Fahrer mußte ihnen ausweichen, weil sie in der Mitte der Straße gingen. Fast wäre das Auto dabei im Graben gelandet.

Das hätte uns noch gefehlt, dachte er und war froh, als sie den Nebenweg erreichten. Der Weg war nicht gepflastert. Frost hatte die tiefen Furchen im Boden hartgefroren. Sie mußte langsamer gehen, weil der Mann Schwierigkeiten hatte, die Tonne auf dem Schlitten zu halten.

Das, was die Ortsansässigen Bierkeller nannten, hatte diese Funktion schon lange nicht mehr. Der Keller lag tief unter der Erde. Die Bäume, die auf dem kleinen Hügel wuchsen, der die Decke bildete, waren alt, hundert oder zweihundert Jahre. Hinter der Eingangstür führte eine tiefe Treppe nach unten. Zur Lüftung waren an allen Seiten des Kellers steil nach unten gehende Schächte eingelassen worden. Das Gelände rund um den Bierkeller hatte man eingezäunt, nur den Platz vor der Eingangstür hatte man frei gelassen. Im Krieg hatte der Keller als Luftschutzkeller gedient. Jetzt war es schon seit langer Zeit nicht mehr erlaubt, ihn zu betreten, weil sich dort Kolonien von Fledermäusen eingenistet hatten. Beide, der Mann und die Frau, hatten als Kinder bei Fliegeralarm in dem Keller gehockt. Sie hatten auch darin gespielt, obwohl das schon damals verboten gewesen war. Der Frau fiel ein, daß ähnliche Tonnen wie die, die sie auf dem Schlitten hinter sich herzog, damals auch da unten gewesen waren.

Durch den Schacht? fragte sie. Ihre Stimme war etwas lebhafter, wohl durch die Anstrengung und das schnelle Tempo, mit dem sie den Schlitten gezogen hatte.

Er wußte, daß es am einfachsten gewesen wäre, die Tonne durch einen der Schächte nach unten rollen zu lassen und sich dann davonzumachen. Aber dazu hätten sie den Zaun zerstören müssen, um an einen der Lüftungsschächte zu kommen. Außerdem wußte er nicht mehr, an welcher Stelle da unten die anderen Tonnen standen. Hin und wieder wurde der Keller von einem Vogelschützer aufgesucht, der nach den Fledermäusen sah. Es würde auffallen, wenn eine Tonne allein irgendwo herumlag. Deshalb war er am Abend vorher dagewesen und hatte den Eisenbeschlag an der Eingangstür gelockert, so daß er jetzt das Schloß leicht entfernen konnte.

Nein, hier vorn, antwortete er. Sie standen direkt vor der Tür. Obwohl der Beschlag gelockert war, dauerte es eine Weile, bis er die Nägel aus dem dicken Holz der Tür herausgezogen hatte. Er hätte ein Werkzeug gebraucht, aber außer einer Taschenlampe hatte er nichts mitgenommen. Die Frau neben ihm wartete gleichmütig. Ihr Atem hatte sich beruhigt. Schließlich hing das Schloß, zusammen mit dem Eisenbeschlag, auf dem linken Türflügel. Die Tür ließ sich leicht öffnen. Im Lichtkegel der Taschenlampe lag die breite Treppe vor ihnen. Aufgescheuchte Fledermäuse schossen ihnen entgegen. Die Treppe ging tief hinunter. Er begriff sofort, daß sie es nicht schaffen würden, die Tonne dort hinunterzutragen. Er hatte die Treppe flacher und nicht so lang in Erinnerung gehabt.

Geh nach draußen und mach die Tür hinter mir zu, sagte er. Er schob sie zurück, und sie setzte sich gehorsam in Bewegung. Draußen stand sie neben dem leeren Schlitten und wartete. Das Seil, mit dem sie den Schlitten gezogen hatte, lag auf dem vereisten Schnee. Hinter der Kellertür hörte sie ihren Mann rumoren. Sie bückte sich und versuchte das Seil loszuknoten. Es war steif gefroren. Im Keller gab es einen dumpfen Knall. Er hatte die Tonne nach unten gestoßen. Jetzt würde er hinuntergehen und sehen, wo er sie verstecken könnte. Aber er kam heraus und hielt ihr die Taschenlampe hin.

Leuchte, sagte er, ich will das Schloß in Ordnung bringen.

Sie ließ das Seil nicht los und hielt die Lampe dicht neben seine Hände. Er knipste sie aus, als er fertig war.

Ich laß dich doch nicht allein hier stehen, sagte er. Morgen ist auch noch ein Tag. Der Rest ist ein Kinderspiel.

Er nahm ihr das Seil aus den Händen, legte den Arm um ihre Schultern und drängte sie zu gehen. Sie gingen schweigend nebeneinander her. Als sie die Straße erreichten, begann es wieder zu schneien.

Das ist gut, sagte er, keine Spuren.

Sie antwortete nicht, aber er hörte sie einen tiefen Seufzer ausstoßen, den er für einen Seufzer der Erleichterung hielt.

Die Wirtin nannte Bella nicht nur eine Pension in einem kleinen Dorf hinter der Stadt, sondern es stellte sich auch heraus, daß ihr Mann einen Autoverleih betrieb. Er kam eine Viertelstunde später mit einem ziemlich gut erhaltenen Wartburg, nachdem Bella ihm am Telefon erklärt hatte, sie wolle ein möglichst unauffälliges Auto, und sie würde ihn wieder vor seiner Wohnung absetzen. Das, so schien ihr, als sie ihn sah, war auch dringend nötig. Der Mann war nicht mehr nüchtern. Er trug zu dem Trainingsanzug, in dem er auf dem Sofa gelegen und ferngesehen hatte, ein kariertes Jackett und roch nach Rauch und irgend etwas Undefinierbarem. Die Wohnung lag nur ein paar Häuserblocks vom Lokal entfernt, und Bella war erleichtert, als sie ihn vor seiner Haustür abgesetzt hatte. Sie fuhr ein Stück durch die Stadt, vorsichtig, denn die Straße schien glatt zu sein. Einige der Häuser, an denen sie vorüberfuhr, waren nicht mehr bewohnt. Leere Fensterhöhlen, zerbrochene Scheiben, vernagelte

Ladenfenster und Haustüren konnte sie vom Auto aus sehen. Sie war froh, als sie die Stadt hinter sich hatte.

Das Dorf, in dem sie unterzukommen hoffte, lag zehn Kilometer entfernt in Richtung Osten. Auf dem Weg dahin, gleich hinter der Stadt, während sie an ein paar Häusern vorbeifuhr, die vielleicht früher einmal ein selbständiges Dorf gewesen waren, liefen ihr beinahe zwei Menschen in den Wagen, die einen Schlitten hinter sich herzogen. Sie hatte Mühe, den Wagen auf der glatten Straße vor dem Ausbrechen zu bewahren.

Der Gasthof »Zur Sonne« war nicht zu übersehen. Das Dorf bestand nur aus wenigen Häusern, und das Gasthausschild war beleuchtet. Sie parkte den Wagen neben der Eingangstür, nahm ihre Tasche und ging ins Haus. Der Flur hinter der Eingangstür war dunkel, aber von rechts drang Licht durch die Türritzen. Dort mußte der Gastraum sein. Sie öffnete die Tür, sagte guten Abend, stellte die Tasche ab und schloß die Tür hinter sich. Dann sah sie sich um. Vor ihr am Tresen saß ein Mann, gekleidet, als sei er gerade von draußen gekommen oder als wolle er gerade gehen. Das Bierglas, das er vor sich hatte, war voll. Hinter der Theke stand der Wirt. Er bemühte sich nicht, Bellas Gruß zu beantworten. Die beiden Männer sahen sie an.

Ich hoffe, Sie haben noch ein Zimmer für mich, sagte Bella. Sie war sicher, ein Zimmer zu bekommen. Es stand kein Auto vor der Tür, und die Dorfbewohner schliefen im eigenen Bett.

Sind Sie aus dem Westen? fragte der Wirt statt einer Antwort. Er kam hinter dem Tresen hervor auf sie zu, und seine Haltung war nur als kampflustig zu bezeichnen.

Bella mußte unwillkürlich lachen.

Allerdings, tut mir leid, sagte sie.

Das kann Ihnen auch leid tun. An euch vermiete ich nämlich nicht mehr. Von euch hab' ich die Schnauze voll. Er hatte sich vor Bella aufgebaut und fuchtelte mit den Armen in der Luft herum.

Fred, sie kann doch nichts dafür. Der Mann am Tresen versuchte den Wirt zu beruhigen.

Wofür, fragte Bella, wofür kann ich nichts?

Der Wirt trat einen Schritt zurück und holte tief Luft.

Ich sag's Ihnen, keine Bange. Ich werd' Sie darüber aufklären, was mit Ihnen los ist. Hier haben die ganze Woche fünf Jäger gewohnt, aus dem Westen. Das Haus hier hat Ofenheizung. Meine Frau ist jeden Morgen um fünf aufgestanden, hat den Ofen angemacht, die Gaststube geheizt, den Herren Frühstück hingestellt, bloß damit die rechtzeitig loskamen. Abends waren sie zurück, haben mit ihren Dreckstiefeln das Haus von oben bis unten eingesaut – hätten ja mal die Stiefel ausziehen können, machen die doch zu Hause auch, nicht, sagte der Mann vom Tresen her.

Kein Gedanke, den ganzen Lehm mußte die Frau wegwischen, ihnen abends Essen kochen und auch noch freundlich sein.

Ja und? sagte Bella.

Was, ja und? Der Wirt brüllte fast. Was, ja und! Heute morgen kommt sie runter und macht ihnen Frühstück, wie gewöhnlich. Sie sieht die Taschen, denkt sich aber nichts dabei. Und nach dem Frühstück erklären die Herren ihr, sie würden jetzt abreisen. Und zahlen würden sie nicht. Es sei ihnen bei uns zu primitiv gewesen.

Der Wirt schrie jetzt wirklich. Wenn ich das geahnt hätte, ich wäre heute nacht aufgestanden und hätte ihnen die Reifen zerstochen. Jawohl, das hätte ich. Ich hab' die Schnauze voll von den Westlern. Ihr könnt mich mal – Mann, dafür kann ich doch nichts, sagte Bella. Im stillen dachte sie: Wie wär's denn gewesen, wenn du morgens um fünf aufgestanden wärst, um das Haus zu heizen und Frühstück zu machen? Vielleicht hätten die Kerle sich heute morgen nicht getraut, einfach abzuhauen, wenn der Herr des Hauses nicht noch mit dem Hintern im Bett gelegen hätte?

Nein, natürlich nicht, sagte der Wirt. Aber das sag' ich Ihnen: bei mir nur noch gegen Vorkasse.

Könnte ich vielleicht das Zimmer vorher sehen? fragte Bella.

Thea, rief der Wirt, Thea.

Aus dem Hintergrund des Schankraumes kam eine kleine Frau mit graublonden Haaren. Sie trug Pantoffeln und eine Kittelschürze.

Tut mir leid, sagte sie und zeigte an sich herunter. Ich hatte nicht mehr damit gerechnet, daß noch jemand kommt. Irgendwann macht man mal Schluß. Der Tag ist lang genug. Und die Wäsche will auch in Ordnung gebracht sein.

Die Frau ging voran. Sie machte Licht in dem dunklen Hausflur, stieg vor Bella die Treppe hinauf und zeigte ihr ein einfach eingerichtetes Zimmer.

Die Dusche ist über den Gang, sagte sie. Der Gang ist nicht geheizt. Aber Sie können sich natürlich auch hier waschen. Dabei zeigte sie auf das Waschbecken, das in einer Ecke zwischen Wand und Schrank angebracht war. Das Zimmer war scheußlich. Vermutlich würde es zu teuer sein. Aber Bella hatte keine Lust mehr, nach etwas anderem zu suchen.

Ich zahle für ein paar Tage im voraus, vielleicht bleibe ich länger, dann sag' ich Bescheid, sagte sie.

Die Frau nickte erleichtert. Ziemlich sicher hatte ihr Mann sie für die Zechprellerei der Jäger verantwortlich gemacht.

Das macht achtzig Mark pro Nacht, sagte sie, aber dafür haben Sie auch einen Fernseher.

Bella zahlte, sagte, sie habe schon gegessen, morgens wolle sie ausschlafen und jetzt schlafen gehen. Die Frau ließ sie allein. Sie sah sich um. Die Vorhänge vor den Fenstern waren rot, die Läufer vor den Betten gelb. Die Tapete hatte ein grünbraunes Rhombenmuster, und das Gestell des Lampenschirms auf dem Nachtschrank war mit rosa Wollfäden bespannt. Dem hellbraunen Kleiderschrank war in der Mitte eine Spiegelscheibe aufgeklebt worden. Bella sah sich ratlos im Zimmer stehen und mußte lachen.

Na gut, dachte sie, auspacken, das Licht ausmachen und den Fernseher einschalten. Das Gerät hatte sogar eine Fernbedienung. Sie saß im Bett, schaltete, und auf dem Bildschirm erschien der Verteidigungsminister. Er schritt mit dummem Gesichtsausdruck an einer Reihe dumm blickender, uniformierter Männer vorüber, die vom Sprecher als Kern des Euro-Corps bezeichnet wurden.

Also nicht fernsehen, dachte Bella, und schaltete

das Gerät aus. Sie legte sich in den Kissen zurecht, schob noch einmal den Arm unter der Decke hervor und knipste die Nachttischlampe aus. Im Halbschlaf hörte sie zwei Männerstimmen vor dem Haus. Der Wirt und der Mann am Tresen, dachte sie, der geht jetzt nach Hause. Als unten die Tür ins Schloß fiel, schlief sie schon.

Morgens erwachte sie von einem Geräusch, das sie nicht kannte, einem metallischen Klappern. Neugierig ging sie ans Fenster. Vor dem Haus stand ein dunkelbrauner Kombi. Ein krummer alter Mann war damit beschäftigt, große Milchkannen auf der Ladefläche zurechtzurücken. Auf den steinernen Stufen stand die Wirtin, zwei große Glasgefäße mit Milch neben sich. Sie wartete, bis der Mann abfuhr, winkte ihm nach und trug vorsichtig eines der Gefäße ins Haus.

Auf der gegenüberliegenden Straßenseite stand ein niedriges Haus mit zerfleddertem Strohdach. Hinter dem geöffneten Fenster neben der Haustür saß eine alte Frau auf der Bettkante und begann mühsam aufzustehen. Die Frau war nackt. Sie angelte mit dem Bein einen Schemel heran und versuchte, auf die Sitzfläche gestützt, vom Bett hochzukommen. Ihre Bewegungen waren kraftlos, woher hätte sie die Kraft auch nehmen sollen. Keine Muskeln, nur dünne Haut, so schien es, umgab ihre Knochen. Als sie sich vorbeugte, um sich abzustützen, hingen die Brüste vor ihr herab wie leere Tüten. Gegenüber vom Haus lag eine Wiese. In den Disteln am Rand hing der Schnee wie reife Baumwolle. Das Gras bewegte sich nicht. Die Welt draußen schien vor Kälte erstarrt, und die mühsamen Bewegungen der Alten wirkten darin obszön lebendig.

Als Bella in der Gaststube erschien, hatte die Wirtin das Frühstück schon bereitgestellt: Wurst, Marmelade, Butter, Brot und ein Ei, dazu eine Kaffeekanne, die mit einer gehäkelten Kaffeemütze warm gehalten wurde. Die Wirtin legte eine Zeitung auf den Tisch, wünschte guten Appetit und verschwand. Bella frühstückte ausgiebig und sah anschließend in die Zeitung. In einer nahegelegenen Kleinstadt hatten einfallsreiche oder sensationslüsterne Journalisten einen Aufsatzwettbewerb unter Schülern veranstaltet, Thema: Keine Gewalt an Schulen! Die Kinder hatten die Aufsätze anonym abgeben dürfen. Das Ergebnis war so deutlich ausländerfeindlich ausgefallen, daß selbst die Zeitungsleute erschrocken waren. Jetzt trösteten sich Lehrer und Journalisten damit, daß die Menschen in dieser Gegend, die lange Zeit ein hinterwäldlerisches Dasein hätten führen müssen, alles Fremde argwöhnisch beobachteten. Schließlich hätten die Schüler zu Menschen aus anderen Staaten bisher kaum Kontakt gehabt, sagten die Lehrer. Sie wüßten nicht so richtig, was ein Ausländer sei. Ein besonders kluger Schulleiter erklärte: Die Kinder reden, was sie von den Eltern hören.

Da hat er recht, dachte Bella. Während des Krieges hat man hier gefangene Untermenschen auf den Feldern arbeiten lassen. Die Eltern haben ihre Eltern über dreckige Pollacken und verlauste Russen reden gehört. Und den lieben Kleinen fällt jetzt dazu ein:

»Wenn es nach mir ginge, würde ich an der deutschpolnischen Grenze einen Todesstreifen errichten und jeden Ausländer, der nicht in Not ist, erschießen.«

Die Wirtin erkundigte sich, ob das Frühstück in Ordnung gewesen sei. Bella fragte sie nach der Adresse des Stadtarchivs der Kreisstadt. Die Wirtin wußte nicht, ob es überhaupt eines gab, erbot sich aber, auf dem Amt anzurufen und zu fragen.

Später, Bella saß wartend am Fenster, die alte Frau von gegenüber war verschwunden, das Fenster stand noch immer offen, kam sie mit der Adresse ins Zimmer.

Am späten Vormittag fuhr Bella in die Stadt. Sie fuhr langsam, die abgelegene Straße war vereist, aber auch, um die Schönheit der Landschaft zu genießen. Endlose verschneite Wiesen, hin und wieder ein Feld und ein Trecker vor einem Pflug, der einen Streifen dunkelbrauner Erde freilegte, gefolgt von einem Krähenschwarm. Schlehengebüsch stand wie weißes Gespinst an den Straßengräben. Der Tag war klar und hell, aber er würde so nicht bleiben.

Das Stadtarchiv war bald gefunden. Die Eingangstür der Baracke war verschlossen. Bella klingelte, ermutigt durch ein Schild mit den Öffnungszeiten. Eigentlich hätte jetzt geöffnet sein müssen. Ziemlich bald hörte sie Schritte hinter der Tür.

Eine freundliche Frau, etwa im gleichen Alter wie sie selbst, öffnete und ließ sie ein.

Wir schließen immer ab, sagte die Frau, so als sei das eine Erklärung. Im Inneren der Baracke hing ein Geruch, der dem in den Kontrollstellen an der früheren DDR-Grenze ähnelte und Bella auf den Gedanken brachte, daß sich das »immer« auch auf die Zeiten vor der Grenzöffnung bezog. Wahrscheinlich war, was früher als Vorschrift galt, jetzt als Gewohnheit zurückgeblieben. Ihre Befürchtung, die Archivarin würde auch so unzugänglich sein, wie sie früher vielleicht hatte sein müssen, bewahrheitete sich nicht.

Ich habe hier ein paar Stichworte, fragte sie. Wäre es möglich, daß Sie mir sagen, was die Worte zu bedeuten haben und ob es bei Ihnen Material darüber gibt?

Nehmen Sie Platz und fangen Sie an, sagte die Archivarin. Wir haben hier nicht viel, aber vielleicht kann ich helfen. Bella setzte sich neben den Schreibtisch, ein schweres, altes Ding, das vielleicht einmal im Herrenzimmer einer Villa gestanden hatte. Durch das Fenster sah sie auf einen Haufen verschneiter Kohlen. In ihrem Rücken bollerte ein Kanonenofen. Die Archivarin notierte Elisenhain, Utkiek, Flugplatz, Bierkeller, ohne eine besondere Regung zu zeigen. Sie sah auf und fragte: Mehr nicht?

Nein, sagte Bella, oder fehlt noch was?

Statt einer Antwort erhob sich die Frau, ging in einen Nebenraum und kam mit zwei schweren Mappen zurück, die sie vor Bella auf den Tisch legte.

Hier, sagte sie, über Utkiek, Flugplatz und Bierkeller finden Sie hier alles, was wir haben. Zu Elisenhain habe ich nichts. Ich kann Ihnen nur sagen, daß das ein Wald ist, hier ganz in der Nähe, praktisch bei – sie nannte den Namen der Häuseransammlung, durch die Bella auf ihrer Fahrt in die Stadt gekommen war –, ein sehr schöner Wald übrigens. Jetzt im Winter, ich weiß ja nicht, aber so um Pfingsten rum, da müßten Sie mal hingehen.

Daraus wird wohl nichts werden, sagte Bella, so oft bin ich nicht hier.

Ich geh' dann nach nebenan, sagte die Archivarin, wenn Sie mich brauchen, rufen Sie einfach.

Danke, sagte Bella. Ich glaube, Sie arbeiten hier nicht erst, seit es die DDR nicht mehr gibt, oder?

Nein, antwortete die Archivarin, ich bin hier schon lange. Ich war nie dafür, nur deshalb bin ich noch da. Außerdem: wenn man sich einrichtete und nichts gegen »oben« sagte, ging es ja gut.

Sie stand auf und verließ das Zimmer. Der Bretterboden knarrte unter ihren Schritten. Bella setzte sich vor den Schreibtisch, schob die schweren Mappen auseinander und begann die darin enthaltenen Fototafeln durchzusehen.

Der Utkiek war ein an der Flußmündung gelegenes Ausflugslokal mit einer großen, altmodischen Glasveranda. Einige der Fotos waren im Winter aufgenommen worden, nicht wegen des Lokals, sondern wegen des Ereignisses, das stattgefunden hatte, ein sogenannter Eintopfsonntag. Sie sah fröhliche, dick vermummte Menschen, meist Frauen und Kinder, mit Kochgeschirren vor einem Metallkübel stehen. Uniformierte, auf kleinen

Treppen stehend, füllten mit großen Kellen Suppe in die bereitgehaltenen Näpfe. Sie meinte, die heiße Suppe in der kalten Luft dampfen zu sehen. Die Winterfotos waren 1943 aufgenommen worden. Keines der Fotos ließ einen Schluß darauf zu, was Christa Böhmer daran interessiert haben könnte. Immerhin war es möglich, daß sie jetzt am Utkiek gewesen war.

Bella legte die Mappe zur Seite und ging in das benachbarte Zimmer. Die Archivarin sah auf.

Gibt's dieses Lokal, diesen Utkiek, noch, fragte Bella.

Ich glaube schon, sagte die Archivarin, aber wahrscheinlich nicht mehr lange.

Die Aufnahmen zum Thema Flugplatz zeigten Flugzeughallen, ausgedehnte Rollfelder und, mehrfach fotografiert, die pompöse Beerdigung eines Militärs. Neben einem dreimotorigen Flugzeug waren vier Kompanien von Soldaten und SS-Männern angetreten. Hinter einem Sarg, der auf einer Lafette zum Flugzeug gefahren wurde, gingen Offiziere und eine schwarzgekleidete, verschleierte Frau.

Sie ging noch einmal nach nebenan.

Und den Flugplatz, gibt's den noch?

Nee, den haben die Russen gesprengt, sagte sie, jedenfalls die Hallen und das Eingangstor mit Adler und Hakenkreuz. Der Adler mit dem Hakenkreuz, der muß sie zu sehr gereizt haben. Um die Hallen hat's ihnen wahrscheinlich später leid getan. Die Munitionsbunker sind dann jedenfalls heil geblieben. Die Volksarmee hat sie genutzt. Und nun wohl die Bundeswehr.

Und der Bierkeller? fragte Bella.

Den gibt's noch ganz, antwortete die Archivarin. Nur rein darf man nicht mehr. Der gehört jetzt den Fledermäusen.

Und früher durfte man ihn betreten?

»Durfte« ist gut. Da mußte man rein, immer wenn Fliegeralarm war. Ich bin selbst als Kind drin gewesen. Die Fledermäuse gab's schon damals. Für uns Kinder war der Keller ein einziges Vergnügen. Die Gänge, viele kleine Räume, die schrägen Schächte nach draußen. Wenn man schnell war, konnte man die in einem Anlauf schaffen. Denkt man nicht, aber war eine schöne Kindheit, obwohl Krieg war. Heute hat der Naturschutz den Keller mit Beschlag belegt, für die Fledermäuse eben.

Bella ging zurück und sah sich auch die Bilder, die den Bierkeller zeigten, an. Es waren Innenaufnahmen, auf denen sich schmale Schächte mit dicken, weißen Wänden in die Tiefe senkten.

Sie wußte nun, was Christa Böhmer sich angesehen hatte oder ansehen wollte. Gab es einen besonderen Grund, weshalb sie gerade an diesen Orten interessiert gewesen war?

Bella klappte die Mappen zu. Die Archivarin kam zurück. Und? sagte sie, brauchen Sie Fotokopien?

Nein, antwortete Bella, ich wollte nur wissen, worum es überhaupt geht. Danke für Ihre Hilfe.

Das mach' ich doch gern, antwortete die Archivarin. Der anderen hab' ich Kopien von den Sachen gemacht. So viel ist ja nicht zu tun. So was kann ich immer dazwischenschieben.

Der anderen? fragte Bella.

Ja, die wollte sogar die Einwohnerlisten, hatten

wir nur bis 1942, aber das war ihr dann auch recht.

Sie meinen Frau Böhmer, sagte Bella.

An den Namen erinnere ich mich nicht genau, aber der ist hier irgendwo eingetragen. Ist ja schon 'ne Weile her. Die Archivarin holte ein Heft aus der Schreibtischschublade.

War irgendwann im Sommer, mein' ich, sagte sie, während sie blätterte.

Bella ging zu ihr hinüber und sah ihr über die Schulter. Alle Kopien waren ordentlich mit Stückzahl, Name, Adresse und Gebühr eingetragen. Christa Böhmer hatte am 24. August, vor mehr als drei Monaten also, acht Kopien anfertigen lassen. Das hatte sie vier Mark gekostet. Und möglicherweise ihr Leben.

Die Einwohnerliste würde mich auch interessieren, sagte Bella.

Wie sie erwartet hatte, fand sie darauf die frühere Adresse der Familie Böhmer. Jedenfalls nahm sie an, daß mit dem Mann auch die Familie dort gewohnt hatte. Die Liste enthielt nur Männernamen, die allerdings auch gleich mit Berufsbezeichnung. Der Vater der Böhmer war auf dem Flugplatz beschäftigt gewesen.

Ein SS-Mann wahrscheinlich, sagte sie halblaut, nicht gerade das, was man sich als Vater wünscht.

Ach, sagte die Archivarin, das will ich nicht sagen. Unsere Väter waren doch alle SA oder SS oder in der Wehrmacht. Trotzdem waren sie in Ordnung.

Gibt's eigentlich noch Akten über die Leute, fragte Bella, hier im Archiv?

Nein, hier in der Stadt nicht. Das wurde ja alles kurz vor Kriegsschluß noch vernichtet. Ist doch verständlich. Wurde ja nach der Wende auch gemacht. Da gibt's nichts mehr.

Ist ja auch egal, sagte Bella, die das Gefühl hatte, die freundliche Haltung der Frau ändere sich. Jedenfalls danke ich Ihnen.

Während die Archivarin sie hinausbegleitete, vorbei an dem heißen Kanonenofen, über die knarrenden Flurbretter zur verriegelten Tür, wiederholte sie still für sich den Namen des Hotels, in dem Christa Böhmer gewohnt hatte und beglückwünschte sich gleichzeitig. So schnell hatte sie nicht damit gerechnet, eine Spur zu finden.

Das Hotel erwies sich als ein großer Kasten außerhalb der Stadt. Es lag an der Straße, die zurück in das Dorf führte, in dem ihre Pension lag, war vor Jahren in Plattenbauweise aufgestellt worden und sah inzwischen ziemlich mitgenommen aus. Ein niedriger Anbau diente als Foyer. Die neuen Sitzmöbel reichten nicht aus, um den heruntergekommenen Eindruck zu verwischen. An der Rezeption stand eine junge Frau in durchsichtiger weißer Bluse. Sie unterhielt sich mit einem Wichtigtuer im blauen Anzug, der den Aktenkoffer, das Zeichen seiner Bedeutung, neben sich abgestellt hatte. Der Aktenkoffer war eine Billigausgabe, aber offenbar hier noch geeignet zu beeindrucken. Bella wartete eine Weile. Als sie keine Lust mehr hatte, dem Geschwätz des Kofferträgers zuzuhören – er war dabei, eine Textilfirma aufzubauen, in der Hunderte Arbeit finden würden, es fehlten ihm nur noch die Ersparnisse der Frau, mit der er sprach –, machte sie sich bemerkbar. Die Frau hatte keine Lust, sich mit ihr abzugeben. Wahrscheinlich sah sie sich gerade als Unternehmersgattin über Fabrikgelände schreiten.

Keine Ahnung, antwortete sie auf Bellas Frage nach der Böhmer, ich bin erst seit gestern hier. Fragen Sie die Alte, wenn Sie etwas wissen wollen.

Sie zeigte in den Hintergrund. Dort, ein paar Stufen hoch, war im Halbdunkel das Gestänge einer Garderobe zu erkennen.

Bemüh dich nicht, Mäuschen, sagte Bella. Sie wandte sich um und stieß gegen den Aktenkoffer. Er fiel um. Die darin aufbewahrte Zahnbürste klapperte gegen eine Seitenwand.

Erst als sie ganz nahe war, sah Bella die alte Frau, die in einer Ecke der Garderobe saß. Sie hatte eine Flasche Milch und eine Schachtel mit Broten vor sich auf einen kleinen Tisch gestellt. Als Bella sie ansprach, stand sie auf und kam aus dem Halbdunkel nach vorn.

Kommen Sie, setzen Sie sich zu mir, sagte sie freundlich.

Sie war winzig klein. Als sie ein Stück des Garderobentresens hochklappte, um Bella den Weg frei zu machen, reichte sie kaum über die Tischplatte.

Sie stören mich nicht, sagte sie, während sie vor Bella her zurückging in den Hintergrund. Um diese Zeit sitze ich hier sowieso nur herum. Eigentlich sitze ich überhaupt nur herum. Hat vielleicht noch keiner gemerkt. Oder interessiert hier keinen. Nehmen Sie den anderen Stuhl, der da ist nicht in Ordnung.

Bella nahm den Stuhl, der in Ordnung war, und setzte sich an den Tisch.

Eine zweite Tasse hab' ich nicht, tut mir leid, sagte die Alte. Ich hab' ja sonst hier keinen Besuch.

Ein einzelner Mantel hing an einem der Garderobenhaken. Der Größe nach konnte er nicht der alten Frau gehören.

Vielleicht erinnern Sie sich, sagte Bella. Im Sommer hat hier eine Frau gewohnt, eine aus dem Westen. Ungefähr in meinem Alter. Sie hat ihre Sachen hiergelassen. Sie sind nachgeschickt worden.

Natürlich erinnere ich mich, sagte die Alte. Hier ist doch alles durcheinander. Da vorn an der Rezeption ist schon die dritte in diesem Jahr. Die gehen alle wieder weg, mit Westmännern. Die haben mehr zu bieten. Daß ich nicht lache. Da vorn stehen sie und führen große Reden. Aber keine Mark für die Garderobenfrau. Die Mäntel lassen sie im Auto.

Bella sah zur Rezeption hinüber. Ein weiterer Mann kam gerade zur Tür herein. Er trug einen dunklen Anzug und stellte seinen Aktenkoffer auf den Boden, bevor er sich in das Gespräch der beiden anderen einschaltete.

Der lungert hier auch schon ein paar Tage rum, sagte die Alte. Die denken, ich hör' nichts und seh' nichts. Gestern hat er versucht, sich von mir Geld zu leihen. Abends hat er plötzlich Geld gehabt. Wer weiß, wie sie es anstellen. Hat wahrscheinlich ein Haus verkauft, das ihm nicht gehört. Bei meiner Tochter hat auch schon einer geklingelt. Hat ein schönes Haus, direkt am Wasser. Bar auf die Hand, hat er gesagt, wenn sie auszieht, kriegt sie das Geld bar auf die Hand. In drei Wochen sollte sie raus sein. Sie ist nicht drauf reingefallen. Anders als die da.

Sie wies mit dem Kopf auf die junge Frau an der Rezeption.

Wenn die in zwei Wochen noch hier ist, fress' ich 'nen Besen. So, wie die sich rausputzt.

Und die Frau aus dem Westen, sagte Bella. Der man die Sachen nachgeschickt hat. Was war mit ihr?

Die Alte sah Bella an. Ihr Blick war klar und aufmerksam.

Sind Sie mit der verwandt?

Nein, sagte Bella. Sie ist verschwunden. Ich suche sie. Im Auftrag ihrer Mutter.

Das Gesicht der Alten verfärbte sich. Es wurde bläulich, und ihre Hände griffen fahrig auf dem Tisch herum. In der Tasche, sagte sie. Ihre Stimme klang angestrengt. Sie zeigte auf eine zerrissene Stofftasche, die zwischen den leeren Garderobenständern stand. Bella holte sie und fand zwischen Schlüsseln, Taschentüchern und Geldbörse eine Tablettenschachtel. Zwei, krächzte die Alte, während Bella sich bemühte, die Tabletten schnell aus der Packung zu holen. Die Frau steckte zwei rote Tabletten in den Mund, trank mühsam etwas Milch und lehnte sich zurück.

Es geht gleich wieder, sagte sie.

Bella wartete und sah sich in der Garderobe um. Braun gestrichenes Holz, schwarze eiserne Haken, in den Ecken ein paar Kartons und ein aufgerollter Läufer, der Fußboden aus Zement, grün angestrichen und zwischen den Garderobenständern abgelaufen. Ein trostloser Arbeitsplatz, dachte sie.

Die alte Frau erholte sich schnell.

Ist ein Westmedikament, sagte sie. Ich halte nichts von denen. Kommen hierher und wissen alles besser. Nichts wissen die. Woher auch. Wissen Sie, weshalb die in Wirklichkeit hier sind? Die wollte drüben keiner mehr haben. Ich seh' sie mir genau an. Und wenn ich hier fertig bin, geh' ich nach Hause und mach' den Fernseher an. Da kann man sie auch bewundern. Und in der Zeitung. Das ist nicht mal die zweite Garnitur. Die machen alles kaputt, verdienen sich eine goldene Nase dabei, und unsere Leute sind zu blöd, um das zu begreifen. Eines Tages werden die hier wieder abziehen, das garantiere ich Ihnen. Verbrannte Erde werden sie hinterlassen, nichts als –

Bitte, sagte Bella, regen Sie sich nicht auf. Ich möchte doch nur wissen, was mit dieser Frau geschehen ist. Was hat sie hier gemacht? Haben Sie mit ihr gesprochen?

Wenn Sie nicht verwandt sind, kann ich es Ihnen ja sagen. Sie war harmlos, aber ich konnte sie trotzdem nicht ausstehen. Eine von der Sorte, die jetzt plötzlich ihre Heimat wieder entdecken. Vierzig Jahre haben sie nicht gewußt, was ihre Heimat war, und jetzt kommen sie hierher, laufen rum, starren alles an mit glänzenden Augen und wollen »wiederkommen«. Als ob wir auf sie gewartet hätten. Die kam jeden Abend hier an meine Garderobe und wollte mit mir von alten Zeiten reden. Hat behauptet, daß ihre Mutter und ich uns gekannt hätten. Natürlich hab' ich die gekannt. Aber ich hatte keine Lust, jeden Abend die alten Geschichten aufzuwärmen. Wissen Sie, was ich bemerkt habe?

Sie hatte sich so in Rage geredet, daß Bella einen neuen Anfall befürchtete.

Nein, sagte sie. Bitte, regen Sie sich nicht auf. Erzählen Sie mir, was Sie bemerkt haben.

Es ist etwas mit der Zeit, sagte die Alte. Erst dachte ich, es stimmt etwas nicht. Aber es ist alles in Ordnung. Es ist so, daß es zwei Arten von Zeit gibt. Die äußere und die andere. Die Leute glauben, daß allein die äußere Zeit existiert. Also, die Tage, die Wochen, die Monate, na, Sie wissen schon, Kalender eben, man hat Geburtstag und wird älter und stirbt. Aber das ist alles unwichtig. In Wirklichkeit leben sie nicht nach dem Kalender. Sie leben nach der anderen Zeit, nach dem, was in ihrem Inneren vorgeht, was für sie ganz allein wichtig ist. Diese Frau, wie alt war sie, vielleicht fünfzig. Das war für sie ganz ohne Bedeutung. Sie erinnerte sich an früher, so, als wäre es heute. Sie war wieder ein Kind. Sie versuchte, ihr Leben da wieder aufzunehmen, wo es einmal abgebrochen worden war. Sie hat mir erzählt, sie wäre damals lieber hier geblieben, als ihre Mutter mit ihr in den Westen zog. Wegen des Nazi-Vaters. Da sind ja eine Menge Leute abgehauen. Meinen Mann haben die Russen eingesperrt. Als er wiederkam, sah er aus wie ein Ballon, so aufgeschwemmt. Hat's nicht mehr lange gemacht. Aber ich seh' ihn immer noch vor mir. Damals hab' ich mir –

Die Frau, sagte Bella, hat sie hier noch andere Leute aufgesucht? Wen wollte sie wiedersehen?

Sie sind zäh, was?

Bella lächelte. Die alte Frau gefiel ihr, obwohl sie beim Reden dauernd den Faden verlor. Wahrscheinlich lebte sie allein und hatte wenig Menschen, mit denen sie sprechen konnte.

Ich hör' Ihnen gern zu, sagte sie, ich möchte bloß zwischendurch auch eine Antwort auf meine Fragen. Wissen Sie, wen sie sonst noch aufgesucht hat?

Was das angeht, da können Sie froh sein, daß die so schnell wieder abgereist ist. Wenn sie hiergeblieben wäre, hätte sie bestimmt zwanzig Leute aufgesucht. Hat sich nach allen erkundigt, mit denen sie zur Schule gegangen ist. Und nach den Nachbarn. Von denen ist aber nur noch einer da. Die meisten sind gegen Kriegsende abgehauen. War so 'ne Art Bonzensiedlung, wo wir gewohnt haben. Deshalb hat man ja damals auch meinen Mann abgeholt. Dabei war der nun wirklich ein harmloser Marschierer. Aber kann man ihnen das übelnehmen? Wie sollten die denn unterscheiden? Drei Monate haben wir noch zusammengelebt, als er zurück war. Erst dachte ich, er würde platzen. Und dann ist er plötzlich zusammengeschrumpft. Er wurde immer kleiner. Da wußte ich, jetzt geht's mit ihm zu Ende. Gott sei Dank war das im Sommer. Der Opa, ein paar Häuser weiter, ist im Winter gestorben. Was glauben Sie, wie schwer es war ein Grab auszuschaufeln. War doch niemand da, der einigermaßen Kraft hatte. Bei uns konnte das sogar ein Junge machen, der vom Nachbarn. Zu dem ist sie ja dann auch.

Zu wem?

Na, zu dem Giese. Damals war er gerade vierzehn. War ein richtig strammer Hitlerjunge. Aber damit war ja bald Schluß. Hat sich überall nützlich gemacht. Ein netter Junge. Das werd' ich nie vergessen, wie die ihren Opa beerdigt haben. Ich bin hin, schließlich kannten wir uns lange. Sie hatten den Alten im Wohnzimmer aufgebahrt. Da war er auch gestorben, beim Essen, hieß es. Die Möbel waren ausgeräumt und er lag da in der Mitte, gelb und vertrocknet. Aber wenn man reinkam, ein Geruch, sehr merkwürdig. Er hatte da zu lange gelegen. Sie haben keinen Pastor gekriegt, die waren ja auch alle in Gefangenschaft. Schließlich haben sie irgendwo einen aufgetrieben, der hatte einen Schaden. Nein, nein, er war ganz in Ordnung, er konnte nur seinen Kopf nicht gerade halten. Er drehte ihn zur Seite, ruck, und dann lief er der Nase nach. Landete natürlich immer in irgendeiner Ecke, nie da, wo er hin wollte. Das war eben einer von den Übriggebliebenen, den hätten sie im Krieg ja auch schlecht gebrauchen können.

Und der Junge, dieser Giese?

Fix, sag' ich Ihnen, sehr fix. Er hat den Pastor am Arm genommen, vor den Sarg geführt und ihn da festgehalten, bis er fertig war. Ging ganz gut mit dem Predigen, wenn er erst mal stand. Na, und dann sind wir los. Wie sie den Sarg die Treppe runtergebracht haben, weiß ich nicht mehr. Unten stand ein Pferdewagen, ach was, der kleine Leiterwagen aus dem Dorf, der so klapprig war, das selbst die Russen ihn nicht gebrauchen konnten. Das Pferd konnte einem nur noch leid tun. So was Dünnes! Und keine Straßen, so wie heute. Der Weg zum Friedhof war hartgefroren. Der Sarg wäre vom Wagen gerutscht, so holperig war die Erde, aber wieder der kleine Giese. Er und der versoffene

Schwager vom Opa haben aufgepaßt, daß der nicht runterrutschte. Ich seh' noch seine rotgefrorenen Hände. Waren doch viel zu kurz, die Ärmel seiner Jacke. Die HJ-Uniform hätte er ja schlecht anziehen können. Wär wohl das einzige gewesen, was ihm gepaßt hätte. Und das alles bei zwanzig Grad unter Null. Daß wir uns nicht die Beine gebrochen haben in den harten Furchen.

Und dieser Giese, der lebt noch?

Warum sollte er nicht? Dem geht's wunderbar. Der hat jetzt ein Lokal. Das ist einer von der Sorte, denen es immer gutgeht. Obwohl – die Alte kicherte fast, und sie sah plötzlich bösartig aus –, ein Problem hat er ja doch. Bella nahm ihr Notizbuch heraus, fischte einen Bleistiftstummel aus der Jackentasche und schob beides über den Tisch. Schreiben Sie mir die Adresse auf?

Die Alte kritzelte, ohne zu zögern, die Adresse in das Notizbuch.

Sein Problem ist sein Sohn, sagte sie aufsehend. Er hat zwei Kinder, Sohn und Tochter, und davon ist der Sohn mißraten. Aus ihrer Stimme klang Zufriedenheit und Schadenfreude. Es war offensichtlich, daß sie diesem Giese sein Unglück gönnte. Bella brachte es nicht übers Herz, das Gespräch abzubrechen, bevor sie die Geschichte des mißratenen Sohnes gehört hatte.

Als sie ging, überlegte sie, daß es durchaus möglich sein mochte, daß dieser Sohn einer der wenigen im Dorf war, mit dem ein vernünftiges Gespräch zu führen war.

Sie hatte Hunger und beschloß, essen zu gehen. Einfach war das nicht. Sie fand erst nach längerem

Suchen ein einigermaßen annehmbar aussehendes Restaurant. In einer altmodischen Glasveranda saßen einige Männer und Frauen um freundlich leuchtende Lampen. Von innen betrachtet, an einem Tisch hinter den Glasfenstern sitzend, sah die Welt anders aus. Der ältliche Kellner hatte zuviel getrunken. Sein dunkelroter Anzug war zerknittert und bekleckert. Zwei ihm ähnelnde Kollegen hingen an der Bar im Hintergrund herum. Sie störte mit ihrer Bestellung offensichtlich ein wichtiges Gespräch. Es roch nach Bratenfett und Fichtennadeln. Da kein Tannengrün zu sehen war, nahm sie an, jemand habe die Klotür offengelassen. Sie bestellte einen doppelten Wodka mit Orangensaft und beschloß, auf das Essen zu verzichten. Ihre Bestellung löste beim Kellner eine Art Verbrüderungseffekt aus, der sich auch auf seine Kollegen übertrug. Während sie trank, hoben die Herren an der Bar mehrmals das Glas in ihre Richtung. Sie beeilte sich, die gastliche Stätte zu verlassen.

Die Luft draußen war sehr kalt. Es waren kaum Menschen zu sehen. Und die wenigen beeilten sich, nach Hause zu kommen. Bella ging durch die leere, schlecht beleuchtete Fußgängerzone, vorbei an Häusern mit zugenagelten Schaufenstern, schnell und billig zurechtgemachten Klamottenläden, altmodischen Friseurgeschäften mit Scheibengardinen, die nur mühsam verdeckten, daß die Einrichtung im Inneren eher einer Zahnarztpraxis vor vierzig Jahren als einem Frisiersalon glich. Einige Häuser waren gründlich saniert worden. Ihre glatten, farbigen Fassaden boten einen obszönen Anblick inmitten der Trümmerlandschaft. So wie

Obszönität meist eine Reaktion hervorruft, hatte auch ihr Anblick Reaktionen hervorgerufen. Sie waren mit Farbbeuteln beworfen worden.

Bella hatte den Wodka zu schnell getrunken. Er wirkte nicht als gläserne Wand, die sich wie sonst zwischen sie und die Umwelt schob. Sie fühlte einen brennenden Klumpen im Magen und sah zerfallende Häuser. Ihr Wagen stand auf einem vereisten, dunklen Parkplatz. Er stand da als einziger. Sie war sicher, wenn sie ihn jetzt nicht wegnähme, würde er am nächsten Morgen festgefroren sein. Unter den Rädern knirschte das Pfützeneis, als sie den Parkplatz verließ. Völlig unbegründet, wenn nicht die vereisten Pfützen den Grund abgaben, fielen ihr Verse ein:

Eine Winternacht kommt für uns, läßt
Uns versinken in rauschendem Licht,
Diabolisch entfesseltem Fest,
Wo dein Auge, dein Dolch – mich ersticht.

Sie würde zurückfahren ins Gasthaus, etwas essen und dann schlafen. Ihre Beunruhigung mußte damit zu tun haben, daß sie diese Arbeit nicht mehr gewohnt war.

Sie verließ die Stadt über die holprige Ausfallstraße, vorbei an dem Hotel, in dem sie die alte Frau gesprochen hatte. In dem trostlosen Kasten waren nur wenige Fenster erleuchtet. Sie brachte die Häuseransammlung hinter sich, in der sie ihre Nachforschungen fortsetzen würde, denn dort irgendwo lag Gieses Lokal.

Nach ein paar Minuten kamen ihr von Fackeln

beleuchtete Trecker entgegen. Sie fuhr an den Straßenrand. Die Trecker beanspruchten die Fahrbahn ganz. Im Licht der Fackeln sah sie Männer auf den Anhängern sitzen. Sie hielten Spruchbänder in den Händen. Ihre Gesichter waren von einer Art, wie Bella sie noch nicht gesehen hatte: derb und verwittert, voller Wut, mit vorgeschobenen Kinnladen, dabei lachten sie, als seien sie sich ihrer Kraft bewußt.

»Wollt ihr einen Bauernaufstand«, las sie auf einem der Transparente.

Ein bißchen spät, Jungs, dachte sie, während sie den Wagen auf die Straße zurückfuhr, nachdem der letzte Trecker an ihr vorbeigefahren war.

Die Laterne über dem Eingang des Gasthofs, in dem sie ihr Zimmer gemietet hatte, brannte noch. Aus den Fenstern der Gaststube schien ein trübes Licht. Vor den Eingangsstufen stand ein Geländewagen.

Vielleicht sind die Jäger zurückgekommen, um ihre Rechnung zu bezahlen, dachte Bella. Sie hatte noch immer Hunger. Die Wirtin würde ihr sicher etwas zu essen machen. Sie öffnete die Tür zur Gaststube. Die Wirtsleute standen hinter dem Tresen, ein paar Männer aus dem Dorf davor. Alle sahen schweigend auf den runden Tisch mit dem Schild Stammtisch.

An diesem Tisch saß ein Mann mit zwei Frauen. Sie hatten große, frischgefüllte Biergläser vor sich stehen und eine Platte mit belegten Broten, bei deren Anblick Bella das Wasser im Mund zusammenlief. Der Mann am Tisch, ein kleiner dicklicher Mensch, vielleicht fünfunddreißig Jahre alt, mit kurzen Armen und dicken Patschhänden, die aus den Ärmeln eines Missoni-Pullovers sahen, führte das große Wort. Die beiden Frauen, eine junge und eine ältere, die sich als jung ausgab, hingen schweigend an seinen Lippen. Wenn sie sprechen würden, dann nur, um dem Gegenstand ihrer Bewunderung Fragen zu stellen, die seinen Redefluß in Gang hielten. Die schwarzen Kleider, die sie trugen, waren so billig, daß der elegante Eindruck, den sie hervorrufen sollten, unter Knitterfalten und Fusseln verborgen blieb.

Herein, meine Dame, rief der Kleine, geben Sie ihr ein Bier, und wandte sich dann seinen Begleiterinnen wieder zu. Das ist doch kein Problem. Was glaubt ihr, wie sich die Leute in Berlin um das Projekt reißen. Wohin sollen die denn mit ihren Alten? Das habt ihr doch gehört, was da für Preise für Bauland genommen werden. Seniorenanlagen sind da nicht mehr drin. Ist ja alles gut und schön, Familie und Zusammenhalten und so. Aber wer will denn heutzutage noch die Alten bei sich in der Wohnung haben. Von den Geldleuten meine ich. Partys, Empfänge, Geschäftsbesuche und die Omma immer mittendrin. Nee, da liegen wir schon richtig.

Aber gleich zwanzig Kilometer Küste, sagte die Junge. Sie sagte es bewundernd. In ihrer Stimme war der breite Dialekt der Einheimischen zu erkennen.

Natürlich, hier muß man klotzen, nicht kleckern.

Herbert ist eben keiner, der sich mit kleinen Sachen abgibt, sagte die Ältere. Auch sie war aus der Gegend. Der Ausschnitt ihres Kleides war entschieden zu tief für das Abendbrot in einer Dorfkneipe. Vielleicht war er der Grund, weshalb die Männer an der Theke nur staunten, aber nichts sagten. Herbert legte die Arme um beide Frauen, zog sie an sich, ließ sie wieder los und griff nach seinem Bierglas. Sein Gesicht war so aufgequollen, daß die Augen darin fast verschwanden.

Zahlt er auch wirklich, fragte Bella leise die neben ihr stehende Wirtin. Die sah sie unwillig an, sagte nichts und wandte ihren Blick wieder Herbert zu.

Ein Altenpark, wie in Florida, sage ich euch. Ein Milliardenprojekt, Euro-Maßstab, ach, was sage ich: Weltmaßstab. Dann ist es hier vorbei mit der Arbeitslosigkeit. Solche Leute wollen bedient werden, gepflegt, bekocht.

Is ja alles gut und schön, sagte einer der Männer vom Tresen her. Aber hier is nu mal nicht Florida; von wegen dem Wetter.

Damit hatte er Herbert sein Stichwort gegeben. Mit einer beinahe würdevollen Kopfbewegung wandte er sich dem Mann an der Theke zu.

Ich wundere mich, sagte er, ich wundere mich immer wieder. Aber Sie können ja nichts dafür. So ein System, das die Leute in Unwissenheit hält, ist eben verbrecherisch. Guter Mann, solche Dinge baut man heute mit Innenhöfen unter Solarbeschuß. Schon mal was davon gehört? Da werden die alten Leutchen noch im Alter brauner als eure Broiler es je gewesen sind.

Ist das denn gesund, Herbert? Die Junge schmiegte sich an und wartete mit hochgeklappten

Augendeckeln auf eine Antwort. Bella betrachtete die Wirtsleute und die Männer am Tresen. In ihren Gesichtern überwog die Hoffnung, daß wahr sein möge, was ihnen der Dicke gerade erzählte. Wahrscheinlich hatten die Männer keine Arbeit mehr. In solarbeschossenen Innenhöfen Blumenbeete zu pflegen mochte ihnen als wunderbare Alternative erscheinen.

Wie als Antwort auf Bellas Überlegungen begann Herbert wieder zu reden. Den Gesundheitseinwand hatte er wohl überhört.

Sie nehmen es mir nicht übel, Herr Wirt, wenn ich feststelle, was sowieso schon jeder sehen kann: Hier ist doch nichts los. Der Laden ist doch tot.

Früher, begann der Wirt, aber Herbert unterbrach ihn. Früher, früher – da haben hier vielleicht eure Kolchosbauern ihr Feierabendbier getrunken. Wenn ihr damit zufrieden wart, na gut, das ist eure Sache.

Wen meinen Sie eigentlich mit »ihr«? fragte Bella.

Alle Gesichter wandten sich ihr zu, die Männer am Tresen stumpf, die Wirtsleute ängstlich – was fürchten sie eigentlich –, die Damen dumm kichernd. Herbert schien entzückt über die neue Gesprächspartnerin, aber Bella sah gleichzeitig ein wachsames Funkeln in den Augen des Dicken. Er hatte sie erkannt. Sie war aus dem Westen und vorsichtiger zu behandeln als die Einheimischen.

Gute Frau, sagte er, das klingt aber sehr böse. Dafür gibt's überhaupt keinen Grund. Wenn Sie nicht zu den Miesmachern gehören, natürlich. Solche Miesmacher – er wandte sich an die

Wirtsleute –, solche Miesmacher gibt's zur Zeit überall; das können Sie mir glauben. Ich komme weit rum in der Welt –

Er kommt gerade aus Marbella, sagte die Junge, aber niemand hörte hin.

– alles starrt gebannt auf die Deutschen. Werden sie mit der neuen Herausforderung fertig? Aber denen werden wir's zeigen. Und was den Umweltschutz angeht, da sind wir sogar Spitze. Wollen Sie wissen, wie hoch der Anteil für Umweltschutz ist, den wir bei unserem Projekt einplanen?

Lassen Sie mich raten, sagte Bella. Hundert Millionen? Hundertvierzig, sagte die Ältere strahlend, so strahlend, als hätte sie die Millionen gerade im Lotto gewonnen.

Da hören Sie es aus berufenem Munde. Soeben hat Ihnen die Umwelt-Dezernentin des Landkreises eine Auskunft gegeben, die eigentlich noch nicht unter die Leute sollte. Also, Schweigen bitte. Sie gefährden sonst den Job dieser Dame.

Er kniff der Umwelt-Dezernentin in den rundlichen, nackten Oberarm und lachte dabei in die Runde.

Ich geh' nach oben, sagte Bella zur Wirtin. Würden Sie mir ein paar belegte Brote bringen? Ich find's heute abend hier ausgesprochen laut.

Sie verließ den Raum, ohne eine Antwort abzuwarten. Der Hausflur war kalt. Oben hatten sich auf den Fensterscheiben Eisblumen gebildet. Im Zimmer empfing sie muffige Wärme. Sie machte kein Licht und tastete sich im spärlichen Schein der Außenlampe zu den Fenstern.

Die Laterne am Gasthaus war das einzige Licht,

das die Dorfstraße beleuchtete. Auf dem Anger gegenüber glitzerte der Schnee, wurde blau und dunkel, löste sich in Finsternis auf. Die Fenster der Häuser waren schwarz. Als sie lange genug in die Dunkelheit gesehen hatte, erkannte sie Eiszapfen an den Rändern der niedrigen Strohdächer. Von unten aus der Gaststube hörte sie kurz ein lautes Lachen, als die Tür aufgemacht und gleich danach wieder geschlossen wurde. Die Wirtin kam die Treppe herauf. Sie klopfte und öffnete die Tür.

Mein Gott, Sie haben ja gar kein Licht gemacht, sagte sie.

Bella ging ihr entgegen, drückte auf den Schalter neben der Tür und nahm der Wirtin das Tablett aus den Händen. Ist manchmal auch ganz schön im Dunkeln, sagte sie. Manche Sachen sieht man da besser.

Die Wirtin blieb in der Tür stehen und antwortete nicht. Ich wollt', ich könnt' auch ins Bett gehen, sagte sie schließlich. Gott sei Dank werden die hier nicht übernachten. Es macht Ihnen doch nichts aus, wenn ich den Ofen morgen früh erst um sieben anmache? Das wird noch eine lange Nacht da unten. Wer weiß, was der noch aus der Küche will. Solche Leute haben manchmal die sonderbarsten Wünsche.

Nein, es macht mir nichts aus, sagte Bella. Ich möchte sowieso gern lange schlafen.

Dann gute Nacht, sagte die Wirtin. Sie schloß die Tür hinter sich. Bella hörte sie die Treppe hinuntergehen. Sie sah auf den Teller mit Wurstbroten. Er sah appetitlich aus. Sie würde die belegten Brote schnell essen, bevor die Fettstücke in der Mettwurst zu glänzen begannen.

Ihre Arbeit in der Garderobe des Hotels war gegen zweiundzwanzig Uhr beendet. Das war früher so gewesen, und die neuen Besitzer, von denen niemand wußte, wer sie eigentlich waren, hatten daran nichts geändert. Die alte Frau packte die leere Milchflasche und die Brotdose in einen Beutel, zog ihren Mantel an und ging. An der Rezeption war niemand, und so ging sie, ohne sich zu verabschieden.

Im Sommer, wenn es abends lange hell blieb, war der Nachhauseweg auf dem Fahrrad der schönste Teil des Tages. Die Autos waren weg, das Licht über dem Wasser schien dunkel und durchsichtig zugleich. Wenn sie das Dorf am Stadtrand und die Ruinen des Klosters erreicht hatte, sausten die Schwalben mit kleinen Schreien über ihr in der Luft herum; und ein Stück hinter dem Dorf, auf der Landstraße in Höhe des Bierkellers, flatterten lautlos die Fledermäuse. Manchmal, in den langen Sommernächten, brauchte sie nicht einmal das Licht anzumachen, wenn sie zu Hause angekommen war. Jetzt, im Winter, war es schon dunkel, wenn sie zur Arbeit fuhr. Der Weg vom Dorf zum Hotel war beinahe drei Kilometer lang. An manchen Stellen gab es neben der Straße einen Fahrradweg, da fuhr es sich sicherer. Jedenfalls auf dem Heimweg, wenn die Straße von vorüberfahrenden Autos beleuchtet wurde. Jetzt, auf dem Rückweg, war es sehr dunkel. Die alte Frau war froh, daß sie den Weg gut kannte.

Wie oft um diese Jahreszeit kam der Wind von Osten. Aber er war so leicht, daß sie nicht absteigen und das Rad schieben mußte. Nur die Hände wurden kalt.

Es fiel ihr schwer, den Schlüssel aus der Manteltasche zu ziehen und in das Schlüsselloch zu stecken. Als sie die Treppe emporstieg, bemühte sie sich, keinen Lärm zu machen. Sie kannte das Haus genau. Auch die Treppe kannte sie seit fünfzig Jahren. Von Anfang an hatten die dritte und die achte Stufe geknarrt. Früher waren ihr die Geräusche, die die Treppe machte, gleich gewesen. Sogar als die Kinder hundertmal am Tag hinauf- und hinuntergelaufen waren, hatte sie das Knarren nicht gestört. Inzwischen waren die Kinder aus dem Haus. Sie war einverstanden gewesen, daß das Haus verkauft wurde. Sie bekam oben das kleine Zimmer und blieb dort. Es war so, wie die Kinder es ihr vorausgesagt hatten: Du bleibst in deiner vertrauten Umgebung, und wir haben das Geld, um uns ein neues Haus zu bauen. Und um den Garten brauchst du dich auch nicht mehr zu kümmern.

Nur, daß sie sich angewöhnt hatte, die dritte und die achte Stufe nicht mehr zu benutzen. Und abends, wenn sie nach Hause kam, im Treppenhaus kein Licht zu machen.

In ihrem Zimmer war es warm. Die neuen Besitzer hatten bald nach dem Einzug im ganzen Haus Zentralheizung einbauen lassen. Sie zog ihren Mantel aus, stellte sich mit dem Rücken an die Heizung, hielt die kalten Hände hinter sich auf den Heizkörper und sah auf das Puppenhaus neben dem Fußende des Bettes. Die winzige Stehlampe darin beleuchtete einen kleinen orangeroten Tisch und zwei Sessel. Sie hatte zuviel geredet am Nachmittag. Diese Sache mit der Zeit – wen geht das was an. Ich weiß nicht, was da auf einmal über mich gekommen ist, dachte sie, jedenfalls gelacht hat sie nicht.

Sie wartete, bis ihre Hände warm und beweglich geworden waren. Die Hausschuhe standen unter dem Bett. Sie zog sie an und setzte sich auf den Hocker, der vor dem Puppenhaus stand. Oma spinnt ein bißchen, hatten die Kinder zuerst gesagt. Aber dann, als die Einrichtung nach und nach vollständiger wurde, sie die Stoffe erkannten, aus denen die Kleider und Anzüge der Puppen gemacht waren und die Tapeten in den Zimmern genau so aussahen, wie die Tapeten früher im Haus ausgesehen hatten, da waren sie still geworden. Und als die Älteste irgendwann mal gesagt hatte: Mutter, der Platz des Kachelofens stimmt nicht. Der türkisgrüne stand im anderen Zimmer, da hatte sie gewußt, daß sie nicht mehr über sie lächelten. Die Dauerbeleuchtung in der Stehlampe war eine Idee des Schwiegersohns gewesen. Er arbeitete als Elektroingenieur. Irgendwann, als sie ihm wieder einmal wegen einer neuen Batterie in den Ohren gelegen hatte, war er mit einem Trafo und ein paar dünnen Leitungen aufgetaucht und hatte eine Verbindung zur Steckdose hergestellt.

Ihr Blick fiel auf die winzige männliche Puppe, die in der Küche neben dem Herd stand. Sie nahm die Puppe in die Hand und tastete leicht mit den Fingerspitzen über den Anzugstoff. Damit hatte es angefangen. Das Puppenhaus war schon dagewesen. Der Mann hatte es für die Älteste gebaut, bald nachdem sie hier eingezogen waren, eine genaue Nachbildung des großen Hauses. Später hatte es jahrelang auf dem Boden herumgestanden. Mit dem Anzug, den sie sich geweigert hatte, wegzuwerfen, und zusammen mit den alten Kleidern der Kinder hatte sie es in ihr Zimmer geholt, als das Haus verkauft worden war. Damals als sie völlig unvorbereitet und ohne sich etwas dabei zu denken, den Anzugstoff berührte, war plötzlich die Erinnerung an den Mann, der seit sechzehn Jahren tot war, so heftig gewesen, daß sie sich setzen mußte. Sie hatte die Augen geschlossen und seine Arme um ihre Schultern gespürt und den Stoff seines Jacketts in ihren Handflächen. Später, als das Gefühl in den Händen nachließ und sie die Augen öffnete, war ihr beim Anblick des verstaubten Puppenhauses und des Haufens alter Kinderkleider die Idee gekommen, alles nachzubauen.

Das war nicht einfach gewesen. Was für ein Freudentag, als sie in der Stadt vor dem Tapetengeschäft auf einem Abfallhaufen das Buch mit den Mustern gefunden hatte. Der Ladeninhaber hatte es weggeworfen. Sicher gab es die Fabrik nicht mehr, die die Tapeten hergestellt hatte. Für sie war der Fund ein richtiger Schatz gewesen. Oder als unten im Haus die Kachelöfen herausgerissen wurden, da waren ein paar Scherben in ihrem Beutel gelandet. War ziemlich mühsam gewesen, daraus die kleinen Öfen zu kleben.

Sie setzte die Puppe zurück in die Küche und stand auf. Die Knie taten ihr weh. Sie freute sich darauf, ausgestreckt im Bett liegen zu können. Unten im Haus ging eine Tür auf und wieder zu. Manchmal, wenn sie im Bett lag, hatte die alte Frau das Gefühl, als warteten die da unten auf ihren Tod oder darauf, daß sie ins Heim ging. Aber tagsüber, wenn sie sich trafen, waren sie immer freundlich zu ihr. Sollten sie warten. Sie hatte noch Zeit. In ihrer Familie wurden die Frauen alt. Was hatte sie nur geredet zu der Frau im Hotel. So aufdringlich. Ach was, die hätte ja weggehen können. Weshalb sie wohl die Böhmer suchte. Böhmer, das war auch so ein Kapitel für sich. Meinen haben sie eingesperrt. Der Böhmer hat sich hier gar nicht erst blicken lassen. Denen ist es bestimmt nicht schlecht gegangen da drüben. Damals konnten sie nicht schnell genug hier wegkommen. Die Christa hätte ich nicht wiedererkannt. Sieht ihrer Mutter gar nicht ähnlich. Ein grünes Kleid hatte sie an, so grün –

Sie waren daran gewöhnt, nicht früh schlafen zu gehen. Das brachte der Betrieb so mit sich. Als sie aus dem Bierkeller zurückkamen, war es kurz nach Mitternacht. Nicht besonders spät also. Er war in das Restaurant gegangen und hatte ihnen beiden Schnaps eingegossen. Sie trank sonst keinen Schnaps. Aber er hatte geglaubt, der Alkohol würde die Frau aus der Erstarrung holen. Irgendwann unterwegs hatte sie sich aus seinem Arm losgemacht. Er hatte gespürt, wie diese merkwürdige Starre in sie zurückkehrte. Das war ihm unheimlich. Sie tranken schweigend die Gläser leer. Er schenkte noch ein zweites Glas ein. Sie trank auch das ohne Widerspruch leer, fast gierig, so als hätte sie selbst den Wunsch, die Wirkung des Beruhigungsmittels zu vertreiben. Erst nach dem dritten Glas sprachen sie miteinander. Er hatte nur die Notbeleuchtung hinter dem Tresen eingeschaltet. Sie konnten sehen, wie draußen vor den Fenstern der Schnee in dichten Flocken fiel.

Es schneit noch immer, sagte er.

Ja, sagte sie. Wann sagst du es mir?

Ist das denn so wichtig, sagte er. Was geschehen ist, ist geschehen. Weshalb willst du es wissen.

Ich bin deine Frau, sagte sie, und ich kann nicht –

Als sie nicht weitersprach, sah er sie an. Ihr Gesicht war grau wie ihre Haare. Auf die Wangenknochen hatte der Schnaps zwei rote Flecken gezeichnet. Er konnte sehen, daß sie mit ihren Gedanken weit weg war, irgendwo, wo er keine Rolle spielte. Er wollte ihr nicht sagen, weshalb er die Frau getötet hatte. Aber er begriff, daß sie für ihn eine Gefahr werden konnte. Er mußte sie vertrösten, sie hinhalten, bis sie sich wieder beruhigt hatte.

Natürlich, sagte er, du bist meine Frau. Alles teilen, wie? Die guten und die bösen Tage. So soll es sein. Du mußt dich nur erst mal beruhigen. In zwei, drei Tagen. Was hältst du davon, wenn wir ein paar Tage wegfahren. Den Laden hier machen die Kinder auch allein.

Nein, sagte die Frau. Wegfahren nicht.

Geht auch gar nicht, sagte er, war mir nur so eingefallen. Übermorgen ist Gemeinderatssitzung. Da wird über meinen Antrag entschieden, du weißt doch, den Utkiek. Sieht wohl nicht gut aus, wenn ich nicht dabei bin. Ich bin sicher, der Antrag geht durch. Kannst du dir das vorstellen? Du als Wirtin vom Utkiek? Was meinst du, vielleicht solltest du dann deine Haare färben. Wir sind ein bißchen spät dran mit dem neuen Leben. Aber zu alt sind wir nicht.

Er lachte sie aufmunternd an. Sie verzog die Lippen mit Mühe zu einem Lächeln. Sie wirkten, als seien sie gelähmt und nur schwer zu bewegen.

Möchtest du noch etwas trinken, fragte er. Sie schüttelte den Kopf. Er brachte die Gläser und die Flasche zurück. Die Gläser wusch er ab. Sie sah zu ihm hinüber.

Du verwischst unsere Spuren, sagte sie. Es klang jetzt wie ein Lallen, wenn sie sprach. Das ist gut, alles abwischen. Er sah erschrocken zu ihr hin. Weshalb sagte sie das? Was ging sie die ganze Sache an, verdammt. Er hätte ihr nichts sagen sollen. Er mußte sich zusammennehmen, um sie nicht anzuschreien.

Komm jetzt, sagte er. Wir gehen schlafen. Du wirst bestimmt gleich schlafen.

Aber sie schlief nicht. Sie lag ruhig da, wie es ihre Art war, gerade auf dem Rücken, den Kopf tief ins Kissen gedrückt, mit geschlossenen Augen.

Was hältst du davon, fragte er nach einer Weile. Ich hatte gedacht, wenn der Antrag durch ist, machen wir da oben einen Eintopfsonntag. Jetzt, wo's so schön kalt ist. Das könnte doch 'ne gute Reklame für uns sein. Ich kenn' den Chef der Truppe, die am Flugplatz liegt. Er war schon ein paarmal hier. Die leihen uns bestimmt ihre Gulaschkanone. Wenn ich das in der Gemeinderatssitzung sage, bei den vielen Arbeitslosen, mit denen die sich rumquälen. Das wär doch mal was. Könnten wir jeden Winter machen.

Noch hast du den Utkiek nicht, sagte sie. Sie sprach lauter, als er erwartet hatte. Etwas wie Trotz meinte er in ihrer Stimme zu hören. Er griff nach ihrer Hand. Sie war kalt und erwiderte seinen

Druck nicht. Eine Weile versuchte er ihre Hand zu wärmen. Er rückte dichter an sie heran und zog die Hand schließlich unter seine Decke. Sie zog die Hand nicht zurück, als er sie zwischen seine Beine schob. Sie wehrte sich auch nicht, als er sich ihren Körper so zurechtlegte, daß er sie bequem beschlafen konnte.

Er war längst eingeschlafen, als sie noch immer wach dalag und gegen die Decke sah. Ihre Hände waren kalt geblieben. Manchmal legte sie die Handflächen gegeneinander, um zu prüfen, ob die Hände wirklich leer waren. Sie waren leer, aber das Gefühl, das das Seil des Schlittens in ihnen hervorgerufen hatte, war trotzdem da. Wenn ihr doch nur einfiele, was Werner ihr damals erzählt hatte – Irgendwann dachte sie an ihren Vater. Sie hätte ihn gern gefragt, was sie tun sollte. Er hatte immer auf alles eine Antwort gewußt. Aber dies – hätte sie ihn dies fragen können? Sie wußte, es wäre unmöglich gewesen. Er hätte von ihr verlangt zu handeln. Es gab nichts zu fragen. Für ihn war immer alles ganz einfach gewesen. Sie erinnerte sich an einen kalten Regentag. Sie hatten die Schule vorzeitig beendet und waren auf das Feld geschickt worden, um Kartoffelkäfer abzusammeln. Verdreckt, mit steifen Fingern, war sie nach Hause gekommen und hatte vor Erschöpfung geweint. Heul nicht, hatte er gesagt, wenn sie etwas von dir verlangen, das du nicht schaffst, dann sag es ihnen. Aber heul nicht.

Wie schön wäre es gewesen, wenn der Älteste mehr von ihrem Vater gehabt hätte. Er sah ihm ähnlich, das war richtig. Aber sonst? Nein, daran wollte sie nicht denken. Nicht an diesen Sohn. Der

Mann neben ihr schnarchte. Er war so lebendig. Er hatte Pläne. Sie dachte nicht: Weshalb hat er die Frau getötet. Sie dachte: Weshalb hat er »das« getan. Sie versuchte darüber nachzudenken, was sie tun sollte, ohne daran zu denken, was geschehen war. Wieder spürte sie das kalte Seil in ihren Handflächen. Sie kroch leise aus dem Bett, ging ins Bad und begann in der Kommode zu kramen, die hinter der Tür stand. In der untersten Schublade fand sie die Schachtel mit dem Heizkissen. Vorsichtig, um den Mann nicht zu wecken, suchte sie im Dunkeln den Stecker der Nachttischlampe, zog ihn heraus und steckte den Stecker des Heizkissens in die Steckdose. Dann kroch sie zurück ins Bett, zitternd vor Kälte, legte sich das Heizkissen auf den Bauch und wartete darauf, daß es warm wurde. Sie hatte die Hände auf das flache Kissen gelegt. Ganz langsam verschwand das Seil aus den Handflächen. Sie schlief ein.

Ja, Vater, sagte sie im Traum. Er hatte sie an die Hand genommen und ging mit ihr auf den Strand zu. Es roch nach Seetang. Die scharfen Kanten der Muscheln drückten sich in ihre nackten Füße. Ja, sagte sie, ich bleibe hier sitzen, bis du zurückkommst. Sie bemühte sich zu lachen, aber sie hatte furchtbare Angst. Der Vater ließ ihre Hand los und ging ins Wasser. Das Wasser war flach. Er ging sehr weit hinaus. Sie sah seine flatternde schwarze Badehose, als er auf einen Stein stieg und ihr zuwinkte. Sie wollte den Arm heben, um zurückzuwinken, aber der Arm war steif. Sie konnte ihn nicht hochheben. Sie konnte sich überhaupt nicht mehr bewegen. Der Vater war verschwunden. Das

Wasser stieg. Es umspülte ihre nackten Füße, kam glucksend und gurgelnd näher. Schließlich erreichte es ihren Bauch, dann die Brust. Einmal tauchte weit hinten im Meer der Vater auf. Sie versuchte zu rufen, und das Wasser lief ihr in den geöffneten Mund, und hustend und gurgelnd, naß von Schweiß und kalt unter der Decke, trotz des Heizkissens, erwachte sie. Durch die schmalen Ritzen neben den schwarzen Papprollos kam graues Licht. Sie hatten verschlafen. Der Mann neben ihr saß aufrecht im Bett. Vielleicht hatte ihn ihr Husten geweckt. Er sah nicht zu ihr hinüber, setzte die Beine aus dem Bett, stand auf und zog die Papprollos hoch.

Hat die ganze Nacht geschneit, sagte er. Sieht schön aus draußen. Da kommt bestimmt heute noch mehr runter. Er verließ das Schlafzimmer. Sie hörte ihn im Badezimmer rumoren. Das Heizkissen war kalt. Der Stecker war nicht fest genug eingesteckt gewesen. Im Bett sitzend, zog sie die Schnur vom Boden zu sich herauf. Da war es wieder, dieses Gefühl, das das kalte Seil in ihren Handflächen hinterlassen hatte.

Über der Tür hing ein Brett, ein Stück Treibholz mit abgeschliffenen Kanten. Es hing schief, so daß Bella den Kopf zur Seite legen mußte, um die Aufschrift zu entziffern, die mit schwarzer Ölfarbe daraufgemalt worden war:

Nichts wäre besser in dieser verfallenen Schenke als keine Ankunft, kein Aufenthalt und kein Abschied.

Diesmal hatte sie die Stadt in Richtung Süden verlassen. An Neubauvierteln und oberirdischen Heizungsrohren vorbei war sie eine Viertelstunde auf der Landstraße gefahren, bevor sie auf der rechten Seite den Hügel sah und den Hof, den sie für das Haus des Malers hielt. Nun stand sie davor und blickte sich um. Ein paar hundert Meter entfernt stand der Wagen, mit dem sie gekommen war, am Straßenrand. Sie hatte ihn dort stehengelassen, weil der Feldweg, der zu dem einzeln liegenden Hof führte, zu verschneit war, als daß sie ihn hätte nehmen können. Der Weg war seit Tagen nicht befahren worden. Eine dünne Fußspur war zu erkennen, die nicht alt sein konnte. Sie sah hoch. Aus dem Schornstein im Strohdach stieg leichter grauer Rauch. Der graue Himmel hing so tief über dem Dach, daß der Rauch nicht lange zu sehen war. Bella trat nahe an die Haustür heran. Eine Klingel gab es nicht. Sie schlug kräftig mit der flachen Hand gegen das Holz. Sie hatte sich bemerkbar machen wollen, in der Hoffnung, hereingebeten zu werden. Statt dessen gab die Tür langsam nach, aber niemand sagte etwas. Sie wartete einen Augenblick, klopfte und schob die Tür auf, obwohl sie keine Antwort bekam. Schnee rutschte der Tür nach. Sie trat schnell ein und schloß die Tür hinter sich. Von außen hatte das Haus ausgesehen wie die alten, mit Stroh gedeckten Fischerhäuser, die in der Gegend seit Hunderten von Jahren gebaut wurden. Auf einer großen Grundfläche versammelten sie viele kleine Räume unter dem tiefgezogenen Dach. In diesem Haus gab es innen keine Wände. Ein einziger großer Raum, freigelegte Dachspanten, in der Ecke, dort, wo früher einmal der Herd oder der Kamin gestanden haben mochte, war ein russischer Ofen gebaut worden. Auf der hohen Ofenbank lagen Decken.

Auf den übrigen hundertfünfzig Quadratmetern herrschte die Art Unordnung, die entsteht, wenn jemand nur seiner Arbeit lebt; Unordnung nur für die anderen. Sie war sicher, daß der Mann, der an der Wand gegenüber der Tür stand und ihr den Rücken zuwandte, jedes Stück, das er brauchte, sofort finden würde.

Du kommst spät, sagte er. Als Bella nicht antwortete, wandte er sich um und sah sie an.

Hau'n Sie ab, sagte er. Seine Stimme klang nicht gleichgültig, sondern verächtlich. Ich verkaufe nicht an Museen.

Er stand mit dem Rücken zum Fenster. Sie konnte sein Gesicht nicht erkennen, aber die Stimme und seine Gestalt gefielen ihr. Er erinnerte sie ein klein wenig an Eddie, aber sie war sicher, der Eindruck würde bald schwinden. Der da war Persönlichkeit genug, um für sich allein zu stehen. Zwischen den Scheiben des Doppelfensters in seinem Rücken standen Flaschen; Wodka, Schnaps und Wein, soweit sie erkennen konnte.

Ich kaufe keine Bilder, sagte sie. Ich will mit Ihnen reden. Sie hätten wohl nicht zufällig einen Wodka für eine Frau mit kalten Füßen?

Soll das ein Witz sein, fragte er, wandte sich aber um und öffnete den inneren Fensterflügel, um eine Flasche Wodka aus dem Kühlfach zu holen. Bella tat ein paar Schritte und sah sich nach einer Sitzgelegenheit um. Sie sah nichts außer einer niedrigen Holzbank um den Ofen herum und ging darauf zu.

Raus aus meinem Schlafzimmer, brüllte hinter ihr der Maler. Sie blieb stehen und wandte sich um. Sie sahen sich an. Bella konnte jetzt sein Gesicht sehen. Er war mindestens fünfzehn Jahre jünger als sie, sah aber nicht jünger aus. Er sah aus wie jemand, der lebt, während die anderen schlafen, und der zuviel trinkt. Eigentlich sah er genau so aus wie der, auf den Bella gerade Lust hatte.

Sie dachte an die Fahrt, die sie hinter sich hatte, den tiefen grauen Himmel und die weißen Felder.

Weiden im Schnee hatte sie gesehen, Erlkönigs Töchter bei Tage. In einem verschneiten Schrebergarten hatte, einziger Farbfleck, an einem halbhohen Mast eine DDR-Fahne wie hilfesuchend geflattert. Einmal war eine Schar Gänse über sie hinweggeflogen. Sie hatte das Fenster des Wagens aufgemacht und, langsamer fahrend, auf die feinen Schreie aus der Luft gehört. Am Weg, den sie bis zum Haus zu Fuß gegangen war, standen zu beiden Seiten verschneite Schlehenbüsche. Unter dem letzten hatte eine erfrorene Drossel gelegen, schwarz wie die dicken Schlehen, die hier und da an den verschneiten Zweigen zu erkennen waren.

Ich hab' nichts gegen Schlafzimmer, sagte sie langsam. Sie war nicht ganz sicher, wie er reagieren würde. Sie kannte ihn seit zwei Minuten, und was sie über ihn gehört hatte, war nicht gerade viel.

»Verlumpt«, hatte die Alte im Hotel gesagt. Die Wirtin in ihrer Pension kannte den Maler nur vom Hörensagen und wußte, er sei »überall rausgeflogen«. Aber was hatte sie zu verlieren, »Überall rausgeflogen« war doch eigentlich eine Empfehlung.

Kann schiefgehen, wenn sich die Schneekönigin auf einen Ofen setzt, hörte sie den Maler langsam sagen. Er grinste und setzte sich in Richtung Ofenbank in Bewegung. Bella ging vor ihm her. Sie spürte seine Blicke auf ihrem Hintern.

Der warme Ofen im Rücken war angenehm. Der Maler stellte die beschlagene Flasche auf die Bank und suchte aus einem Stapel Wassergläser zwei einigermaßen saubere heraus.

Sie tranken sich zu. Er sah sie neugierig an.

Erst die Arbeit? sagte er.

Erst die Arbeit, antwortete Bella. Ich möcht' gern etwas über Ihren Vater wissen. Was ist er für ein Mensch? Sie sah, daß er kurz überlegte, ob er sie noch einmal rauswerfen sollte, diesmal endgültig. Dann grinste er hinterhältig.

Der hat eine Rechnung zu begleichen, dachte Bella. Vorsicht!

Mensch – ich weiß nicht, ob das das richtige Wort ist. Schwein wäre besser, opportunistisches Schwein, würde ich sagen. Er ist zur Zeit in der CDU. Das bekommt seinen Plänen am besten. Davor war er in der SED. Und wissen Sie, wohin er gehen wird, wenn die Zeit der CDU vorbei ist? Und die ist bald vorbei, das garantiere ich. Moment, ich zeig's Ihnen.

Er stand auf, ging durch den Raum und begann an der gegenüberliegenden Wand in einer Kiste zu kramen. Es sah aus, als suche er zwischen Büchern herum. Schließlich fand er, was er gesucht hatte. Er hielt Bella ein schmales dunkelrotes Buch mit der Aufschrift »Auerbachs Deutscher Kinderkalender 1942« entgegen.

Ich werde Ihnen etwas vorlesen, sagte er, damit Sie begreifen, welche Sorte Schwein ich meine. Er blätterte nicht, sondern öffnete das Buch an einer Stelle, die durch eine umgeknickte Seite gekennzeichnet war.

Verehrte Dame!
Ein Wort im Vertrauen! Sie sind mit dem Aussehen Ihres Gesichts nicht zufrieden. Sie sind zwar schön, aber doch wohl nicht schön genug. Sie merken das zu Ihrem Kummer bei mancherlei Gelegenheit, z. B. kommt es vor, daß ein Pferd, an dem Sie vor-

übergehen, ruckartig den Kopf nach der anderen Seite wendet, um Sie nicht ansehen zu müssen.

Ja, als Sie kürzlich im Zoo waren, reichte Ihnen der häßlichste Affe seine Hand durchs Gitter und sagte: »Sei gegrüßt, liebe Verwandte, wir werden uns von Tag zu Tag ähnlicher!«

Derlei kränkt.

Wir wissen es, und empfinden aufrichtiges Mitleid an Ihrem Kummer, den Ihnen Ihre große, aber doch nicht ausreichende Schönheit bereitet. Aber verzagen Sie nicht! Wir reichen Ihnen die Hand. Und was haben wir in der Hand?

Camillo Schlechtwetters Schönheitswundercreme:

»Ich bin die Schönste«, abgekürzt »IBIDISCHOE«.

Die Wirkung ist verblüffend. Wenn sie eine Woche lang Ihr allerliebstes ledergelbes Gesichtchen damit einreiben, explodiert am siebten Morgen Ihre Haut und fliegt mit klatschendem Geräusch gegen die Wand. Darunter wird eine zarte pfirsichfarbene, völlig neue Haut sichtbar. So wirkt »Ibidischö«. Aber »Ibidischö« tut noch viel mehr. Ihre hübschen, abstehenden Ohren, die so groß sind, daß ganze Geschwader faustgroßer Maikäfer sie als Anflugplatz benutzen können, legen sich von selbst an den Kopf und werden winzig klein. Ihre reizenden, wulstigen und schaufelförmigen Lippen –

Hören Sie auf, sagte Bella, das reicht. Sie werden mir nicht erzählen wollen, daß diese primitive antisemitische Hetze heute noch irgendeine Rolle im

Leben Ihres Vaters spielt. Damals war er ein Kind. Wenn er solche Sachen gelesen hat –

Es ist mir scheißegal, was er damals gelesen hat, sagte der Maler. Er legte den Kinderkalender neben sich auf die Bank und schüttete Wodka in sein Glas. Das letzte Mal, als ich ihn so ähnlich reden gehört habe, muß er so um die Vierzig gewesen sein. Allerdings besoffen. Prost.

Schade, dachte Bella. Sie schüttelte den Kopf, als der Maler die Flasche hochhielt. Männer mit Vaterkomplex waren ihr zuwider. Klein-Bubi braucht ein Vorbild. Und wenn's damit nicht klappt, wird er ungemütlich. Oder zynisch. Oder säuft. Sie stand auf und setzte ihr Glas auf die Bank.

Ich würd' mir gern Ihre Bilder ansehen, darf ich?

Er sagte nichts, hob die Schultern und wies mit der Hand, die das Glas hielt, in den Raum. Die ersten Bilder gefielen ihr nicht. Sie ging von einem zum anderen und begriff erst allmählich, was sie sah: von Menschen leere Landschaften, hinter deren äußerer Schönheit Entsetzen hervorkroch, manchmal als häßliche Fabelgestalt, dann wieder als blutiger Klumpen Fleisch oder verfaulendes Tier. Es waren die Landschaften, die sie bewundert hatte, als sie im Zug hierhergefahren war, nur zeigten sie eine untergehende Welt. Die tote Drossel im Schnee fiel ihr ein und die Idylle, die sie damit verbunden hatte, als sie sie dort liegen sah. Sie machte einen mühsamen Versuch, sich zu verteidigen.

Aber es ist noch nicht entschieden, oder? sagte sie und wußte im gleichen Augenblick, daß sie unrecht hatte, in seinen Augen jedenfalls und wahrscheinlich auch, wenn sie genau darüber nachdachte.

Komm her, sagte er statt einer Antwort. Sie sah sich um. Seine Kleider lagen auf dem Boden. Er war auf die obere Ofenbank gestiegen, hatte eine Wolldecke um sich gezogen und sah sie an. Sie ging zurück an den Ofen, nahm ihr Glas und hielt es ihm entgegen.

Während er das Glas füllte, sagte er:

Mein Herz schlägt nach dem Unerreichten,
Und jung mein rasches Blut erblüht,
Wenn hinter Wolken, fedrig leichten,
Vor mir die erste Liebe glüht.

Sie kannte die Antwort, aber es schien ihr aufregender, ebenfalls auf den Ofen zu steigen, als Verse ihres Großvaters zu zitieren. Vielleicht ergab sich später dazu eine Gelegenheit.

Später war es dunkel. Sie beschlossen spazierenzugehen, nahmen Bellas Wagen und fuhren ans Meer. Sie gingen eine Weile über den vereisten Strand, hielten ihre Gesichter in einen kleinen scharfen Ostwind und sahen einen großen Mond auf dem flachen, weiten, dunklen Wasser. Als sie Hunger bekamen, fanden sie ein Gasthaus. Sie aßen Fisch, rochen die Tannen der vorweihnachtlichen Dekoration auf dem Tisch, und Bella betrachtete die Fischer, die in einer Ecke am Stammtisch saßen, ihre Bärte ins Bier hielten und leise miteinander sprachen. Sie saßen da wie vor hundert Jahren, als sei die Zeit an ihnen vorübergegangen.

Nach dem Essen machten sie einen Spaziergang auf die Mole. Steinplatten waren vom Schnee freigelegt worden. An manchen Stellen hatte sich eine dünne Eisschicht gebildet. Sie hielten sich aneinander fest, um nicht ins Wasser zu rutschen. Am Ende der Mole stand ein Leuchtturm. Um den Molenkopf herum war ein eisernes Geländer angebracht worden. Wenn man sich mit dem Rücken dagegenlehnte und den Kopf hob, konnte man das grüne, dem Meer zugewandte Feuer des Leuchtturms sehen. Geradeaus vor ihnen, weit entfernt, so daß es ihnen vorkam, als seien sie allein, sahen sie die Lichter von Dorflaternen. Da irgendwo mußte das Lokal dieses Giese liegen.

Lehn dich nicht so fest gegen das Geländer, sagte Gieses Sohn neben ihr, es ist nicht sicher.

Laß nur, es hält, sagte Bella.

Würd' ich mich nicht drauf verlassen, antwortete er, hier hat einiges nicht gehalten, von dem man glaubte, es ware ewig.

Das Wasser schlug leise an die Mole. Ein Schwarm Gänse zog über sie hinweg, träge, wie schlaftrunken Schreie ausstoßend. Sehr schnell waren sie plötzlich von Nebelschwaden eingehüllt. Als sie zurückgingen, war der Mond verschwunden. Die Mole lag im Nebel. Sie gingen langsam und vorsichtig, um nicht abzustürzen. Plötzlich verschwand der Nebel, und der Himmel war hoch und sternenklar.

Bella brachte den Maler mit dem Auto bis an den Feldweg, der zu seinem Haus führte. Sie sah ihm nach, als er den Weg einschlug. Aus den Fenstern des Hauses fiel Licht. Sie war sicher, daß er das Licht ausgemacht hatte, bevor sie gegangen waren.

Am Morgen lag sie im Bett, sah gegen die Eisblumen an den Fensterscheiben und spürte nicht die geringste Lust aufzustehen. Kein Laut drang von draußen herein. Auch im Haus war es still. Ihr kam der Gedanke, daß die Bewohner des Dorfes, waren es hundert?, um sie herum von der gleichen Stille umgeben waren. Vielleicht lagen sie in ihren Betten und versuchten einen Laut zu hören, der ihnen bewies, daß sie noch zur Welt gehörten. Vielleicht saßen sie in ihren Küchen, brockten Brot in die Milch – mein Gott, Bella, du lebst nicht in den zwanziger Jahren und die Leute hier auch nicht. Sie rief sich zur Ordnung. Dennoch, wenn sie darüber nachdachte, hatte sie das Gefühl, nicht jetzt zu leben, sondern in der Vergangenheit angekommen zu sein. Die Gesichter der Bauern fielen ihr ein. Sahen Bauern heute so aus? Seit der Geschichte, die sie veranlaßt hatte, ihren Beruf als Polizistin aufzugeben, war sie nicht wieder in einem Dorf gewesen. Sie hatte eine Abneigung entwickelt gegen alles, was mit der

Natur zusammenhing, die so weit ging, daß sie begann, sich kritisch mit Gedichten auseinanderzusetzen, die sie vorher geliebt hatte. Plötzlich hatte sie es richtig gefunden, wenn man Naturlyrik als »Grashalme besäuseln« bezeichnete. Sie untersuchte die Gedichte ihres Großvaters und war froh darüber, daß sie darin nichts fand, das ihn auch nur in die Nähe von Grashalm-Besäuselern hätte bringen können. Alexander Block – der Maler hatte ihn gekannt. Sie lächelte, ohne es zu spüren. In den Schulen hier ist eine Zeitlang anderes gelehrt worden, dachte sie. Ob so ein paar Gedichtfetzen der Rest sind, das Übriggebliebene?

Was hatte die alte Frau im Hotel gesagt – die Menschen leben nicht nach der äußeren Zeit, sie leben nach der anderen. Nach welcher Zeit der Maler wohl lebte? Jedenfalls in seinen Bildern lebte er heute. Vielleicht, dachte sie, sind einzig Künstler fähig, den Widerspruch zwischen der äußeren und der anderen Zeit sichtbar zu machen. Wahrscheinlich war es so, wie John Berger geschrieben hatte: Die Malerei ist die Kunst, die uns daran erinnert, daß die Zeit und das Sichtbare miteinander, als Paar, ins Dasein treten. Ihre eigene Arbeit zu Hause fiel ihr ein. Seit einiger Zeit arbeitete sie an einer schlüssigen Interpretation des Pergamonaltars, der ihr die Abbildung eines furchtbaren Geschlechterkampfes zu sein schien. Dieser Altar, was war er anderes, als die geniale Darstellung einer kollektiven Erinnerung.

Der Gedanke an die Abhandlung, mit der sie sich zu Hause beschäftigte, ließ sie plötzlich ihre Anwesenheit in dem häßlichen, fremden Zimmer als vollkommen sinnlos empfinden. Was tat sie eigentlich hier? Was ging sie die verschwundene Frau an und was deren Mutter. Die lebte ganz sicher in anderen Zeiten.

Plötzlich empfand sie Ekel, wenn sie daran dachte, daß ihre nackten Füße den haarigen Teppich berühren würden, der vor dem Bett lag.

Die Stille vor dem Fenster wurde durch das Getucker eines heranfahrenden Treckers unterbrochen. Unten im Haus fiel eine Emailleschüssel auf den Steinfußboden. Es gab ein häßliches Geräusch. Bella kroch aus dem Bett und lief nackt über den eiskalten Flur zur Dusche. Auch hier waren die Fenster zugefroren. Während sie das warme Wasser genoß, betrachtete sie die Eisblumen, deren oberen Rand der Wasserdampf langsam auflöste. Ob es wohl einen Menschen gibt, der sich beim Anblick von Eisblumen nicht in die Kindheit zurückversetzt fühlt?

Während Bella duschte, waren die Bauern, die mit dem Trecker gekommen waren, in die Gaststube gegangen. Die Wirtin trug Bellas Frühstück vom Stammtisch an einen Tisch unter dem Fenster. Als Bella erschien, war sie damit beschäftigt, heißes Wasser in Gläser zu gießen, die halb mit Rum gefüllt waren. Ein Geruch nach Rum und Schnee schlug ihr entgegen. Sie grüßte und setzte sich zu ihrem Frühstück.

Die Männer musterten sie kurz, einer nickte einen stummen Gruß. Es waren drei, gleich darauf kam ein vierter zur Tür herein. Ein Schwall Schneeluft begleitete ihn. Die Bauern sahen aus, als wären sie lange in der Kälte gewesen. Sie tranken den heißen Grog, ohne etwas zu sagen, wärmten sich die Hände an den Gläsern und schwiegen, bis die Gläser leer waren.

Wenn der wirklich zurückkommt, sagte einer, wenn sie dem wirklich unser Land geben –

Sein Land, meinst du wohl.

Ich sage, wenn sie dem wirklich unser Land geben, dann garantier' ich für nichts mehr.

Bella sah zu dem Mann hinüber, der gesprochen hatte. Vielleicht war er fünfzig, vielleicht sechzig Jahre alt, klein und dünn, mit großen kräftigen Händen, in denen das Glas verschwand. Er hatte, wie alle anderen, die Mütze aufbehalten, eine olivfarbene, gefütterte Stoffmütze, deren Ohren- und Nackenklappen eigentlich auf dem Kopf zusammengebunden wurden, jetzt aber, als Schutz vor der Kälte, heruntergeklappt waren. Zusammengedrehte Bänder hingen ihm rechts und links vor der Brust. Niemand sagte etwas.

Noch einen? fragte die Wirtin vom Tresen her und kam, ohne die Antwort abzuwarten, an den Tisch, um die leeren Gläser zu holen. Einer nach dem anderen reichte es ihr schweigend. Die einfachen Stielgläser wirkten in den Händen der Bauern zart und zerbrechlich. Der gesprochen hatte, nahm mit einer ihm offenbar unbewußten Bewegung die Mütze vom Kopf. Die anderen folgten ihm. Ihre Hände waren rot vom Frost.

Was habt ihr denn eigentlich gemacht, fragte die Wirtin. Sie hielt einen Augenblick inne, im vierten Glas fehlte noch der Rum.

Gemacht, gemacht. Wir haben ihnen unseren Mist vor die Tür gekippt und dabeigestanden, als sie versucht haben, in ihre Büros zu kommen, ohne sich die Füße dreckig zu machen.

Die Erinnerung an ihre Aktion brachte niemanden zum Lachen. Irgendwann auf dem Heimweg, vielleicht schon, als sie dastanden und zusahen, wie die Leute versuchten, dem Mist aus dem Weg zu gehen, mußte ihnen klar geworden sein, daß ihr Unternehmen sinnlos gewesen war.

Weshalb schüttet ihr den Mist nicht dem Baron vor die Tür, sagte die Wirtin. In ihrem Rücken begann der Teekessel leise zu pfeifen. Sie nahm ihn vom Kocher, füllte das letzte Glas halbvoll mit Rum und verteilte das kochende Wasser. Wieder zog der Duft nach Rum durch die Gaststube. Sie stellte die Gläser auf ein Tablett und kam damit an den Tisch.

Zucker habt ihr ja noch, sagte sie. Wenn man den unter Beschuß nimmt, wird's ihm hier vielleicht ungemütlich, und er will gar nicht mehr zurück.

Der kommt doch hier sowieso nicht her. Oder denkst du, der läßt sich hier nieder, hier in der Einöde? Von denen bleibt hier sowieso keiner. Die holen sich das Land und schicken ihre Verwalter.

Ich mein' ja nur, sagte die Wirtin. Sie warf einen prüfenden Blick auf Bellas Tisch.

Noch Kaffee? fragte sie.

Bella schüttelte den Kopf. Lieber auch einen Grog, sagte sie. Haben sie ein bißchen Zitronensaft dazu?

Die Wirtin nickte und verschwand in der Küche.

Da kannst du nichts machen, sagte einer der Männer am Stammtisch laut. Nehmen sich die besten Stellen, sitzen in allen Ämtern, holen sich unser Land, und ihre Weiber trinken morgens Rum mit Zitronensaft. Gefällt's Ihnen hier? fragte er zu Bella hinüber.

Laß sie in Ruhe. Die kann doch nichts dafür. Der Kleine versuchte, seinen Kollegen zu beruhigen.

Woher willst du das wissen, sagte der. Er blickte Bella herausfordernd an. Die Wirtin kam aus der Küche zurück, eine Untertasse mit Zitronenscheiben in der Hand. Bella, die lieber den Saft im Glas gehabt hätte anstatt der Zitronenschale, begann sich zu ärgern. Die Wirtin warf zwei Zitronenscheiben ins Glas und stocherte mit einem gläsernen Stößel darauf herum, bevor sie Rum und Wasser dazugoß. Als sie an den Tisch kam, nahm Bella ihr das Glas aus der Hand und trank den Bauern zu.

Auf die Wende, sagte sie, oder ist hier einer, der sie nicht gewollt hat?

Der Bauer, der sich über ihre Anwesenheit laut geärgert hatte, stand auf und kam auf ihren Tisch zu. Die Wirtin stellte sich ihm in den Weg. Vom Stammtisch herüber kam ein müdes Lachen.

Da hat sie's dir aber gegeben, Karl, sagte der Dünne. Laß sie in Ruhe. Kommen Sie, trinken Sie ein Glas mit uns. Wir haben was übrig für trinkfeste Frauen.

Die Wirtin hatte keine Mühe, Karl zurückzuhalten. Seine Wut war vorüber, es schien so, als hätte er plötzlich keine Kraft mehr für eine größere emotionale Anstrengung. Er wandte sich ab, ging an den Tisch zurück und trank, noch bevor er sich setzte, den Rest Grog aus seinem Glas. Die Stimmung im Raum war verändert. Der Grog begann seine Wirkung zu tun.

Danke, ich hab' was vor, sagte Bella. Vielleicht ein andermal. Ich bleib' ja noch ein paar Tage.

Sie hat im voraus bezahlt, sagte die Wirtin, nicht so wie die Banditen vom letzten Sonntag.

Bella stand auf, ohne ihr Glas auszutrinken, winkte zum Stammtisch hinüber und verließ den Raum. Beim Hinausgehen hörte sie, wie die Wirtin damit begann, die Geschichte der Zechprellerei zu erzählen.

Der Wirt war froh, daß er als erster hinuntergegangen war. Er hatte am Abend zuvor vergessen, den Schlitten in den Keller zurückzubringen. Er sah ihn, als er die Haustür öffnete, um einen Blick in den verschneiten Garten zu werfen. Merkwürdigerweise suchte er Fußspuren. Der Schnee lag unberührt da. Er war erleichtert und wunderte sich darüber. Nach wessen Spuren hatte er gesucht? Er nahm den Schlitten auf und trug ihn in den Keller, bevor er damit begann, das Frühstück zu machen. Es war ihm klar, daß der Anblick des Schlittens seine Frau beunruhigt haben würde.

Später, sie hatte lange gebraucht, um sich zu waschen und anzuziehen, saßen sie in der Veranda der Gaststube, umgeben von Schnee vor den gläsernen Wänden, mit dem Blick auf ein Vogelhaus. Die Frau begnügte sich eine Weile damit, den Vögeln zuzusehen, die sich um das Futter stritten. Auch der Wirt sagte nichts. Eigentlich hatte er vorgehabt, gleich nach dem Frühstück zurück in den

Bierkeller zu gehen, um die Tonne an einem unverdächtigen Platz aufzustellen. Aber er wußte nicht, ob er die Frau schon allein lassen konnte.

In der Nacht war ihm, ganz kurz nur, und er hatte den Gedanken sofort wieder fallengelassen, die Möglichkeit bewußt geworden, daß sie nicht durchhalten könnte. Jetzt, während er ihr gegenübersaß und sie heimlich beobachtete, schienen ihm solche Überlegungen absurd. Im Dunkeln, dachte er, das weiß man doch, im Dunkeln nehmen die Dinge bedrohliche Ausmaße an. Das ist auch bei ihr so. Wie sie da sitzt und zum Fenster hinaussieht, alles ganz normal.

Wir könnten weiter vorn am Zaun ein zweites Vogelhaus aufstellen, sagte er. Er wußte, daß sie Freude daran haben würde. Es ist noch eins unten. Er hatte »im Keller« sagen wollen, aber das Wort war nicht über seine Lippen gekommen.

Aber erst mal will ich den Weg freischaufeln, damit man sieht, daß hier Betrieb ist. Ist ja sonst, als wären wir eingeschneit. Und dann wird's wohl Zeit, die Weihnachtsdekoration anzubringen.

Die Frau wandte ihm ihr Gesicht zu. Der Schlitten, sagte sie, hast du den Schlitten weggestellt? Er ist nicht mehr da. Als er nickte, sagte sie: Dann hättest du doch die Weihnachtssachen gleich mit hochbringen können. Sie sprach ruhig, beinahe gleichgültig, und er dachte: Gott sei Dank, sie ist in Ordnung.

Ich hol' den Schneeschieber und bring' schon mal den ersten Karton mit. Soll Karin dir helfen?

Das mach' ich allein, sagte sie. Wenn du draußen fertig bist, kannst du ja mit anfassen.

Sie beendeten ihr Frühstück schweigend. Er ging in den Keller, brachte drei flache, große Kartons in das Restaurant, die er auf einen Tisch in der Veranda stellte, und ging mit dem Schneeschieber hinaus.

Beim Abwaschen in der Küche hörte sie das scharrende, gleichmäßige Schaben des Schneeschiebers auf dem Beton des Plattenweges. Als das Geräusch aufhörte, ging sie ans Fenster und sah hinaus. Vorn am Gartentor stand ihr Mann. Er war durch den Schnee bis an den Zaun gegangen. Sie sah seine Fußspuren in dem Schnee, den er noch nicht zur Seite gefegt hatte und hatte das Bild der Abdrücke vor Augen, das auf dem Weg zurückbleiben würde, nachdem der Schnee zur Seite geschoben sein würde. Ihr Mann stand am Zaun und sprach mit einer Frau. Er stützte sich auf den Schneeschieber. Die Frau lachte und hob die Hand, wie zum Gruß oder zum Dank für eine Auskunft. Es war ein friedliches Bild, das in der Wirtin hinter dem Fenster sehr großes Entsetzen auslöste. Einen Augenblick lang dachte sie, die andere sei zurückgekommen. Sie hielt sich am Fensterbrett fest und starrte hinaus. Ziemlich schnell wurde ihr bewußt, daß die Frau da draußen jemand anders sein mußte. Sie sah anders aus, und außerdem war es nicht möglich, daß die andere zurückkam. Die da draußen stapfte zur Dorfstraße zurück, wandte sich noch einmal um und winkte. Da setzte ihr Mann draußen seine Arbeit fort.

Sie trat zurück, um das Geschirr wegzuräumen, und hörte, während sie die Tassen und Teller in den Küchenschrank setzte, wieder das Scharren des Schneeschiebers, gleichmäßig und ruhig, so daß auch sie ruhiger wurde. Später hörte sie ihn den Schneeschieber ein paarmal hart auf den Boden aufstoßen und dann das Klappen der Haustür. Sie war in der Veranda damit beschäftigt, Tischleuchter, glitzernde Tannenzweige und winzige Weihnachtssterne aus den Kartons zu nehmen und auf dem Tisch auszubreiten, als er zur Tür hereinkam.

Na, sagte er, Hilfe gefällig? Herrlich draußen, es wird wohl noch mehr Schnee geben.

Kerzen brauchen wir neu, sagte sie sachlich, am besten rote. Die könntest du holen, dann haben wir heute nachmittag schon das Wichtigste aufgestellt.

Er sah es ihr an. Die Beschäftigung mit dem Tinnef auf dem Tisch tat ihr gut. Er war froh, daß ihm die Weihnachtskartons eingefallen waren. Wenn sie ihn jetzt zum Kerzenholen schickte, konnte er einen Abstecher zum Bierkeller machen, ohne daß er sie beunruhigte.

Mach' ich sofort, sagte er, brauchen wir sonst noch was?

Sie schüttelte den Kopf, ohne sich zu ihm umzuwenden. Er verließ das Restaurant. Gleich darauf hörte sie ihn aus der Garage fahren. Sie lauschte auf das Geräusch des sich entfernenden Wagens. Erst als es ganz still war, setzte sie sich. Sie sah auf den staubigen Deckel des Kartons, der zuoberst auf dem Regal gestanden hatte und auf den ausgebreiteten Glitzerkram. Früher, zu Hause, war Weihnachtsdekoration verpönt gewesen. In ihrer Familie war Klassenbewußtsein nicht etwas, das man lernte, sondern etwas, das da war. Ihr Großvater hatte August Bebel gekannt, und ihre Mutter war als junges Mädchen Klara Zetkin begegnet und sehr beeindruckt gewesen. Ihr Vater war nach der Machtübergabe an die Nazis im Land geblieben, untergetaucht und hatte illegal politisch gearbeitet, bis die Nazis ihn eingefangen hatten. Manchmal bekamen sie Nachricht von ihm aus irgendeinem Konzentrationslager. Sie blieb mit ihrer Mutter allein. Es war ihnen nicht schwergefallen, die Politik der Nazis zu durchschauen, besonders als der Krieg gegen die Sowjetunion begann. Von den Jugendorganisationen hatte sie sich ferngehalten, so gut sie konnte. Wegen ihrer Lebensweise war sie im Dorf isoliert, aber sie sah, daß ihre und ihrer Mutter Lebensweise richtiger war als die der meisten anderen. Trotzdem hätte sie gern einen Tannenbaum gehabt wie andere Kinder. Aber es hieß, ihr Vater sei dagegen. Und wir wollen nicht, weil sie ihn eingesperrt haben, seine Wünsche mißachten! Nein, das hatte sie nicht gewollt. Aber sie hatte sich trotzdem benachteiligt gefühlt. Es war sehr anstrengend gewesen, ihre Mutter nichts davon merken zu lassen.

Dann, als die Rote Armee gekommen war, kam auch ihr Vater zurück. Sie erinnerte sich genau daran. Sie hatten schon damals hier gewohnt, in dieser Siedlung, nur ein paar Häuser weiter. Damals bestand die Siedlung aus neun Häusern und drei angefangenen, die im Krieg nicht mehr weitergebaut worden waren, weil es an Arbeitern fehlte. Rund um die Häuser waren nur Wiesen und Felder gewesen, und eines Nachts, sie war von dem Lärm wach geworden und hatte aus dem Fenster gesehen, waren sie da. Pferde, Zelte, Lagerfeuer, auch Musik, ein großes geheimnisvolles Durcheinander. Sie war am Fenster stehengeblieben und hatte den Soldaten zugesehen, die die Pferde versorgten.

Dann hatte es plötzlich unten an die Tür geklopft. Sie hörte ihre Mutter die Treppe hinunterlaufen und laut schreien. Dann war's still, und plötzlich, sie wußte nicht weshalb, weil sie gar nicht an ihn gedacht hatte, hatte sie verstanden, daß eben ihr Vater zurückgekommen war. Sie hörte ihn mit Mutter die Treppe heraufkommen und die Tür öffnen und die Frau neben ihm sagen: Sie ist ein großes Mädchen geworden. Sein Gesicht war beleuchtet vom unruhigen Schein der Lagerfeuer. Er war dünn, und mit seiner Nase war etwas passiert. Aber sie hatte ihn trotzdem erkannt.

Sie sah auf die Leuchter und Weihnachtssterne und erinnerte sich daran, wie glücklich sie gewesen war, als er sie in seine Arme schloß. Nie wieder hatte sie sich so glücklich gefühlt. Es kam ihr so vor, als habe sie in all den Jahren, bis gestern, nichts anderes getan als versucht, dieses Glücksgefühl wiederzufinden. Das war nun vorbei. Sie stand auf und begann die Leuchter auf den Tischen zu verteilen.

Der Mann am Zaun war der Besitzer des kleinen Restaurants gewesen, dieser Giese, der die Böhmer vielleicht zuletzt gesprochen hatte, da war sie sich sicher. Aber sie verzichtete darauf, ihn durch Fragen zu beunruhigen. Er hatte ihr erklärt, daß sie erst gegen Abend, ab siebzehn Uhr, öffneten. Bella versprach wiederzukommen und das Wildgulasch zu probieren, das auf der Speisekarte in dem kleinen Kasten am Zaun angepriesen wurde. Sie ging durch den Schnee zur Landstraße zurück. Unsympathisch war er nicht, der Giese. Er war ein paar Jahre älter als sie, schlank, eher zäh. Den schweren Schneeschieber hatte er so leicht hin und her bewegt wie ein Junge. Sie fand ihn ein bißchen zu eifrig, als er mit ihr sprach, diensteifrig war das richtige Wort, nicht gerade beflissen, aber doch diensteifrig. Das war auch eine Haltung, die die Menschen hier Leuten aus dem Westen gegenüber einnahmen. Oder war's nur das typische Verhalten eines Wirts, der seine Speisen anpries? Und die Frau hinter dem

Fenster? Wahrscheinlich war es selten, daß jemand sich am Vormittag an ihren Zaun verirrte. Wer weiß, ob der Laden überhaupt zu halten war. Leere Gaststätten mit zugenagelten Türen, deren Fenster den Blick in ein mit Gerümpel vollgestelltes Inneres freigaben, hatte sie schon mehrere gesehen.

Sie beschloß, den Wagen an der Straße stehenzulassen, zu Fuß ins Dorf zu gehen und eine Post zu suchen. Es würde richtig sein, Willy anzurufen, um ihre Adresse durchzugeben und Grüße an Olga ausrichten zu lassen. Das Dorf war nur ein paar hundert Meter entfernt. Ein Spaziergang durch die verschneite Landschaft war verlockend.

Am Eingang zum Dorf stand eine sehr alte rote Ziegelmauer, vielleicht die Überreste eines Gebäudes, eines Stalles vielleicht, dessen runde Fensterbögen irgendwann zugemauert worden waren. In einer Nische unter einem der Fenster sah sie zwei kleine Kinder, zwei Mädchen, warm angezogen mit dicken blauen Pullovern und roten Pudelmützen. Die beiden stritten sich. Bella blieb stehen und überlegte, ob sie eingreifen sollte, als die größere der beiden die andere in den Schnee stieß. Die Kleine stützte sich nicht ab, sondern hielt statt dessen beide Hände vor ihrem Bauch aneinandergepreßt. Sie fiel rücklings in den Schnee.

Na, ihr beiden. Gibt's Streit? sagte Bella in dem leicht kindischen Tonfall, den Erwachsene Kindern gegenüber anzunehmen pflegen, und ärgerte sich im gleichen Augenblick über sich selbst. Die beiden sahen sie an, die eine vom Boden her, die andere stehend. Sie hatten den gleichen Blick, überrascht und skeptisch. Bella fand, daß sie sich sehr ähnlich sahen. Die Kleine legte etwas Dunkles neben sich, eine tote Fledermaus, dachte Bella überrascht, und rappelte sich auf.

Wir spielen Beerdigung, sagte die Größere. Sie will sie unter dem Schnee vergraben, aber wenn es taut?

Dann gehen wir eben noch mal her, sagte die Kleine. Zweimal Beerdigung ist sowieso viel schöner. Sie hatte sich endgültig aufgerichtet und nahm das tote Tier vorsichtig aus dem Schnee in ihre Hände.

Meinetwegen, sagte die Große. Wir merken uns die Stelle.

Bella ging weiter. In ihrem Rücken hörte sie die kleinen Mädchen kichern und die nachäffende Stimme der Größeren: Na, ihr beiden, gibt's Streit?

Willy wollte wissen, wie lange sie noch wegbliebe. Olga sei beleidigt, weil Bella sich nicht abgemeldet habe. Und in Hamburg regne es seit zwei Tagen ununterbrochen. Sie habe in der Abseite unter dem Dach einen Eimer aufstellen müssen.

Ich komme zurück, wenn es aufhört zu regnen, sagte Bella. Ich geb' Ihnen meine Adresse. Aber geben Sie sie Olga nur im Notfall. Sie ist imstande, jeden Tag anzurufen, nur um mich zu fragen, ob ich schon die neueste politische Schweinerei in der Zeitung gelesen hätte. Bestellen Sie ihr Grüße und sagen Sie, mir ginge es wunderbar.

Stimmt eigentlich, dachte sie, während sie über die Landstraße zurück zu ihrem Wagen ging. Sie beschloß, die Zeit vor dem Essen zu nutzen und die Kripo in der Kreisstadt aufzusuchen. Es gab dafür keinen besonderen Grund. Nur konnte es ja sein, daß sie die Polizei irgendwann wirklich brauchen würde. Sie wußte gern vorher, mit wem sie es zu tun hatte.

Die Dienststelle war in einem älteren, gelbverklinkerten Gebäude untergebracht. Korridor und Treppe waren mit Linoleum belegt. Es roch nach Bohnerwachs und Staub und war sehr still – fast so, als gäbe es hier nichts zu tun –, obwohl die Zeitungen davon schrieben, daß die Kriminalität gerade in dieser Gegend überproportional zugenommen habe. Sie klopfte und öffnete die Tür, als niemand auf ihr Klopfen antwortete. Sie stand nicht in einem Dienstraum, sondern vor einer zweiten Tür, die nur angelehnt war. Ein sehr aufgebrachter Mann sprach laut. Sie blieb stehen und hörte zu.

Zustände, hörte sie, und wir sollen das jetzt ausbügeln. Drei von diesen Banditen überfallen auf offener Straße zwei Männer, nehmen ihnen die Brieftasche ab, schlagen den einen zusammen, und was tut die Polizei? Kommt zufällig vorbei, sieht sich die Sache an, sagt »das gehört sich aber nicht« und fährt weiter. Das ist doch nicht zu fassen.

»Das gehört sich aber nicht«, haben wir nicht gesagt, hörte sie eine zweite Männerstimme.

Kannst du dir vorstellen, daß mir das scheißegal ist, was ihr gesagt habt? Habt ihr sie festgenommen? Hä? Habt ihr wenigstens ihre Personalien aufgenommen?

Das war nicht so einfach, begann der zweite Mann, sie haben –

Ach so, das war nicht so einfach. Ja, das verstehe ich natürlich. Wenn es nicht so einfach war. Verdammt noch mal, wofür werdet ihr eigentlich bezahlt?

Der andere antwortete nicht. In die Stille hinein klopfte Bella an die angelehnte Tür und trat gleich darauf ins Zimmer. Zwei Männer sahen ihr entgegen, einer in Zivil hielt eine Zeitung in den Händen, der andere trug die Uniform des Streifenpolizisten.

Entschuldigung, sagte sie, ich hätte nur gern eine Auskunft. Die beiden sahen sie an, als käme sie von einem anderen Stern. Sie schwiegen. Schließlich sprach der Kripomann.

Ja?

Es tut mir leid, wenn ich störe. Ich weiß nicht genau, an wen ich mich wenden soll. Als ich an Ihrer Dienststelle vorbeikam, dachte ich, ich frage einfach mal hier. Es ist nämlich so: Ich mache hier Urlaub. Und ich suche eine Familie, die früher hier gewohnt haben muß.

Wann früher?

Bellas Herz hüpfte. Offenbar schien die harmlose Touristin glaubwürdig.

Bis neunzehnhundertfünfundvierzig, nehme ich an.

Dem Streifenpolizisten war seine Erleichterung anzusehen. Er bekam Zeit, sich Entschuldigungen zurechtzulegen. Der Kripomann wirkte ebenfalls erleichtert. Zur Beantwortung dieser Frage konnte er die Frau an eine andere Dienststelle verweisen.

Versuchen Sie es beim Einwohnermeldeamt, sagte er. Ich nehme an, daß es dort noch ältere Unterlagen gibt. Und sonst im Stadtarchiv. Da gibt's alte Einwohnerverzeichnisse.

Er wollte sich dem Polizisten zuwenden. Als Bella stehen blieb, fragte er ungeduldig: Ist noch was?

Ich dachte – wenn Sie vielleicht für mich anrufen könnten? Oder feststellen, wie dort die Öffnungszeiten sind?

Er antwortete nicht, begann aber, auf seinem Schreibtisch zu suchen.

Bella sah sich um. Im Raum stand noch ein zweiter Schreibtisch, der aber offensichtlich zur Zeit nur als Ablage genutzt wurde. Überall türmten sich Akten. Vor den beiden hohen Fenstern standen zwei Zimmerlinden, groß, hellgrün und gut gepflegt. Sie tauchten den Raum in ein ruhiges, grünes Licht, das nicht zu der Szene paßte, die sie hinter der Tür mit angehört hatte. Die grüne Uniform des Streifenpolizisten wirkte wie ein Teil des Zimmers.

Hier, sagte der Mann am Schreibtisch. Er blätterte und las. Einwohneramt. Acht bis zwölf, fünfzehn bis sechzehn Uhr.

Danke, sagte Bella. Sie schloß sorgfältig beide Türen hinter sich. Im Gang roch es noch immer nach Bohnerwachs. Zu sehen war niemand.

Die Kripo war unterbesetzt und überlastet. Zumindest die Streife, der der Uniformierte angehörte, war nicht besonders diensteifrig. Sie wußte, daß die Polizisten schlechter bezahlt wurden als ihre Kollegen im Westen. Denkbar, daß einige darunter waren, die sich schon deshalb bei der Arbeit kein Bein ausrissen.

An einem Kiosk kaufte sie eine Zeitung und schlenderte langsam durch die Fußgängerzone, die die Stadt von einem Ende bis zum anderen durchzog. Die Menschen, die an ihr vorbeigingen, hatten die gleichen gierigen Gesichter, wie die Westler, wenn sie durch ihre Einkaufsparadiese hetzten, nur waren sie anders gekleidet. Offensichtlich fehlte hier die breite, gutverdienende Mittelschicht, die im Westen in den Stadtzentren das Straßenbild bestimmte. Auch Geschäfte, in denen diese Leute eingekauft hätten, gab es nicht. Es gab auch kein Café, in dem man sitzen und den Strom der Einkaufenden hätte beobachten können. Zweimal kam sie an leeren Räumen vorbei, deren Schaufenster die Aufschrift »Café« trugen. Offensichtlich waren die Aufschriften aus alten Zeiten. Auf einem Platz ohne Dach standen hohe Eisentische, an denen Männer, Frauen und Kinder dicke Würste von Papptellern aßen. Die Kälte schien ihnen nichts auszumachen.

Das eiserne Gitter, von dem der Platz umgeben war, steckte hoch und wackelig in Betonklötzen. Tiefschwarze Krähen und ein paar Möwen hockten auf den Dächern rundherum. Sie warteten auf liegenbleibende Wurstenden.

Bella zählte allein acht Brotläden in der Fußgängerzone, von denen einige nach neuestem westlichen Standard aufgeputzt waren. Zuletzt betrat sie eine altmodische Bäckerei, bestellte einen Kaffee und stellte sich an einen der beiden Stehtische im Hintergrund. Aus der Backstube hinter dem Laden kam der angenehme Geruch von Sauerteig und frischem Brot. Sie trank ihren Kaffee, beobachtete verstohlen die Kundinnen, meist alte Frauen, die die billigste Sorte Brötchen verlangten und las zwischendurch die Lokalseiten der Zeitung.

Eine aufgebrachte Reporterin verbreitete sich in einem längeren Artikel darüber, daß die Stadt die Unterkünfte für Asylanten direkt neben der Müllkippe aufgestellt hatte. Ein Foto zeigte die trostlosen Baracken, eingezäunt und von Schwärmen von Krähen und Möwen besetzt. Der Müllberg lag im Hintergrund wie eine hohe, bedrohliche Flutwelle. Unter dem Foto stand: ES SIND SCHON RATTEN IN DEN ZIMMERN GESEHEN WORDEN. Auf der Leserbriefseite fand sie den Brief, der vermutlich den Kripomann so aufgeregt hatte. Jemand beschwerte sich darüber, daß eine Polizeistreife, die zufällig vorbeigekommen war, nachdem ein paar Menschen überfallen und ausgeraubt und einer von ihnen niedergeschlagen worden war, nichts unternommen hatte. Der Briefschreiber zählte noch ein paar ähnliche Vorfälle auf, aus denen Bella schloß, daß es wahrscheinlich besser war, auf die Hilfe der Polizei zu verzichten.

Und dann war da noch der Leserbrief eines gewissen Jochen Giese, den Bella zuerst gelangweilt und dann mit immer größerem Interesse las. Der Brief war bösartig und denunziatorisch und wahrscheinlich sachlich richtig. Er behauptete, daß in der Verwaltung der Stadt, unter den Politikern und in der Polizei, Männer säßen, »deren Hälse vom dreimaligen Wenden schon so verdreht sein müssen, daß es ein Wunder ist, daß sie noch leben«. Er nannte ein paar Namen, den seines Vaters nannte er nicht, obwohl Bella ahnte, daß der Brief als Drohung an den Vater gemeint war. Gegen Ende des Briefes behauptete er, die Polizei verfolge die Untaten einiger rechtsradikaler

Jugendlicher deshalb nicht, weil sie mit deren Ideologie übereinstimme. Er nannte die Namen dreier Männer, die »ungehindert ihre ausländerfeindlichen Untaten betreiben und unsere Gäste in Angst und Schrecken versetzen«. Die Namen hatte die Leserbriefredaktion eingeschwärzt. Der Brief war ein Dokument des Hasses und der Verzweiflung. Er war unüberlegt und bedeutete für den Briefschreiber eine Gefahr, wenn sein Inhalt den Tatsachen entsprach. Daß die Zeitung ihn abgedruckt hatte, konnte durchaus damit zusammenhängen, daß sie dem Maler ein paar Rächer auf den Hals schicken wollte.

Bella überlegte, ob sie es als ihre Aufgabe ansehen sollte, Jochen Giese zu warnen, fand, daß er erwachsen genug sei, um die Wirkung seiner Handlungen einschätzen zu können, und verwarf den Gedanken.

Sie fühlte sich so wohl in der duftenden Bäckerei, daß sie einen zweiten Kaffee bestellte und stehen blieb, bis es draußen dunkel wurde.

Es war immer noch zu früh, um das Restaurant der Gieses aufzusuchen. Sie beschloß vorher einen langen Spaziergang zu machen, suchte ihren Wagen und fuhr zurück ins Dorf. Dort ließ sie das Auto stehen und ging los. Eine weiche, ein wenig melancholische Stimmung hatte sie erfaßt. Sie wunderte sich darüber, als sie bemerkte, daß diese Melancholie mit dem Maler zusammenhing. Sie hatte nicht mehr an ihn gedacht, seit sie am Abend vorher in ihr Quartier zurückgekommen war. Sie blieb stehen, um sich zu orientieren, und schlug dann die Richtung zur Mole ein. Das sanft an die

Steine schlagende Wasser und die zarten Schreie der Gänse in der Dunkelheit schienen ihr einen zweiten Besuch wert.

Es waren nur noch wenige Menschen unterwegs, und es wurden weniger, je näher sie der Mole kam.

Rechts neben ihr lag der Fluß, links duckten sich alte, strohgedeckte Fischerhäuser vor dem Wind. Manchmal tat sich zwischen den Häusern ein schmaler Gang auf, der zum Fluß führte, selten von einer Laterne beleuchtet. Es würde eine klare kalte Nacht werden. Der Mond war noch nicht zu sehen.

Sie war schon fast bis zur Mole gegangen, als sie Schritte hörte, Rennen und Keuchen, und stehen blieb. Ein kleiner Mann kam aus einem der schmalen Wege gelaufen, sah nach rechts und links und rannte weiter, auf die Mole zu.

Wenn er verfolgt wird, läuft er in die falsche Richtung, dachte Bella, als sie erneut Schritte hörte. Drei Männer liefen locker hinter dem Kleinen her, so, als ob sie sich Zeit ließen, als ob sie seiner sicher wären. Der letzte hielt etwas in der Hand, das wie ein Seil aussah. Langsam und vorsichtig, um nicht gesehen zu werden, ging Bella hinter den Männern her.

Der Kleine war am Anfang der Mole stehengeblieben. Er hatte begriffen, daß er in die falsche Richtung gelaufen war. Sein Gesicht, von der Laterne beleuchtet, unter der er stand, war voller Angst. Bis auf ein paar Schritte waren seine Verfolger schon bei ihm. Sie waren so begeistert, ihr Opfer in seiner ausweglosen Lage vor sich zu sehen, daß sie Bella nicht bemerkten. Sie kam näher und verbarg sich unter dem Vordach eines

Hauses im Schatten. Auf dem Dach stand eine zerbrochene Leuchtreklame. Neben sich an der Tür entdeckte sie ein handgeschriebenes Schild: Der Utkiek bleibt bis auf weiteres geschlossen.

Die Szene, die sich ein paar Meter von ihr entfernt am Kai entwickelte, blieb völlig lautlos. Zwei der Verfolger hielten den sich Wehrenden fest, während der dritte das Seil unter den Armen des Mannes durchzog und um seine Brust wickelte. Das dauerte eine Weile, denn der Kleine wehrte sich heftig. Schließlich hatten sie das Seil an ihm festgemacht. Jetzt erst sagte einer der Männer etwas zu den beiden anderen. Bella hörte das Wort »schwimmen« und hörte die drei lachen. Sie begannen ihr Opfer auf die Mole zu zerren. Da der Mann sich noch immer zu wehren versuchte, waren sie zu beschäftigt, um zu bemerken, daß Bella hinter ihnen herging. Sie hatte überhaupt keine Lust dazu, aber es würde ihr nichts anderes übrigbleiben, als einzugreifen, bevor die Männer an der Spitze der Mole angekommen waren. Auf den schmalen, vereisten Steinen da vorn konnte sie nicht frei agieren.

Sie hielt die Hände in den Jackentaschen, als sie die Gruppe anrief.

So Jungs, es reicht. Laßt den Mann los und verschwindet. Einen Augenblick blieb es still. Die Männer sahen Bella an.

Geh rüber und stopf ihr das Maul, hörte sie einen sagen. Ein bulliger Typ, etwa so groß wie Bella, in Springerstiefeln löste sich aus der Gruppe. Die beiden anderen begannen, den Gefesselten vorwärts zu schieben.

Bella zielte kurz vor die Stiefel und schoß. Kies spritzte hoch. Die Kerle waren beeindruckt. Der, der auf sie zugegangen war, blieb stehen, die anderen ließen von ihrem Opfer ab. Der Mann, dem sie das Seil um die Brust geschlungen hatten, blieb ebenfalls regungslos stehen.

Ihr dürft die Hände hochnehmen, sagte Bella, zu den Sternen, bitte. Hohe Nacht der klaren Sterne, ist doch wunderschön heute.

Sie schoß noch einmal in den Boden, weil sie fand, daß die drei ihrem Befehl nicht schnell genug folgten. Mit einem Ruck gingen die Hände hoch.

So, und nun schön langsam rückwärts gehen, Schritt und Schritt und Schritt –

Da ist Wasser, sagte der mit den Springerstiefeln. Er war am weitesten davon entfernt, erkannte aber als erster, was ihnen bevorstand. Sie gingen nicht weiter. Der Mann mit dem Seil um die Brust stand da wie angewurzelt und starrte auf die Szene, die sich vor seinen Augen abspielte. Nanu, sagte Bella,

Was gilt dein Glück und meines?
Und was gilt unser Leid?
Wir kennen nur noch eines:
Marschtritt im Ehrenkleid.

Der Vers war der Anfang eines Nazi-Liedes, das ihr im Zusammenhang mit ihren Studien über Männlichkeitswahn in die Hände gekommen war.

Marsch, rückwärts, sagte sie und schoß zum dritten Mal in den Boden. Die drei bewegten sich tatsächlich rückwärts, versuchten mit kleinen Schritten das Unheil hinauszuzögern und plumpsten einer nach dem anderen ins Wasser. Der kleine Mann begann zu rennen, als der zweite im Wasser gelandet war. Bella zielte, bis auch der dritte von der Mole verschwand. Sie wandte sich um und sah dem Fliehenden nach. Er rannte im Schein einer gelb leuchtenden Laterne auf den dunklen Weg zwischen zwei Fischerhäuschen zu. Das Seil war noch immer um seine Brust geknotet. Er zog das lange Ende hinter sich her wie der Teufel im Märchen seinen Schwanz.

Als er verschwunden war, ging Bella an den Kai und sah ins Wasser. Ruhig, ohne einen Laut von sich zu geben, strampelten drei Gestalten auf eine steinerne Treppe zu. Sie waren noch etwa zehn Meter von der Treppe entfernt.

Heiße Milch mit Honig, rief Bella, das hat schon manchem Hanswurst wieder auf die Beine geholfen.

Sie wandte sich zum Gehen. In der Ferne leuchtete ein Wirtshausschild. Ungefähr da mußte das Restaurant liegen, in dem sie gestern mit dem Maler gegessen hatte. Essen wollte sie nicht, aber einen Schnaps konnte sie jetzt vertragen.

Im Restaurant war es angenehm warm. Am Stammtisch saßen die Fischer, die auch am Abend vorher dort gesessen hatten, als seien sie gar nicht weg gewesen. Alle anderen Tische waren noch leer. Bella stellte sich an den Tresen und bestellte einen doppelten Wodka. Sie betrachtete den Tannenbaum, der am Abend zuvor noch nicht zwischen den Tischen gestanden hatte. Er war aus Plastik. Draußen vor den Fenstern beleuchteten gelbe Laternen die Mole. Sie sah zwei Männer über die beleuchtete Brücke laufen, die große Ähnlichkeit mit den Feiglingen hatten, die von ihr ins Wasser befördert worden waren. Die beiden beeilten sich, auf der gegenüberliegenden Seite in ihr Auto zu steigen. Sie benutzten einen alten Käfer, der schnell davonfuhr.

Sieh an, dachte Bella, Nummer drei ist also in diesem entzückenden Fischerdorf beheimatet. Sie wandte sich zum Tresen, um ihr Glas aufzunehmen. Die Tür hinter dem Tresen stand offen. Dahinter lag ein Treppenhaus. Durch den Hausflur und die Treppe hinauf stürmte gerade Nummer drei.

Sie trank langsam den eiskalten Wodka. Als ihr klar wurde, daß die Szene, die sie gerade erlebt hatte, eine gewisse Ähnlichkeit hatte mit der Geschichte, die die Böhmer in ihrem Tagebuch notiert hatte, bestellte sie ein zweites Glas. Sie hatte plötzlich kein Interesse mehr daran, diesen Giese aufzusuchen. Der Mann lief ihr nicht weg.

Die Fischer am Stammtisch hatten bisher noch nicht miteinander gesprochen. Es waren drei. Einer, mindestens einer, konnte alt genug sein, um den letzten Krieg miterlebt zu haben. Sie betrachtete die Männer und stellte fest, daß sie Lust hatte, sich zu ihnen zu setzen. Sie hörte sich »Darf ich?« sagen, als einer der Männer zu ihr hinübersah, und saß gleich darauf zwischen ihnen am Tisch. Eine Viertelstunde lang sprach niemand. Ein Kellner, die junge Frau, die Bella den Wodka eingeschenkt hatte, war verschwunden, stellte einen halben Liter Bier vor Bella hin, ohne daß sie danach gefragt hatte. Sie trank langsam und in kleinen Schlucken.

Wenn sie getrunken hatte, setzte sie das Glas vor sich ab und sah hinein, genauso wie die drei, die mit ihr am Tisch saßen. Eine Art träger Ruhe erfüllte sie. Gleichgültigkeit, die ihr fremd war und die sie genoß. Laß die Finger von dem, Mädchen, sagte irgendwann neben ihr einer der Männer. Er sah dabei in sein Glas. Auch Bella bewegte ihren Kopf nicht.

Er ist in Ordnung, aber er macht nur Unruhe. Er wird Ärger kriegen.

Die anderen nickten über ihren Gläsern.

Der Kellner mußte das Nicken als Aufforderung gedeutet haben. Er kam an den Tisch und sammelte die leeren Gläser ein. Als hätten sie nichts, wohin sie ihren Blick wenden konnten, als die Gläser weg waren, sahen sie jetzt Bella an. Sie spürte die Blicke und hob den Kopf. Wenn ihre Gleichgültigkeit es zugelassen hätte, wäre sie in Lachen ausgebrochen. Ein siebzigjähriger, ein sechzigjähriger und ein fünfzigjähriger Knasterbart sahen sie aus zugewachsenen Gesichtern an. Feiner roter, blonder und dunkler Schimmer ließen auf die frühere Farbe von Bärten und Haupthaar schließen. Jetzt war die vorherrschende Farbe grau.

Bella versuchte ihre Aufmerksamkeit auf die Worte der Männer zu konzentrieren. Was hatte der Alte gesagt? Sie hatten den Maler am Abend zuvor mit ihr zusammen gesehen. Sie kannten ihn, obwohl sie gestern so getan hatten, als sähen sie ihn nicht.

Weshalb sollte er Ärger bekommen?

Allgemeines Schweigen war die Antwort.

Der Kellner brachte drei große frischgefüllte

Biergläser, stellte sie auf den Tisch und ging zurück hinter den Tresen. Er bewegte sich wie jemand, der darüber hinwegtäuschen will, daß er lauscht. Vielleicht sprachen die Fischer seinetwegen nicht.

Er ändert die Menschen nicht, sagte der Alte. Jeder entscheidet selbst, wie er leben will. Und so lebt er dann auch, egal, was kommt. Wer was anderes sagt, der macht sich was vor. Er soll aufhören, sich was vorzumachen.

Was denn, was macht er sich vor? Bella fragte gleichzeitig drängend und vorsichtig. Es schien ihr, als könnten diese drei merkwürdigen bärtigen Männer jederzeit beschließen, das Gespräch zu beenden und in ein hundertjähriges Schweigen fallen. Vielleicht würde schon ein einziges falsches Wort dieses Schweigen auslösen. Sie mußte dieses Wort vermeiden.

Der Kellner verließ seinen Platz hinter dem Tresen. Er ging in den Hausflur – und schloß die Tür hinter sich. Vielleicht traf er den, der gerade polternd die Treppe herabkam.

Er muß seinen Alten ja nicht lieben, sagte der Fünfzigjährige. Er hatte früher einmal einen dunklen Bart gehabt. Bella sah ihn an und wußte plötzlich, daß der Rothaarige sein Vater war.

Er hat's den Braunen recht gemacht und dann den Roten. Was die Neuen für eine Farbe haben, wird sich erst rausstellen. Recht machen wird er es ihnen auf jeden Fall.

Zum ersten Mal lachten die drei Männer. Jedenfalls nahm Bella an, das Glucksen hinter den Bärten sei eine Art Lachen. Es hörte so unvermittelt auf, wie es begonnen hatte. Der Kellner war noch nicht zurückgekommen. Bella versuchte, die Gelegenheit für eine Frage zu nutzen.

Sein Vater hat im Sommer Besuch gehabt, sagte sie. Eine Frau, so ungefähr mein Alter. Ist sie auch hier gewesen? Haben Sie mit ihr gesprochen? Haben Sie sie gekannt?

Lieber Gott, dachte sie bei sich, laß das nicht die Frage gewesen sein, die die drei zum Schweigen bringt.

Die Tür ging auf, und der Kellner kam wieder herein. Die drei Männer am Tisch sahen sich an.

Sie war hier und ist wieder weg, sagte der Alte, das ist alles. Vielleicht haben wir sie gekannt. Vielleicht ist eines Tages, über Mittag, die Kinder waren in der Schule und sind beim Alarm in den Bunker gelaufen, eine Bombe auf den Bunker gefallen. Vielleicht ist der Pilot mit dem Flugzeug ins Meer gestürzt und hat vorher ein paar Bomben ausgeklinkt. Vielleicht hatte er sich eine Chance ausgerechnet, wenn er die Dinger losläßt. Vielleicht ist diese eine Bombe nur zufällig auf den Bunker gefallen, in dem die Kinder mit ihrer Lehrerin saßen und ein paar Frauen aus dem Dorf.

Bella wagte kaum zu atmen. Es schien, als wollte der Alte zu einer längeren Geschichte ausholen, die auf irgendeine, sie wußte noch nicht welche, Weise mit ihrer Suche nach der verschwundenen Christa Böhmer zu tun hatte. Sie sah jetzt nicht mehr in ihr Bierglas, sondern blickte die Fischer an. Flüchtig nahm sie wahr, daß dem Jüngsten das rechte Ohr fehlte. Anstelle der Ohrmuschel saß ein knubbeliges Stück Fleisch. Der Mann hatte die Hand gehoben und rieb daran herum. Sie begriff, daß er eins von den Kindern im Bunker gewesen war. Die Bewegung der Hand zum Ohr war ihm nicht bewußt. Sie war unwillkürlich durch die Erinnerung hervorgerufen worden.

Vielleicht haben einmal Särge da draußen gestanden, sagte der Alte, große und viele kleine weiße Särge, in der Mittagssonne auf der Hafenstraße. Und der Mann, der die schöne Rede gehalten hat von Endsieg und Opfern, die nicht umsonst sind, vielleicht hat er ein Mädchen an der Hand gehabt. Möglich, daß sie ihm geglaubt hat. Es haben ihm ja auch andere geglaubt.

Jedenfalls, sagte der Kellner laut vom Tresen herüber, heißt es, daß er ein sehr guter Redner war. Ein ganz Überzeugter. Wenn du mich fragst, von denen hätten wir damals mehr gebraucht, dann wäre die Sache anders ausgegangen.

Wer fragt dich denn, sagte der Alte. Was kommt, das kommt. Du wirst es nicht ändern.

Und für heute gilt das genauso, sagte der Kellner unbeeindruckt. Wenn heute einer kommt, der gut reden kann, dann werden die Leute schon begreifen, was sie zu tun haben.

Die Fischer schwiegen verächtlich. Der Jüngste rieb noch immer das zerstörte Ohr.

Seine Zeit, dachte Bella, hat damals begonnen, und jetzt ist er wieder im Damals. Er haßt den Krieg und die, die ihn verursacht haben. Sie haben sein Ansehen bei den Mädchen geschmälert und ihm Alpträume beschert, die wiederkommen, wenn auch inzwischen in großen Abständen. Heute nacht wird er vermutlich nicht gut schlafen. Als sie begriff, daß sie sich die Theorie der Alten aus der Hotelgarderobe über die andere Zeit zu eigen gemacht hatte, lächelte sie in ihr Glas. Niemand sagte etwas.

Das Gespräch war zu Ende.

Es war ihr daran gelegen, einen Abgang zu haben, der die Möglichkeit zu einem weiteren Gespräch offen ließ. Sie würde jetzt nichts mehr fragen. Sie stand auf, ging an den Tresen und zahlte. Der Kellner bediente sie gleichgültig. Offenbar brachte er sie nicht mit dem kalten Bad in Verbindung, das sein Kumpan unfreiwillig genommen hatte. Zum Stammtisch hinüber sagte sie »gute Nacht«. Sie war nicht erstaunt darüber, daß sie keine Antwort bekam. In der Tür traf sie mit einer Gruppe lachender, durchfrorener Touristen zusammen. Die ersten Gäste kamen zum Abendessen. Das Restaurant war bekannt für seinen guten Fisch.

Langsam ging sie über die hölzerne Brücke zurück zu ihrem Wagen. Sie hatte noch immer keine Lust, das Lokal aufzusuchen, in dem die Böhmer gewesen war. Vielleicht sollte sie Jochen Giese einen Besuch abstatten, nicht um ihn zu warnen; sie war davon überzeugt, daß er die Gefahren, in die er sich begab, besser abschätzen konnte als sie, die erst wenige Tage hier war und die Verhältnisse nicht besonders gut kannte. Sie hatte einfach keine Lust, allein zu sein, und ein Gespräch mit ihren Wirtsleuten schien ihr nicht besonders verlockend. Sie fuhr eine Viertelstunde am Stadtrand und auf der verschneiten Landstraße entlang. Große Wohnblocks, in Plattenbauweise auf die Felder gesetzt und durch offenliegende Rohre mit

Fernwärme versorgt, begleiteten sie eine Zeitlang. Dort, wo eigentlich Bäume, Grünanlagen, Sträucher, Büsche hätten sein sollen, standen jetzt Autos, von Straßenlaternen mit weißem Licht beleuchtet. Auf der Landstraße außerhalb der Stadt war der Schnee zu einer festen Decke gefroren. Es war glatt, und sie fuhr langsam.

Weshalb hatte der Alte die Geschichte von der Bombe erzählt, die auf den Bunker gefallen war? Er wollte damit sagen, daß der Vater der Böhmer irgendein hohes Tier bei den Nazis gewesen war. Das hatte sie eigentlich schon gewußt. Je länger sie überlegte, desto dringender schien es ihr, die Fischer zu weiteren Auskünften zu bewegen. Falls sie überhaupt noch etwas wußten. Weshalb hatte die Böhmer ausgerechnet diesen Giese aufgesucht? Sie hatte doch sicher noch andere Bekannte. Sogar die Fischer hatten sie erkannt, obwohl das Haus der Böhmers nicht im Fischerdorf gelegen hatte, sondern in dem Dorf auf der anderen Seite des Flusses.

Vielleicht konnte Jochen Giese ihr etwas über seinen Vater erzählen, das ihr weiterhalf. Sie lächelte bei dem Gedanken an die Beschäftigung, die sie gestern davon abgehalten hatte, Fragen zu stellen.

Als sie den Feldweg erreichte, stellte sie den Wagen am Straßenrand ab. Der Weg war verschneit. In den letzten Stunden hatte ihn niemand betreten. Sie hätte das Haus da vorn nicht gesehen, wenn sie nicht um seine Existenz gewußt hätte. Alle Fenster waren dunkel. Auch über der Haustür brannte kein Licht. Die Haustür war nicht abgeschlossen und gab unter ihrer Schulter nach, als sie sich dagegenlehnte, um den Schnee von ihren Schuhen zu wischen. Sie trat ein, schloß die Tür hinter sich und suchte nach einem Lichtschalter. Sie fand keinen. Einzig der Schnee vor den Fenstern leuchtete. Langsam gewöhnten sich ihre Augen an die Dämmerung. Sie begann die Umrisse der Leinwände auf dem Boden zu ahnen und die weißen Mauern des Ofens an der linken Wand. Vorsichtig, um nicht herumstehende Farbtöpfe umzustoßen, ging sie zum Ofen. Dort in der Ecke mußte ein Lichtschalter sein. Hinter ihr fiel krachend die Haustür ins Schloß. Bella stand und wartete. Alles blieb still. Ein plötzlicher Windstoß mußte die Tür bewegt haben. Vorsichtig ging sie weiter, tastete nach dem Lichtschalter und bewegte ihn. Die Lampe blieb dunkel. Sie setzte sich auf die Ofenbank. Ihre Augen hatten sich an das Schneelicht von draußen gewöhnt. Nichts bewegte sich, niemand war im Haus. Wahrscheinlich war der Strom ausgefallen. Sie ging zurück zur Haustür, suchte und fand den Schalter für die Außenbeleuchtung. Auch hier brannte die Lampe nicht. Einen Augenblick überlegte sie, ob sie zurückgehen und auf den Maler warten sollte. Sie hätte gern in Ruhe seine Bilder angesehen. Aber sie wußte nicht, wann der Strom wieder funktionieren würde. Und sie hatte keine Lust, in dem dunklen Haus herumzusitzen und darauf zu warten. Sorgfältig schloß sie die Haustür hinter sich und ging zurück zum Wagen. Die eisige Luft war unbewegt. Im nachhinein kam ihr der plötzliche Windstoß, der die Tür zugeschlagen hatte, ungewöhnlich vor. Aber sie verspürte keine Lust zurückzugehen und zu prüfen, ob es wirklich der Wind gewesen war, der die Tür bewegt hatte.

Im Auto sah sie auf die Uhr. Es war kurz vor acht und damit zu früh, um schlafen zu gehen. Zurück in die Stadt also. Irgend etwas mußte sich auch in dieser Stadt abends unternehmen lassen.

Er war ins Dorf gefahren, hatte rote Kerzen gekauft und die Post abgeholt. Auf dem Rückweg ließ er den Wagen am Ausgang des Dorfes stehen. Er hätte direkt zum Bierkeller gehen können, aber es schneite nicht mehr, und er fürchtete die Spuren, die er im Schnee hinterlassen würde. Er mußte einen Umweg machen, um vom Feld her den Keller zu erreichen. Das kostete ihn Zeit, für die die Frau vielleicht eine Erklärung verlangte. Er würde sich unterwegs etwas ausdenken. Auf dem Feld krachten die Eisschollen zwischen den Furchen unter seinen Schritten. Das Geräusch erinnerte ihn an seine Kindheit, an den Schulweg im Winter und das Vergnügen, das er und seine Freunde dabei empfunden hatten, durch überschwemmte Wiesen zu laufen und die Eisdecke zwischen den Grasbüscheln zu zerstören. Damals war alles einfach gewesen. Das einzige Problem, an das er sich erinnern konnte, hatte darin bestanden, die Uniform nicht schmutzig zu machen, wenn sie, was manchmal vorkam, um die

Wette über die zugefrorenen Wiesen gelaufen und dabei gestolpert und in das modrige Wasser unter dem zerbrechenden Eis gefallen waren.

Er beeilte sich, um das freie, ungeschützte Feld schnell hinter sich zu bringen. Der Frau würde er sagen, er habe jemanden aus dem Gemeinderat getroffen und sie hätten die Sitzung besprochen, die morgen stattfinden sollte. Er war nicht sicher, wer bei der Abstimmung auf seiner Seite sein würde. Sicher war er bei den älteren und den beiden aus dem Westen. Die aus dem Westen hätten natürlich auch Konkurrenz sein können. Aber er wußte, daß die größere Pläne hatten. Von denen interessierte sich keiner für das marode Ausflugslokal. Vielleicht hatten sie auch noch nicht begriffen, was man daraus für eine Goldgrube machen konnte. Aber er, er hatte noch Bilder von früher im Kopf. Heimvorteil, ja, das war's. Kam selten vor. Sonst rissen die sich doch alles unter den Nagel. Die beiden jungen Leute im Gemeinderat waren unsichere Kantonisten. Nicht, weil sie ihm Konkurrenz machen wollten. Der eine war Lehrer, und der andere hatte nach der Wende eine kleine Autoreparaturwerkstatt aufgemacht. Das Problem lag darin, daß er die beiden schon lange kannte. Er hatte sie sozusagen politisch erzogen. Und er wußte nicht, wie ernst sie ihre überholten politischen Ansichten noch immer nahmen. Er hätte sie vorher einladen sollen. Konnte man das nicht heute abend noch nachholen? Er würde mit der Frau darüber sprechen, wenn er zurück war.

Er hatte den Drahtzaun erreicht, der das Gelände um den Bierkeller vom Feld abgrenzte. Prüfend ging er daran entlang, fand eine hochgebogene Stelle und kroch hindurch. Einen Augenblick überlegte er, ob er den Haupteingang benutzen sollte. Er erinnerte sich daran, daß er das Schloß nur unzureichend wieder befestigt hatte. Er mußte es ordentlich anbringen. Aber man würde die Spuren im Schnee sehen können. Besser, er ließe das Schloß vorläufig so, wie es war. Er würde durch einen der Schächte einsteigen.

Um den Hügel herumgehend, fand er den Schacht, von dem er annahm, daß er der Tonne, die dort unten bewegt werden mußte, am nächsten lag. Der Schacht war nur am oberen Rand mit Schnee bedeckt, dahinter begann Sand und Müll. Er würde sich schmutzig machen beim Hinabsteigen. Er mußte später versuchen, ins Haus zu kommen und sich umzuziehen, bevor er mit der Frau zusammenträfe. Am besten er würde rückwärts einsteigen, dann käme er unten mit den Füßen zuerst auf.

Wie hoch über dem Boden lag die untere Öffnung? Er wußte es nicht mehr, erinnerte sich dann aber, daß sie als Kinder ohne Schwierigkeiten hineingelangt waren. Langsam rutschend bewegte er sich hinunter. Im Schacht lag mehr Müll, als er von oben gesehen hatte. Gut, der Müll bremste sein Tempo. Schließlich stießen seine Füße gegen Holz. Die verdammten Vogelschützer hatten den Ausgang des Schachts vernagelt. Er konnte sich nicht umwenden, um die Beschaffenheit der Bretter zu prüfen, die ihn daran hinderten, in den Keller zu rutschen. Der Schacht war zu eng. Er konnte nur hoffen, daß sie leicht wegzustoßen waren. Mühsam kroch er ein kleines Stück wieder nach oben, zog die Beine an und schnellte sie mit aller Kraft, die er in der labilen Lage aufbringen konnte, zurück. Das Holz hinter seinen Füßen gab krachend nach. Er fiel auf den Bauch und rutschte bäuchlings nach unten. Einen Augenblick hingen seine Beine im Leeren. Dann fühlte er Boden unter den Füßen, rutschte, stieß sich das Gesicht an der steinernen Kante des Einstiegslochs und stand.

Sehr wenig Licht fiel durch das aufgestoßene Loch um ihn herum auf den Boden. Ein paar Tiere flatterten unruhig. Er blieb stehen, gewöhnte sich an die Dunkelheit und wartete, bis sich die Tiere beruhigt hatten. Schon als Kind hatte er die herumsausenden Fledermäuse ekelhaft gefunden und nicht verstanden, weshalb andere sich für sie interessierten.

Es war beinahe fünfzig Jahre her, daß er, sah er von dem kurzen Aufenthalt gestern ab, hier unten gewesen war. Trotzdem fand er sich schnell wieder zurecht. Die Tonne lag nur wenige Meter entfernt an der Wand. Er begann sie durch den Keller zu rollen, auf der Suche nach einem unverfänglichen Platz. Den fand er im hintersten Raum der sehr großen Kelleranlage. Dort standen zwanzig oder dreißig Fässer, die der Tonne, die er vor sich herschob, ähnlich sahen. Er hatte gewußt, daß sich diese Dinger hier unten befanden. Vielleicht war er doch später noch einmal hier gewesen. Er schob die Fässer auseinander, was einfach war, denn sie waren leer. Leider waren sie deshalb auch oben offen. Er mußte einige umdrehen, um zu verhindern, daß die verschlossene Tonne dazwischen auffiel. Das war mühsam und kostete Zeit.

Er arbeitete hastig. Manchmal, wenn die Bleche der Fässer gegeneinanderstießen, fuhr er zusammen. Ein paar Fledermäuse lösten sich jedesmal von der Decke, flatterten hin und her und hängten sich an einer anderen Stelle wieder an. Schließlich hatte er die neue Tonne so plaziert, daß sie, auch wenn er die Oberflächen mit der Taschenlampe ableuchtete, zwischen den anderen nicht auffiel. Er lief fast zurück zum Ausstieg. Unterwegs fiel ihm ein, daß er nicht in der Lage sein würde, die Bretter vor dem Ausstiegsloch wieder anzubringen. Er mußte es darauf ankommen lassen. Sollten sie denken, daß spielende Kinder sie entfernt hatten. So was kam bestimmt öfter vor. Er mußte den Ausstieg, mühsam auf dem Bauch über Sand und Müll robbend, vornehmen. Der Schacht war zu steil, um auf Händen und Füßen hochkriechen zu können. Als er oben ankam, war er über und über mit Schmutz bedeckt und auf eine merkwürdige, ihn selbst überraschende Weise verstört. Er lief über das Feld, klopfte mit den Händen auf seine verdreckten Hosen und Ärmel und empfand die gleiche Verstörung wie damals, als er dem bewunderten Nachbarn geholfen hatte, die Toten zu begraben.

Es ist alles in Ordnung. Einer hat noch gelebt. Er hat ihn erschossen, mit der Waffe des Nachbarn. In Wachstuch hat er sie eingeschlagen. Sie haben die Leichen ziemlich tief eingegraben, und es ist immer noch alles in Ordnung. Niemand hat sie gesehen. Sie haben die Grasnarbe über das Loch gelegt, sind gegangen, und mit jedem Schritt, den sie sich von dem Grab entfernen, wird seine Angst größer. Bis der Nachbar es bemerkt und ihn beruhigt. Es war richtig, was sie getan haben. Nach dem Endsieg werden sie einen Orden bekommen. Ihre Ehre ist Treue. Ihrer beider Ehre ist Treue. Sein Vater, wenn er noch lebte, wäre stolz auf ihn. Es fiel ihm schwer, die Hand ruhig zu halten, als er sein Auto aufschloß. Er setzte den Wagen in Gang, fuhr an und spürte, daß seine Knie zitterten.

Diese Frau hätte zu Hause bleiben sollen. Die Sache war vergessen gewesen. Ihr Vater war gestorben. Niemand hatte davon gewußt, außer ihm, und er hatte es vergessen. Und dann kam sie. Die ganze Zeit drüben im Westen gewesen, nichts mitgemacht und jetzt auf der Suche nach der Vergangenheit ihres Vaters.

Er fuhr zu schnell, aber die Straße war leer, so daß er niemanden behinderte, als er die Kurve von der Landstraße in die Siedlung zu schnell nahm und rutschte. Er fing den Wagen ab und fuhr weiter, schnell, als habe er die Absicht, sich hinter den schützenden Wänden der Garage zu verkriechen. Er war tatsächlich froh, als er die Garage erreicht hatte. Einen Augenblick blieb er hinter dem Steuer sitzen, um sich zu beruhigen.

Seine Frau stand vor ihm, als er aufsah. Sie stand da in der weißen Kittelschürze, die sie vormittags trug, wenn sie damit beschäftigt war, die Küche und das Restaurant für den Abend vorzubereiten. Er dachte daran, welche Mühe es ihn gekostet hatte, sie zu überreden, die scheußlichen geblümten Kittel auszuziehen, als sie das Restaurant eröffneten. Zum ersten Mal haßte er sie. Als er nicht ausstieg, kam sie ihm entgegen und öffnete die Wagentür.

Ist dir nicht gut?

Ihre Stimme klang nicht anteilnehmend. Sie hatte dieselbe Frage gestellt, die sie vor ein paar Tagen auch gestellt hätte, nur war ihr der Inhalt gleichgültig geworden.

Alles in Ordnung, sagte er, während er ausstieg. Ich hab' gleich die Post mitgebracht.

Er sah ihre Augen über seine verschmutzten Ärmel gleiten, sah, wie sie ihn von oben bis unten musterte, als er ihr die Schachteln mit den roten Kerzen in die Hand drückte. Er wartete darauf, daß sie etwas sagen würde und überlegte angestrengt, wie er den Zustand seiner Kleidung erklären sollte.

Als sie nichts sagte, ging er erleichtert hinter ihr her. Sollte sie denken, was sie wollte, wenn sie ihm nur keine Szene machte. Er stieg die Treppe zur Wohnung hinauf. Während er sich auszog, um zu duschen, hörte er sie unten im Restaurant hin und her gehen.

Später, als er hinunterging, warf er einen Blick ins Restaurant. Schön sah es da aus, weiße Tischdecken, die Leuchter mit den roten Kerzen und der Glitzerkram drumherum. So hatte er es haben wollen. In den ganzen verdammten vierzig Jahren hatte er nicht ein einziges Restaurant gesehen, das so adrett aussah wie seins hier. Kein Wunder, daß die Leute gern zu ihm kamen.

Er ging in die Küche, klopfte seiner Frau anerkennend auf den Hintern und begann umständlich, eine Geschichte zu erzählen, die seine Verspätung erklären sollte. Er war nicht sicher, ob sie ihm glaubte, aber schließlich war's ihm egal. Hauptsache, sie regte sich nicht wieder auf. Er blieb am

Küchentisch sitzen und sah ihr bei der Arbeit zu. Nach einer Weile begann es in der Küche nach Rotkohl zu duften. Er bekam Hunger.

Riecht wieder wunderbar bei dir, sagte er, kann man schon mal probieren?

Gleich, sagte sie, ohne sich umzuwenden. Ich mach' dir gleich einen Teller zurecht.

Daß du essen kannst, sagte sie nach einer Pause.

Er tat so, als habe er sie nicht verstanden, aber sie hörten beide, daß seine Stimme krampfhaft lustig war, als er antwortete. Sie schwieg, hantierte am Herd herum und wandte ihm den Rücken zu. Er hatte das Bedürfnis aufzustehen und hinauszugehen, zwang sich aber sitzen zu bleiben.

Und du, sagte er, als sie den Teller mit Essen vor ihm hinstellte, ißt du nichts? Während er sprach, kam ihm seine Frage ungeschickt vor. Sie zuckte die Schultern und verließ die Küche. Er hörte sie am Tresen hantieren. Als sie zurück in die Küche kam, stellte sie ein Glas Bier neben seinen Teller auf den Tisch.

Setz dich doch wenigstens dazu, sagte er. Seine Stimme klang bittender, als er es beabsichtigt hatte. Plötzlich tat er sich unendlich leid. Er war einsam. Er kämpfte für seine Familie. Niemand verstand ihn, nicht einmal die eigene Frau. Als sie sich ihm gegenüber auf die Küchenbank setzte, war er erleichtert.

Wer war das heute morgen am Zaun? fragte sie.

Schon wieder diese tonlose Stimme. Konnte sie nicht mehr anders reden? Von wem sprach sie überhaupt? Am Zaun?

Ach so, die, sagte er, die wollte bei uns Mittag

essen. Ich hab' ihr gesagt, daß wir erst gegen Abend aufmachen. Irgend jemand hatte ihr gesagt, daß man bei uns Wild bekommt. Ich nehme an, die taucht heute abend wieder auf.

Also war sie harmlos, sagte sie. Die Erleichterung in ihrer Stimme war deutlich herauszuhören. Endlich nahm sie Vernunft an.

Nun paß mal auf, sagte er, ich hab' da eine Sache gemacht, die war nicht ganz in Ordnung. Aber immerhin stand unsere Existenz auf dem Spiel. Ich kann dir das jetzt nicht alles erklären, aber du kannst sicher sein –

Laß, sagte sie und stand auf, du hast es mit Gift gemacht, oder? Hast du das Gift noch im Haus?

In seinem Inneren entstand Panik. Das friedlich begonnene Gespräch hatte keinen Einfluß auf ihren Zustand gehabt. Er konnte ihr nicht sagen, daß das Gift der SS, das der Nachbar ihm damals anvertraut hatte, die ganzen Jahre in ihrem Haus gewesen war. Sie würde nach dem Grund fragen. Sie würde, was damals geschehen war, noch mehr verabscheuen als die Sache jetzt. Er schwieg und wartete darauf, daß ihm etwas einfiele, irgend etwas, das geeignet wäre, sie auf andere Gedanken zu bringen. Sie stand da und sah auf ihn herab. Schließlich wandte sie sich um und verließ die Küche. Er hörte sie die Treppe hinaufgehen.

Verdammt, dachte er, warum hab' ich sie da nicht rausgelassen. Sie ist imstande und erzählt den Gästen, wir hätten Gift im Haus. Wie spät ist es überhaupt? Halb vier, in zwei Stunden ist Hochbetrieb und sie mit Leichenbittermiene dazwischen. Das durfte nicht sein.

Er erhob sich und ging auf den Flur hinaus. Dort stand das Telefon. Er wartete ungeduldig, bis sich am anderen Ende jemand meldete.

Karin, sagte er, kannst du etwas früher kommen? Deiner Mutter geht's nicht gut. Sie muß sich eine Weile hinlegen. Dann ging er die Treppe hinauf, nahm zwei Beruhigungstabletten aus dem Spiegelschrank, füllte ein Zahnputzglas mit Wasser und ging zu ihr. Sie stand am Fenster des Schlafzimmers und sah hinaus. Er stellte sich neben sie. Vor ihnen lagen verschneite Felder. Es begann dunkel zu werden. Der Himmel und die Felder waren von gleichem Blaugrau, nur unterbrochen von der dunkelgrauen Linie des Waldes am Horizont.

Da drüben hat mal die große Strohmiete gestanden, sagte sie. Ich hatte meinen Schuh beim Spielen darin verloren. Als das Stroh abgebrannt wurde, kamst du und hast mir den verkohlten Absatz gebracht. Du hattest HJ-Uniform an. Ich glaube, meine Mutter hat sich nicht getraut, dich rauszuwerfen. Als du weg warst, hat sie schlecht von dir gesprochen. Mich hat das nicht gestört. Ich hab' dich sehr bewundert, trotz der Uniform.

Ihre Stimme klang traurig. Er legte seinen Arm um ihre Schultern.

Es wird wieder Sommer, sagte er, das dauert gar nicht mehr so lange. Ich hab' dir ein Beruhigungsmittel gebracht. Hier, und trink einen Schluck Wasser. Karin kommt etwas früher heute, du kannst dich ruhig hinlegen.

Sie nahm die Tabletten und trank das Wasser.

Wie schnell es dunkel wird, sagte sie.

Er blieb am Fenster stehen und sah hinaus. In

seinem Rücken hörte er, daß sie sich ins Bett legte. Er erinnerte sich nicht an die Geschichte mit dem verbrannten Schuh. Es war eine Geschichte, in der er eine positive Rolle gespielt hatte. Vielleicht war es ein gutes Zeichen, daß sie ihr gerade jetzt eingefallen war. Ein großer Vogel flog über das Feld, so groß, daß es ein Fischadler hätte sein können. Er flog in Richtung Ostsee und verschwand sehr schnell in der Dämmerung.

Ich glaube, ich hab' eben einen Fischadler gesehen, sagte er, während er sich umwandte. Im Zimmer war es fast dunkel. Sie hatte die Decke bis unter das Kinn gezogen. Er konnte nicht sehen, ob sie die Augen offen oder geschlossen hielt.

Ich geh' dann mal runter, sagte er. Karin wird gleich kommen. Wir schaffen das da unten auch allein. Er strich über ihre Bettdecke, bevor er das Zimmer verließ. Sie hörte ihn die Treppe hinuntergehen.

Vorn auf der Bühne sang eine Schauspielerin das Lied »Tapfere kleine Soldatenfrau«.

Die ältere Frau neben Bella schniefte vorsichtig in ihr Taschentuch. Bella sah die Reihe entlang. Ihre Nachbarin war nicht die einzige, die zu Tränen gerührt war. Bella verfolgte eine Weile die Bewegungen der Schauspielerin. Sie hatte noch nie etwas übrig gehabt für die Sentimentalitäten der Zarah Leander.

Die Idee, ins Theater zu gehen, war ihr spontan gekommen, als sie auf dem Rückweg in die Stadt an dem großen Kasten stehengeblieben war. Die Aussicht, bei welchem Stück auch immer Menschen im Theater beobachten zu können, schien ihr auf jeden Fall verlockender, als in einer trüben Gaststätte zu hocken. Obwohl die Vorstellung schon begonnen hatte, war sie eingelassen worden. Und sie bedauerte es nicht. Sie fand, daß sie einem geradezu einmaligen Schauspiel beiwohnte. Das spielte sich allerdings nicht auf der Bühne ab, sondern im Zuschauerraum. Sie waren wegen Zarah gekommen und wegen ihrer Erinnerungen. Jedesmal, wenn die Schauspielerin auf der Bühne mit einem der bekannten Lieder begann, konnte Bella an den entzückten Gesichtern erkennen, daß die Frauen und Männer hier in einer anderen Zeit lebten, jedenfalls die älteren, und die meisten Zuschauer waren älter. Sie hätte nicht einmal sagen können, daß das Publikum die Absicht des Regisseurs mißverstand. Der größere Teil war offensichtlich gar nicht wegen irgendwelcher dramaturgischer Absichten ins Theater gekommen. Es interessierte die Leute schlicht nicht, was da vorn gesagt werden sollte.

In der Pause sah sie ein paar junge Leute, die das Theater verließen. Zu wenige, fand sie. Sie trank an der improvisierten Bar ein Glas Wodka und Orangensaft. Neben ihr standen zwei alte Frauen.

Ihre Stimme ist es ja nicht, sagte die eine, die direkt neben Bella stand. Sie trug ein dunkelblaues Kleid mit weißem Kragen und hatte sorgfältig weiß gefärbte Haare.

Aber sonst ist alles so wie früher, antwortete die andere, nicht ganz so weiß, sondern eher lila gefärbt und in Schwarz, mit einer langen Kette aus Jettperlen über der Brust.

Wenn ich daran noch denke. Der Mann im Krieg und ich mit den Kindern allein. Nie bin ich abends weggegangen. Obwohl man das ja hätte tun können. Sichere Straßen hatten wir jedenfalls. Nur das eine Mal war ich mit Nachbarn im Kino. Zarah wollte man sich ja nicht entgehen lassen. Es war Sommer, dreiundvierzig, glaube ich, La Habanera.

Irgendwie war sie nach Südamerika gekommen. Und hatte so ein Heimweh. War da wohl sehr schön, mit Luxus und so. Aber sie war eben aus dem Norden. Kein Schnee und das alles. Diese Sehnsucht nach der Heimat. Das hat der nordische Mensch nun mal. Jedenfalls, schon auf dem Rückweg hatte ich so ein komisches Gefühl.

Wieso, war dein Mann inzwischen nach Hause gekommen?

Das wäre schön gewesen. Nein, die Kinder. Sie waren doch nicht gewohnt, allein zu sein. Waren wieder aufgewacht und aus dem Fenster geklettert. Natürlich, die Nachbarn auch nicht da. Sie hatten die Fußbänke aus dem Fenster geworfen, damit sie hinterher wieder einsteigen konnten. Und ich komm' nach Hause, das Fenster weit offen, unten stehen Fußbänke. Ob du es glaubst oder nicht –

Bella verzichtete darauf, weiter zuzuhören. Sie drängte sich durch das schwatzende Publikum und blieb mit dem Glas in der Hand ein Stück weiter stehen.

Ich mochte ja die Röck lieber, hörte sie neben sich. Die hatte einfach mehr Witz. Immer diese traurigen Rollen, na gut, singen konnte die Leander besser. Aber die Zeiten waren doch schon traurig genug. Wenn ich daran noch denke: Wenn der weiße Flieder wieder blüht. Wie die Röck da die Revuetreppe runtergesteppt kam …

Ein Jammer, sagte Bella laut, daß sie sich nicht den Hals gebrochen hat.

Ein paar Frauen sahen empört zu ihr hin. Vielleicht hätte es Ärger gegeben, aber das Pausenzeichen war zu hören und ohne auch nur einen

Augenblick zu zögern, drängten die Menschen zurück auf ihre Plätze. Vor den Eingangstüren zum Zuschauerraum standen sie zu Klumpen geballt.

Bella ging an die Bar zurück und ließ ihr Glas wieder füllen.

Im zweiten Teil des Stückes sollte es um die Verantwortung der Künstlerin, um ihre Mitschuld an den Verbrechen der Nazizeit gehen. Jedenfalls war das der Wille des Autors gewesen. Seine Absichten gingen so vollkommen an den Bedürfnissen der Menschen im Zuschauerraum vorbei, daß Bella sich über seine Naivität zu ärgern begann. Um sich herum sah sie bei jeder neuen Schnulze verklärte Gesichter. Hätte er nicht wissen können, für welche Gemütszustände er produzierte?

Sie blätterte laut und ungeniert im Programmheft herum. Natürlich, jung, aus dem Westen, keine Ahnung. Er sollte die Leute hier mal sehen. Es war, als hätten die Menschen fünfzig Jahre lang darauf gewartet, sich ohne Scham und öffentlich in alte Zeiten versetzen zu lassen. Damals waren offenbar alle glücklich gewesen, und jetzt wünschten sie sich in glückliche Zeiten zurück. Das Böse hatte für sie erst begonnen, als der Krieg zu Ende war.

Als vorn »Ich weiß, es wird einmal ein Wunder geschehn, und dann werden alle Märchen wahr«, erklang, stand Bella auf und verließ den Saal. Hinter der Bar standen die Garderobenfrauen. Sie ging zu ihnen und bat um einen Wodka.

Eigentlich ist ja schon Schluß, sagte eine, das nimmt einen ganz schön mit, was? Sie nahm ein Glas von dem Handtuch, auf dem die bereits abgewaschenen Gläser zum Trocknen abgestellt worden waren und füllte es mit Wodka.

Bella hob das Glas. Ehrlich gesagt, ich finde das alles ziemlich zum Kotzen, sagte sie und trank.

Das verstehn Sie nicht, sagte die, die ihr den Wodka gegeben hatte. Sie sind aus dem Westen. Da war das Leben normal.

Ja, sagte Bella, da ist das Leben normal. Aber keine Angst, ich glaube, hier wird es auch bald normal werden.

Sie legte ein Fünfmarkstück auf den Tisch und ging. Die Dielen im Foyer knarrten unter ihren Füßen. Sie waren so alt, daß wahrscheinlich schon irgendwelche Nazi-Größen auf ihnen gewandelt waren, in Uniform und den rechten Arm ununterbrochen in Bewegung.

In ihrem Rücken spürte sie die mißtrauischen Blicke der Garderobenfrauen. Auf der Straße hörte sie die letzten Takte des »Wunder«-Liedes und kräftig einsetzenden, donnernden Beifall. Sie rannte zum Auto. Auf der Fahrt in die Pension dachte sie über das nach, was sie gesehen und gehört hatte. Die trostlose Fußgängerzone in der Stadt fiel ihr ein, die Läden mit dem Massenangebot an billigen Klamotten, die einfachen Schaufensterdekorationen. Immer warteten die Leute auf ein Wunder. Das hier schien nicht ganz so ausgefallen zu sein, wie die Menschen es sich erhofft hatten.

Als sie das Gasthaus erreichte, in dem sie schlief, waren dort alle Fenster dunkel. Auch in der Gaststube brannte kein Licht mehr. Ihr Auto war das einzige vor der Tür. Sie schloß die Haustür auf und stieg leise die knarrende Treppe empor.

In ihrem Zimmer war es gemütlich warm. Sie verzichtete darauf, Licht anzumachen, um den Blick auf die Einrichtung noch ein Weilchen hinauszuzögern, ging statt dessen ans Fenster und sah hinaus. Schnee, ein paar Dorflaternen, dunkle, niedrige Häuschen. Als sie sich abwenden wollte, sah sie einen Mann langsam näher kommen. Sie blieb stehen und sah ihm zu. Er hatte ein Notizbuch in der Hand und notierte die Nummern einiger Autos, die am Straßenrand standen. Er notierte nicht jede Nummer. Es dauerte eine Weile, bis Bella begriff, was sich da unten tat. Eigentlich begriff sie es erst, als sie ihren Gastgeber erkannte.

Der Mann ging durchs Dorf und notierte die Nummern der Wagen, die nicht ins Dorf gehörten. Hatte er vor, seine Nachbarn anzuschwärzen, wenn er den begründeten Verdacht hegte, sie vermieteten Zimmer, ohne ein Gewerbe anzumelden? Sie wandte sich ab, verzichtete darauf, ins Bad zu gehen, und kroch ins Bett. Es wäre ihr lieber gewesen, sie hätte mit einem freundlicheren Gedanken einschlafen können als mit dem an ihren Wirt, den sie nicht nur auf einer niedrigen, sondern auch auf einer erniedrigenden Stufe des für ihn noch ungewohnten Konkurrenzkampfs beobachtet hatte.

In der Nacht hatte Bella einen wilden Traum, in dem ein Maler, der mit Jochen Giese keine Ähnlichkeit hatte, zum Bürgermeister gewählt worden war. Er fuhr in einem offenen Wagen mit wehenden weißen Haaren durch die Stadt, um den Hals ein blaues Tuch geschlungen. Menschen standen am Straßenrand, klatschten und versicherten sich gegenseitig: Er wird die Sache in Ordnung bringen. Seine Bilder sollen sehr schön sein. Im Halbschlaf hatte sie Verse ihres Großvaters im Kopf, aber nur die Melodie, die Worte fand sie nicht. Der Maler war kein Maler, sondern ein Dichter gewesen. Der Rat der Stadt hatte beschlossen, die Macht an die Poesie abzugeben.

Bella setzte sich auf und versuchte, Ordnung in ihre Gedanken zu bringen. Sie stellte fest, daß sie Lust hatte, abzureisen und beschloß, die Sache so bald wie möglich hinter sich zu bringen. Der Theaterbesuch gestern abend war überflüssig gewesen. Sie hätte statt dessen in Gieses Restaurant essen und den Wirt ausfragen sollen. Nun mußte sie den Abend abwarten, um, ohne Verdacht zu erregen, dort auftauchen zu können.

Sie fand das Frühstück an seinem üblichen Platz, die Zeitung neben der Kaffeetasse. Ihre Wirtsleute zogen es vor, sich nicht sehen zu lassen. Bemerkenswerte Neuigkeiten gab es nicht. Ein wichtigtuender CDU-Abgeordneter hatte die Absicht, eine Diskussion über die Einführung von Dienstmädchen-Kleidung für Mädchen im freiwilligen Dienstjahr zu entfesseln. Da Bella annahm, daß alle Beteiligten dafür sein würden, fragte sie sich, wer das Problem diskutieren sollte. – Umfragen hatten ergeben, daß der Hunger nach Westwaren nachgelassen habe, insbesondere bei Sekt, Schnaps und Bier. Vielleicht waren die Säufer hier klüger als woanders. – Auf der Lokalseite wurden Veranstaltungen angekündigt, unter anderem ein Eintopf-Sonntag der Bundeswehr auf dem Gelände des ehemaligen Flugplatzes.

Der Flugplatz hatte in den Aufzeichnungen der Böhmer eine Rolle gespielt.

Sie beschloß, die Gelegenheit zu nutzen und sich das Gelände anzusehen, obwohl sie sich wenig davon versprach. Es wäre ihr recht gewesen, gleich dorthin gehen zu können. Aber es war erst Sonnabend. Sie beschloß, das Haus des Malers aufzusuchen, um zu sehen, ob er zurückgekehrt war. Sicher war es nützlich, ihn zu einem ausführlicheren Gespräch über seinen Vater zu verleiten, bevor sie den aufsuchte. Und was war eigentlich mit der Mutter? Niemand hatte sie bisher erwähnt.

Froh, für die nächsten Stunden ein Programm zu

haben, verließ sie das Haus. Die Scheiben ihres Wagens waren vereist. Mühsam begann sie das Eis abzukratzen, hoffend, die Pensionsleute würden erscheinen und ihr ein geeignetes Werkzeug anbieten. Aber niemand zeigte sich.

Grauer Dunst, eine Art lockerer Nebel, lag über den Feldern. Der Himmel hing tiefgrau und niedrig darüber. Es war immer noch kalt, aber trüb und windstill.

Ein Wetter für Melancholiker, dachte Bella. Zur Bestätigung flog eine einzelne schwarze Krähe schwerfällig über den Acker. Erst in der Nähe der Stadt verschwand der Nebel und der stärker werdende Verkehr zerstörte die Stimmung. Sie ließ die Stadt zu ihrer Rechten unberührt. Auf dem Feldweg, der zum Haus des Malers führte, waren schon vom Auto aus Fußspuren zu erkennen, nicht nur ihre eigenen vom Abend zuvor. Die Haustür war geschlossen, gab aber unter ihrem Klopfen nach. Sie trat ein und sah sich um. Auf dem Ofen knäulte sich ein Paar. Sonst war der große Raum leer. Sie sah Jochen über den Haufen Decken blinzeln, der ihn und die Frau auf dem Ofen umgab.

Komm her, sagte er, verschwand aber gleich wieder. Bella wandte ihm und dem Gewurstel auf dem Ofen den Rücken zu und begann, Bilder zu betrachten. Der Mann, der zwei Frauen verdiente, war noch nicht geboren.

Später saßen sie auf der Ofenbank, tranken West-Sekt, für Bella ein widerliches Getränk, das sie nur nahm, wenn nichts anderes zu bekommen war, und redeten. Jochens Freundin hieß Marion und war eine Malerin aus dem Nachbardorf. Er hatte sie besucht und bei ihr übernachtet. Sein Haus schlösse er nie ab. Bella fand das leichtsinnig, besonders seit sein Brief an die Zeitung veröffentlicht worden war. Sie versuchte der Unterhaltung eine politische Wendung zu geben. Ihre Gesprächspartner aber, das spürte sie schnell, hatten wenig Interesse daran. Wie sie vermutet hatte, war der Leserbrief nichts weiter als eine versteckte Drohung gegen den Vater gewesen. Sie mußte das Gespräch vorsichtig auf den Grund ihres Hierseins lenken, ließ den Namen Böhmer fallen, aber es gelang ihr nicht, irgendwelche brauchbaren Informationen zu bekommen.

Die Malerin versuchte Jochen davon zu überzeugen, daß er ausstellen müsse.

Du wirst verkaufen, sagte sie, neuerdings laufen hier überall Leute mit Geld rum. Die meisten haben keine Ahnung von Bildern, aber sie zahlen jeden Preis, wenn du ihnen weismachst, sie bekämen deine Sachen günstig. Auch die Museen in der Umgebung würden dich ausstellen.

Ich denk' nicht dran, sagte Jochen. Das eine Mal hat mir gereicht. Ein Kaugummi, eine Zigarette und mehrere zerkratzte Oberflächen. Ich male nicht für Vandalen. Er hatte sich gleich nach der Wende an einer größeren Ausstellung ehemaliger DDR-Künstler beteiligt, in der ein paar aufgehetzte Besucher ihrer Wut freien Lauf gelassen hatten.

Früher haben sie die Kunst, die sie nicht verstanden haben, als entartet bezeichnet. Heute bearbeiten sie Bilder mit Nagelscheren und Kondensmilch. Für solche Leute male ich nicht, lieber will ich verhungern.

Bella fand seine Reaktion übertrieben. Überhaupt, dachte sie, was tue ich eigentlich hier? Laut sagte sie: Die Frau, die ich suche, war eine Böhmer. Die Böhmers waren Nachbarn deiner Eltern. Ich nehme an, sie hat sie besucht. Und jetzt ist sie verschwunden.

Das sieht ihm ähnlich, sagte Jochen, noch immer wütend über die Vandalen, die seine Bilder zerstört hatten. Wahrscheinlich hat er sie umgebracht. Hat sie Geld gehabt? Der Alte ist der raffgierigste Mensch, den ich kenne. Was interessiert dich diese Frau überhaupt? Vielleicht wollte sie ihr Elternhaus wiederhaben. Was glaubst du, wer hier plötzlich alles ankommt und sein beschissenes Elternhaus wiederhaben will. Hast du eigentlich schon gemerkt, daß du zur Besatzungsarmee gehörst? Gestern war ich im Rathaus, nichts als Westvisagen, jedenfalls in den oberen Rängen. Tippen dürfen unsere. Wie viele von euren Luschen wollt ihr uns eigentlich noch rüberschicken? Habt ihr immer noch welche, oder geht euch langsam der Vorrat aus? Glaubt ihr, wir merken nicht, was gespielt wird?

Nein, sagte Bella, ich glaube, ihr merkt tatsächlich nicht, was gespielt wird. Oder wie erklärst du dir sonst, daß deine Landsleute sich das alles gefallen lassen?

Okay, Okay, war ja nur ein Versuch, dich aus der Ruhe zu bringen, sagte Jochen.

Irgendwann erklärte Marion, sie wolle gehen, bevor es dunkel würde. Bella bot ihr an, sie nach Hause zu fahren. Unterwegs fragte sie, weshalb Jochen Giese so wütend auf seinen Vater sei.

Keine Ahnung, sagte Marion. Soviel ich weiß, hat der ihn während der Studienzeit sogar unterstützt. Krach haben sie erst seit der Wende. Jochen fühlt sich manchmal wie der letzte Sozialist. Und sein Vater ist wirklich einer der schnellsten Wendehälse hier gewesen. Irgendwelche konkreten Vorfälle gab's da sicher nicht. Hat er Ihnen auch den Kinderkalender vorgelesen?

Ja, sagte Bella, ich war beeindruckt.

Ich nicht, sagte Marion. Wenn meine Eltern und meine Großeltern nicht, bevor die Russen da waren, ein paar Handwagen voll Nazi-Kram in den Fluß geworfen hätten, was glauben Sie, was dann heute bei uns alles rumliegen würde. Mir wär's trotzdem egal. Meine Bilder werden davon weder besser noch schlechter. Jochen glaubt in Wirklichkeit an so Sachen wie Geschichte und Verantwortung. Er meint, man muß sich »verhalten«. Sehen Sie den einzelnen Baum da drüben?

Bella folgte mit den Augen ihrem ausgestreckten Arm. Auf dem verschneiten Feld zu ihrer Rechten stand auf einer kleinen Anhöhe ein sehr alter, ausladender Baum. Ja, der, sagte Marion. Er soll an die dreihundert Jahre alt sein. In seinem Schatten haben Schweden, Dänen, Russen, Franzosen und wer weiß ich noch gelegen. Eine Zeitlang soll der Hügel als Hinrichtungsstätte gedient haben. Vermutlich haben in seinen Ästen Menschen gehangen. Im letzten Krieg sind dort zweimal standrechtliche Erschießungen vorgenommen worden. Vielleicht würde man Gräber finden, wenn man genauer nachsähe. In diesem Frühling sahen die Wiesen auf dem Hügel und der Baum unglaublich schön aus.

Ich hab' sie gemalt. Das ist die einzige Wirklichkeit, die zählt. Nichts, was mit Jochens »Geschichte« und »Verantwortung« zu tun hat, ist in der Lage, solche Schönheit zu schaffen. Im Gegenteil, was die Männer anfangen, bringt Zerstörung. Es ist geradezu aberwitzig. Hat er Ihnen von dem Fledermauskeller erzählt?

Bella schüttelte den Kopf.

Halten sie da vorn, sagte Marion. Ich bin da zu Hause. In dem Dorf seiner Eltern gibt's dieses Fledermaus-Schutzgebiet, eins der letzten in Europa, die Tiere sind ja vom Aussterben bedroht. Ich hab' mich mal eine Weile dafür interessiert. Wissenschaft – wissen Sie, was im Namen der Wissenschaft mit ihnen gemacht worden ist? Angeblich, um herauszufinden, wie sie sich orientieren. Die Männer haben ihnen Maulklappen verpaßt, sie geblendet, ihnen die Ohren abgeschnitten, die Flügel unempfindlich gemacht – jede Quälerei, die Sie sich vorstellen können, alles im Namen der Wissenschaft. Und der Erfolg? In wenigen Jahren werden sie verschwunden sein, zumindest in Europa.

Bella hielt vor Marions Haus.

Männer, sagte sie, das ist wahr. Und jeder hat ein Weibchen an seiner Seite gehabt, das ihn für seine Arbeit fit gehalten hat.

Sie ließ Marion aussteigen, wendete und fuhr zurück in die Stadt. Sie hatte Kopfschmerzen vom Sekt und schlechte Laune. Die bekam sie immer, wenn sie ihre Zeit vertrödelte. Morgen früh, nach dem Gespräch mit Giese, würde sie Willy anrufen und ihre Rückkehr ankündigen.

Ihr Zustand war so, daß er annahm, die Gäste würden sie zumindest sonderbar finden. Der Tag war einigermaßen normal verlaufen. Dann nach dem Essen, das sie immer spät einnahmen, weil sie vorher die notwendigen Vorbereitungen für die Abendküche traf, hatte er sie gebeten, in den Keller zu gehen, um nach dem Ständer für den Weihnachtsbaum zu sehen. Sie hatte sich geweigert, so daß er selbst hinuntergegangen war. Er nahm an, daß sie das Geräusch durcheinandergebracht hatte, das entstand, als er mit dem Eisenständer gegen die zweite Tonne stieß, die dort unten stand. Sie mußte es gehört haben, denn die Kellertür war offen, und als er zurück in die Küche kam, stand sie in der Ecke neben dem Herd und starrte ihm so entsetzt entgegen, daß er erschrak.

Er brachte sie nach oben, sprach beruhigend auf sie ein und gab ihr noch einmal zwei von den weißen Tabletten aus dem Badezimmerschrank. Sie legte sich ins Bett wie am Abend zuvor. Er sagte der

Tochter Bescheid. Sie würde wieder früher kommen und ihm helfen. Dann blieb er an ihrem Bett sitzen, bis es zu dämmern begann. Sie schlief nicht. Hin und wieder sah sie ihn an, schweigend, und schloß wieder die Augen. Einmal klingelte unten im Restaurant das Telefon. Sie zuckte zusammen, blieb dann aber still liegen. Er ging nicht hinunter, sondern blieb neben ihrem Bett sitzen. Das Klingeln schien endlos, und die Stille danach war noch unangenehmer. Als er später das Zimmer verließ, spürte er, daß sie ihm nachsah. Unten schaltete er die Außenbeleuchtung ein und kontrollierte noch einmal im Restaurant die gedeckten Tische. Er machte sich nichts aus Musik, aber er wußte, daß manche Gäste das Gedudel im Hintergrund gern hatten. Deshalb schaltete er die Anlage ein, die sie vor ein paar Monaten angeschafft hatten.

Nicht direkt klassisch, hatte der Verkäufer gesagt, aber auch nicht zu banal. So was mögen die Leute.

Er hätte gern »Heimat, Deine Sterne« auf dem Band gehabt, aber der Verkäufer, einer von diesen jungen Leuten, die alles wissen, aber von nichts Ahnung haben, kannte das Lied nicht. Als sie den Laden verließen, hatte seine Frau zu ihm gesagt: Dann hätte ich ihn ja auch fragen können, ob er den Linken Marsch dazunehmen könnte. Es war einer ihrer mißlungenen Witze gewesen. Sie konnte nicht witzig sein.

Als die ersten Gäste kamen, zwei junge Männer aus dem Dorf, die sich an den Tresen setzten und Bier bestellten, war er damit beschäftigt, nach den Kassetten mit Weihnachtsmusik zu suchen, von denen er wußte, daß er sie in eine der Schubladen hinter dem Tresen gelegt hatte. Eigentlich liebte er solche Gäste wie die beiden nicht. Sein Restaurant sollte nicht zu den Dorfkneipen gehören, an deren Theken die Einheimischen herumstanden und sich den ganzen Abend an einem Bier festhielten. Aber es war noch früh, und er würde schon einen Weg finden, die beiden wegzuschicken, wenn sie den Betrieb störten.

Wenig später kam eine Gruppe von Gästen, wie er sie gern hatte: drei Männer und drei Frauen, alle, zumindest die Männer und eine von den Frauen, aus dem Westen. Die beiden anderen Frauen waren Einheimische, die ältere kannte er vom Sehen. Sie hatte irgend etwas im Rathaus zu tun. Kurz nachdem die Leute gekommen waren, erschien noch ein verliebtes Pärchen, nicht mehr ganz frisch, aber teuer. Er schätzte, sie würden nach trockenem Wein fragen, was sie auch taten, und er war froh, sich inzwischen auf den Geschmack der Westler eingestellt zu haben. Die beiden würden es nicht bei einer Flasche bewenden lassen.

Schließlich kam auch noch die Frau, die vorgestern schon vormittags am Zaun gestanden und sich nach Wildgerichten erkundigt hatte. Wenn er mehr Zeit dazu gehabt hätte, wäre er ihr mit Mißtrauen begegnet und hätte sie schärfer beobachtet. Aber er kam nicht dazu. Es war zu viel zu tun, Gelächter und laute Reden erfüllten das kleine Restaurant. Die Männer aus dem Westen gaben eine Menge komischer Geschichten zum besten, die ihnen bei ihrer Fahrt durchs Land passiert waren. Es wurde nicht ganz klar, was sie eigentlich taten. Manchmal war von Krankenhäusern die Rede. Auf jeden Fall hatten sie reichlich Geld.

Bella saß allein an einem Tisch in der Veranda des Restaurants. Zuerst hatte sie dem Schnee zugesehen, der ruhig und dicht zur Erde fiel. Irgendwann spürte sie das, was sie bei sich »Moskauer Stimmung« nannte und wandte den Blick ab. Sie nahm den roten Dünndruck-Band mit Brecht-Gedichten in die Hand. Willy hatte die Möglichkeit angedeutet, daß die Gedichte Brechts, jedenfalls die, deren Inhalt politisch-sozialer Natur war, überholt sein könnten. Sie hatte sich daraufhin vorgenommen, die Angelegenheit zu überprüfen. Zumindest bis zur Hälfte des Buches konnte von »überholt« keine Rede sein.

Mit dem Wirt war jetzt kein Gespräch möglich. Sie wußte, daß sie warten mußte, bis die Gäste gegangen waren, um mit ihm zu sprechen. Deshalb ließ sie sich mit dem Essen Zeit, bestellte einen Wodka mit Orangensaft und einen zweiten und hörte zwischendurch den Besatzern zu.

Nacheinander erfuhr sie, daß die Leute im Osten nicht arbeiten konnten, keine Führungsqualitäten besaßen, unterwürfig waren, nur zu Handlangerdiensten taugten und sich allesamt wie Spießbürger aufführten. Ihre Frauen verstanden es nicht, sich anzuziehen, die Studenten konnten nicht diskutieren, und die Ingenieure waren nur eine Art bessere Arbeiter. Jede dieser Erkenntnisse und noch ein paar andere dazu wurden von den beiden Ostfrauen mit Nicken, Quietschen und Lachen bestätigt. Es dauerte beinahe drei Stunden, bis die Bande von Dummköpfen aufbrach, um eine Nachtbar zu suchen. Selbst der Wirt, der sich bemüht hatte, seinen Gästen jeden Wunsch so schnell wie möglich zu erfüllen, schien froh zu sein, als sie verschwunden waren. Er ging an den Tisch der Verliebten, um sie nach ihren Wünschen zu fragen. Vielleicht fürchtete er, er habe ihnen zu wenig Beachtung geschenkt. Die beiden sahen ihn mit so abwesenden Blicken an, daß er beruhigt hinter den Tresen zurückging.

Erst als er von dort einen prüfenden Blick in den Raum warf, erinnerte er sich an die Frau auf der Veranda. Er kam sofort an Bellas Tisch. Gemeinsam besprachen sie das Essen. Sie entschied sich für Hirschkeule, und Giese empfahl ihr einen besonderen Rotwein.

Wenn Sie ein Glas mit mir trinken, sagte Bella. Sie sah seinem Gesicht an, daß er wenig Lust dazu hatte, aber er nickte und kam bald darauf mit dem Wein und zwei Gläsern zurück. Bella fand, daß er angespannt wirkte, und zwar nicht nur, weil er bis vor zehn Minuten anstrengende Gäste gehabt hatte.

Sie tranken sich zu. Der Wein war sehr dunkel und sehr schwer, Lot-Wein, wie Giese erklärte. Er begann eine umständlich angelegte Rede über die wunderbaren Möglichkeiten des Wein-Einkaufs nach der Wende, die Bella langweilte, noch bevor er die ersten Sätze formuliert hatte. Irgend etwas war mit dem Mann nicht in Ordnung. Während er sprach, schien es, als horche er auf ein Geräusch, das nicht zu hören war.

Bella mochte den Rotwein nicht. Sie hatte auch keine Lust, ihm länger zuzuhören. Sie hatte die

Suche nach der Böhmer freiwillig aufgenommen und wurde dafür nicht bezahlt. Die Welt, in die sie dabei geraten war, war ihr fremd. Sie hielt sich nicht für fehlerfrei genug, um über die Menschen hier ein abfälliges Urteil sprechen zu können. Sie hatte nur kein Interesse an ihnen, das war alles. Sie wollte zurück in ihr Arbeitszimmer und zu ihren Büchern und nicht mehr bedrängt werden von ungenauen Wünschen und Sehnsüchten und Erwartungen. Sie interessierte sich nicht für Wenden irgendwelcher Art. Und wenn die, deren Glück von so einer Wende abgehangen hatte, sich jetzt plötzlich im Unglück wiederfanden und zwischen den grölenden Horden der Besatzungsarmee, dann war ihr das egal. Sie schätzte die Kontinuität.

Es hatte sie Mühe gekostet, in ihrem Leben Kontinuität herzustellen. Olga, die Revolutionärin, die gesamten Umstände ihrer Kindheit und Jugend, ein großer Teil ihres Lebens bisher waren nicht dazu angetan gewesen, ein ruhiges, konzentriertes Leben zu führen. Was hatte sie verleitet, dieses Leben, das sie so schätzte, zu unterbrechen? Was ging sie die verschwundene Tochter einer Nazisse an? Was ging sie dieser Hanswurst an, der vor ihr saß und über Weine redete, sich mit Dingen spreizte, die er wahrscheinlich ein paar Tage zuvor von einem westdeutschen Wein-Vertreter zum ersten Mal gehört hatte.

Departement Lot – hörte sie ihn gerade sagen, als sie ihn unterbrach, ungeduldig und leicht betrunken, aber sie war sicher, er würde davon nichts bemerken.

Sagt Ihnen der Name Böhmer etwas?

Sie war durchaus noch in der Lage, scharf zu beobachten. Der Mann vor ihr war vielleicht ein wenig überrascht, aber er war auf gar keinen Fall erschrocken oder beunruhigt.

Interessiert Sie nicht, mein Vortrag, was? sagte er freundlich. Natürlich sagt mir der Name etwas. Eine Familie Böhmer hat mal hier in der Nähe gewohnt. Aber das können Sie ja nicht wissen.

Ich weiß es trotzdem, sagte Bella. Ich such' die Tochter.

Das ist komisch, sagte Giese. Die ist vor ein paar Monaten hiergewesen. Jetzt, nach der Wende, tauchen die alle wieder auf. Ehrlich gesagt, wenn man die Leute wiedersieht, merkt man erst, wie alt man ist. Mit Christa Böhmer hab' ich ja beinahe noch gespielt.

Beinahe?

Na ja, ich bin ein paar Jahre älter. Wahrscheinlich fand ich es damals schon unter meiner Würde, mit Mädchen zu spielen. Sie hat mir erzählt, daß sie mich heimlich angehimmelt hat. Ich hab' nichts davon bemerkt, leider.

Er lachte und schenkte noch einmal Rotwein ein, nur in sein Glas, denn Bella hielt die Hand über das ihre. Sein Gesicht war freundlich und unbefangen. Seine Hand zitterte nicht.

Ist Christa öfter bei Ihnen gewesen?

Sie sagte Christa, weil sie die Absicht gehabt hatte, sich als die Freundin der Verschwundenen auszugeben. Es war ihr inzwischen egal, wofür Giese sie hielt. Der Vorname gehörte zur Strategie von gestern.

Zwei- oder dreimal, antwortete er. Sie konnte

nicht genug über die alten Zeiten reden. Manchmal kam sie mir ein bißchen merkwürdig vor, aber dann hab' ich gedacht, es war ja auch nicht ganz leicht für die Leute, die ihre Heimat einfach so verloren haben, und ich hab' ihr den Gefallen getan. Sie haben die Heimat verloren, aber die Zukunft gewonnen, sage ich immer. Wir haben die Heimat behalten. Das soll man nicht unterschätzen. Aber die Zukunft – das wird noch ein schönes Stück Arbeit kosten. – Wenn es überhaupt einer schafft, ergänzte er nach einer kleinen Pause.

Herr, was habe ich getan, um mir diesen Schwachsinn anhören zu müssen, dachte Bella. Laut sagte sie: Ich hab' in ihrem Hotel nachgefragt. Sie ist einfach nicht wiedergekommen. Irgendwann hat man ihr die Sachen nachgeschickt. Wo kann sie geblieben sein?

Im Hotel? Versteh' ich nicht, sagte Giese. Die Sachen waren noch im Hotel? Sie wollte von hier weiter nach Osten, wir haben noch gemeinsam überlegt, ob's in dem Ort – er nannte ein kleines Seebad an der Ostsee – überhaupt schon wieder ein Hotel gibt. Ich bin eigentlich sicher, daß sie dorthin gefahren ist. Ihre Eltern müssen da ein Ferienhaus gehabt haben. Das wollte sie suchen. Hier hat sie sich jedenfalls verabschiedet.

Er sprach noch immer völlig unbefangen. Bella war plötzlich davon überzeugt, daß er mit dem Verschwinden der Böhmer nichts zu tun hatte.

Sie ließ sich den Namen des Seebads buchstabieren, eher aus Gewohnheit als in der Absicht, dorthin zu fahren. Das Essen brachte ihr die junge Frau, die schon die anderen Gäste bedient hatte. Giese entschuldigte sich und stand auf. Während sie lustlos aß, wusch er Gläser ab. Er hielt jedes einzelne gegen das Licht, wenn er es abgetrocknet hatte. Der obere Teil der Schwingtür bewegte sich, aber nicht zum Raum hin, sondern nach innen, zum Flur. Die Tür wurde langsam nach innen gezogen. Da der Hintergrund nicht beleuchtet war, sah Bella das Gesicht der Frau erst ziemlich spät. Es war ein großflächiges Gesicht mit weit aufgerissenen Augen und einer aufgerissenen, dunklen Mundhöhle. Als hätte Edvard Munch sie in die Tür gemalt, dachte Bella.

Wie schmeckt Ihnen das Essen, fragte Giese von der Theke her. Er stand mit dem Rücken zur Schwingtür und sah das Gesicht nicht.

Danke, ich bin fertig, mein Appetit war kleiner, als ich gedacht habe, antwortete Bella.

Wie ist es mit einem kleinen Apricot Brandy zum Nachtisch?

Die Hand der Frau in der Tür fuhr zum Mund. Die Tür schwang zurück. Das Gesicht verschwand.

Danke, nein, ich kann das Zeug nicht ausstehen, antwortete Bella. Ich würde gern zahlen.

Die junge Frau kam aus der Küche und sprach leise mit ihrem Vater. Ist nicht nötig, hörte sie Giese sagen, sie schläft. Komm morgen früh, dann weiß ich, ob es ihr wieder besser geht. Gute Nacht.

Die Frau ging hinaus. Sie benutzte dafür die Schwingtür. Soweit Bella sehen konnte, war der Raum dahinter leer. Giese kam mit der Rechnung an ihren Tisch.

Grüßen Sie Christa von mir, sagte er. Sie soll sich mal wieder melden, wenn sie in der Nähe ist. Er war vollkommen unbefangen.

Seien Sie draußen vorsichtig, sagte er, während er sie an die Tür begleitete, der Weg ist nicht besonders gut beleuchtet, und es liegt ziemlich viel Schnee.

Bella ging über den sorgfältig gefegten Plattenweg. Als sie sich umsah, sah sie durch die beleuchtete Veranda in das Innere des Restaurants. Giese stand neben dem Tisch, an dem die Verliebten saßen und sprach mit ihnen. Ein friedliches Bild. Die übrigen Fenster im Haus waren dunkel.

Die kalte Luft trug dazu bei, daß ihr Kopf wieder klar wurde. Wenn sie den Kopf der Frau in der Schwingtür nicht gesehen hätte, wäre ihr seine Unbefangenheit natürlich vorgekommen. Sie hätte darüber vergessen, wie unruhig er am Beginn ihres Gesprächs nach hinten gelauscht hatte. Vielleicht hatte er gefürchtet, seine Frau würde sich sehen lassen. Eigentlich war er erst ruhig geworden, als sie den Namen Christa Böhmer erwähnt hatte. Erst da gab er sich plötzlich als der souveräne Mann, der über sein Älterwerden philosophierte und über der Deutschen Lieblingswort: HEIMAT.

Ihr wurde klar, daß die Angabe, die Böhmer sei weitergereist, sehr wohl ein Ablenkungsmanöver sein konnte. Sollte sie ihm den Gefallen tun, in den Ort zu fahren, den er genannt hatte?

Diesmal war die Gaststube noch beleuchtet, als sie ihre Pension erreichte. Sie würde die Gelegenheit nutzen, den Wirtsleuten zu sagen, daß sie vorhatte, am nächsten Tag abzureisen.

Verwandte, hörte sie den Wirt sagen, als sie die Tür öffnete, Verwandte sind das nicht. Die vermieten, sag' ich dir. Er unterbrach seine Rede, als Bella eintrat und sah ihr entgegen. Auch seine Frau wandte sich um. Es gab kein anderes Wort als »mißtrauisch« für die Blicke der beiden. Bella war unangenehm berührt. Hoffentlich hatte nicht schon wieder jemand die Zeche geprellt, und sie mußte den Ärger der Wirtsleute ausbaden. Sie bat um ein Bier, was sie eigentlich gar nicht beabsichtigt hatte und setzte sich zu den beiden. Die Zeche geprellt hatte niemand, um Geld ging's trotzdem. Das Gasthaus war schon seit zwei Generationen in der Familie. Am Haus waren größere Reparaturen vorzunehmen. Eine Zentralheizung mußte eingebaut werden.

Jeden Morgen muß die Frau um fünf raus, um den Ofen im Keller anzumachen, sagte der Wirt. Seine Stimme war so weinerlich, als hätte er selbst jeden Morgen die Mühen des Feueranmachens in dem eiskalten, feuchten Haus auf sich genommen.

In der DDR war das Gasthaus gesellschaftlicher Mittelpunkt des Dorfes gewesen. Der Gemeinderat hatte hier getagt, Taufen, Jugendweihen, Beerdigungsessen, Tanz, hin und wieder sogar ein wissenschaftlicher Vortrag, organisiert von den LPG-Bauern, hatten dafür gesorgt, daß die Wirtsleute gut verdienten und geachtet waren. Jetzt kamen die Dorfbewohner nicht mehr. Die Jugend fuhr in die Kreisstadt. Jeder hatte ein Auto. Viele hatten keine Arbeit mehr. Für Gäste von weiter her war der Komfort nicht ausreichend. Die Bank gab keinen Kredit, weil kein Geld zu erwarten war, um ihn zurückzuzahlen. Sie waren am Ende. Es brauchte sicher noch ein paar Tage oder Wochen, bis sie es sich selbst eingestehen würden, aber sie waren am Ende.

Bella war davon überzeugt, daß am Tag, als die Mauer fiel, in diesem Gasthaus das Bier in Strömen geflossen war. Sie unterdrückte den Impuls, danach zu fragen und gab statt dessen ihre Absicht bekannt, am nächsten Tag abreisen zu wollen. In das erschrockene Gesicht der Wirtin hinein versicherte sie, sie wolle selbstverständlich kein Geld zurückhaben.

Der Wirt bot an, ein Bier auszugeben, »auf Kosten des Hauses«, und schien gekränkt, als Bella sagte, lassen Sie mal, das Haus hat schon genug Kosten. Sie hatte einfach keine Lust mehr, in der trostlosen Gaststube zu sitzen, zusammen mit zwei Verzweifelten, die ein ungeliebtes politisches System vierzig Jahre lang vor dem Schicksal, heruntergekommene Kleinbürger zu werden, bewahrt hatte. Noch weigerten sie sich zu begreifen, daß das System, das sie mit aller Kraft herbeigesehnt hatten, sie auf den Platz zurückstoßen würde, den es für Menschen ihrer Art vorsah: nach unten.

Sie stand auf, versicherte, daß sie am nächsten Tag sehr gern lange schlafen würde, um der Wirtin anzudeuten, sie brauche nicht schon um fünf den Ofen anzuheizen und ging. Oben stellte sie sich, wie an den vorangegangenen Abenden, eine Weile im Dunkeln ans Fenster. Kein Mond, keine Sterne, aus irgendeinem Grund brannte nur jede zweite Laterne an der Dorfstraße. Hinter der Gardine im Fenster der alten Frau gegenüber war ein dünner rosa Lichtschein zu erkennen. Alle anderen Fenster waren dunkel. Das Dorf war wohl wirklich vergessen.

Bella war fest entschlossen, am nächsten Tag abzureisen. Je länger sie darüber nachdachte, desto sinnloser schien ihr der Aufenthalt hier. Es kam ihr vor, als hätte sie die Absicht gehabt, Schicksal zu spielen in einer vollkommen aussichtslosen Situation. Was die Menschen taten, die Leiden, die sie sich und anderen zufügten, war nicht losgelöst von der geschichtlichen Situation, in der sie sich befanden. Wenn dieser Giese etwas mit dem Verschwinden der Böhmer zu tun hatte, dann hatte er einen Grund gehabt, sie verschwinden zu lassen. Dieser Grund konnte darin liegen, daß ihre Anwesenheit die Regeln verletzt hatte, nach denen er lebte, und er lebte nach den gleichen Regeln wie alle anderen: Geld verdienen, Ansehen erwerben, Familie haben, sich etwas leisten, keine Moral. Sie war sicher, auch die Böhmer hatte so gelebt. Es gab einen kleinen Teil Menschen mit besonderen Bedürfnissen: Macht, zum Beispiel, oder Kunst. Zu denen gehörte Giese nicht. Was hatte die Böhmer gewußt, das ausgereicht hätte, die einfachen und allgemeinen Regeln zu bedrohen, nach denen er sich richtete?

Nach denen er jetzt endlich leben konnte, dachte Bella, so würde er selbst sagen. Kann es sein, daß er sie gefürchtet hat, obwohl von ihr keine Gefahr ausging? Konnte es sein, daß der Opportunist Giese, noch nicht wirklich vertraut mit den Regeln des neuen Systems, ein schlechtes Gewissen gehabt hatte, ohne daß es nötig gewesen wäre?

Bella lag lange wach, schlief spät ein und schlief tatsächlich so lange, wie sie der Wirtin angekündigt hatte. Sie wurde erst wach, als an ihre Tür geklopft und sie ans Telefon gerufen wurde. Willy teilte ihr mit, die Böhmer habe angerufen. Ihre Tochter sei wieder da. Bella möge die Suche einstellen. Außerdem ließe Olga grüßen und fragen, wann Bella zurückkäme.

Und ich frage auch, sagte Willy, ohne Sie ist das Haus hier leer und langweilig.

Bella brauchte einen Augenblick, um die Mitteilung zu begreifen.

Hat sie wirklich gesagt, ihre Tochter sei wieder da?

Also, genau gesagt hat sie, sie habe von der Tochter gehört, sagte Willy. Am Telefon, glaube ich.

Wann? Von einem Mann oder von einer Frau?

Gestern abend, von wem, hat sie nicht gesagt, sagte Willy. Ich kann nachfragen, wenn Sie wollen, und Sie noch einmal anrufen.

Hat sie selbst mit ihrer Tochter gesprochen?

Das nicht, sagte Willy. Soll ich nachfragen, wer sie angerufen hat?

Nein, sagte Bella, das ist nicht nötig. Ich werde noch ein oder zwei Tage brauchen, höchstens zwei. Bitte rufen Sie Olga an und bestellen Sie Grüße. Und sie möchte darüber nachdenken – ach nein, lassen sie nur, sagte Bella, weshalb sollen wir sie beunruhigen.

Sprechen wir darüber, wenn Sie zurück sind? wollte Willy wissen.

Natürlich, sagte Bella, sobald ich mich erholt habe. Ich nehme an, daß die Tochter der Böhmer tot ist. Und dann wird es ihr irgend jemand sagen müssen.

Sie legte auf, lief die Treppe hinauf, um sich zu waschen und anzuziehen und erschien eine Viertelstunde später zum Frühstück. Vorher ging sie hinaus, um die Reisetasche in den Wagen zu stellen. Der Wirt stand vor der Tür und beobachtete sie dabei. Als sie ihn nach einem Schaber fragte, mit dem sie das Eis von den Fenstern kratzen könnte, erbot er sich, die Sache zu erledigen, während sie frühstückte. Bella hatte den Eindruck, er wollte sie so schnell wie möglich abreisen sehen.

Wenig später war sie auf dem Weg in das Ostseebad, das Giese ihr genannt hatte. Sie wollte sichergehen, daß die Böhmer dort nicht gewesen war. Das Hotel war leicht zu finden, ein ehemaliges Kinderferienlager, etwas außerhalb des Ortes und direkt am Strand. Eine ältere Frau war damit beschäftigt, den Raum zu säubern, der früher vermutlich als Eßraum gedient hatte. Bella fragte nach dem Besitzer und wartete, während sie es vermied, die Gewehrattrappen an den Wänden anzusehen. Der Blick aus den Fenstern auf die vereiste Ostsee und den hellen Sandstrand war sehr schön.

Der Mann kam, offenbar ein ehemaliger Zuhälter, der gleich nach der Wende die einfachen Baracken für wenig Geld erworben hatte. Seine Bemühungen, einen wohlsituierten und ehrbaren Hotelbesitzer darzustellen, wirkten sehr komisch. Zuvorkommend ging er mit Bella die Anmeldungen vom Sommer durch. Sie glaubte ihm aufs Wort, daß sich bei ihm alle Gäste anmelden mußten.

Nicht daß mir hier einer mit der Sore durchgeht, sagte er, ich meine, ein Kollege von der Côte d'Azur, mit dem ich vor kurzem telefonierte, hat mir unglaubliche Sachen erzählt.

Ja, sagte Bella, das hab' ich auch schon gehört. An der Côte d'Azur geschehen unglaubliche Dinge.

Sie stellten fest, daß die Böhmer nicht hier gewesen war. Sie können jederzeit ein Appartement haben, sagte der Mann neben ihr. Wir haben auch im Winter geöffnet. Bella fand, daß er zwei Zentimeter zu dicht neben ihr stand.

Alles renoviert, eigenes Bad, hundertsechzig Mark die Nacht.

Ja, sagte Bella, so ändern sich die Zeiten. Die Tochter meiner Freundin ist mal für dreißig Mark vierzehn Tage in diesem Kinderferienlager gewesen. Und der Ausblick war der gleiche.

Sie bedankte sich für die Auskunft und ging. Sie hatte keine Ahnung, ob sie noch eine Nacht in der Gegend bleiben mußte, aber wenn, dann bestimmt nicht in diesem Etablissement.

Es schien ihr, als habe sie ihr ganzes Leben in einem dumpfen, unklaren Zustand verbracht und als sei die große Klarheit erst seit ein paar Stunden über sie gekommen. Die ganze Nacht lang, während sie neben ihm lag und darauf wartete, daß er einschlief, hatte sie versucht sich zu erinnern. Sie ist nur acht Jahre zur Schule gegangen, aber weshalb?

Wegen der Träume, hat ihr Vater gesagt, du träumst so schwer. Ja, sie träumte schwer, immer von der Pistole und der großen, schwarzen Schlucht. Aber verließ man die Schule wegen schwerer Träume? Sie hat gearbeitet, zuerst in einem Laden, dann in einer Fischfabrik. Qualifizieren sollte sie sich. Aber warum? Wie lange ist das her? Bis der Junge geboren wurde, hat sie dort gearbeitet. Er hat sie gefragt, ob sie ihn heiraten will. Weshalb sie und keine andere? Ihr Vater und ihre Mutter haben ihn nicht gemocht. Der Fischgeruch ist erst nach Monaten aus ihren Haaren verschwunden. Weshalb hat er eine genommen, die nach Fisch riecht, wo er doch jede andere haben konnte.

Der Vater ist gestorben. Wie lange ist das her? Im Sommer ist es gewesen, in irgendeinem Sommer. Vielleicht ist es schön, im Sommer zu sterben. Da war die Tochter schon groß. Sie ist im Sommer geboren. Lange zur Schule gegangen, länger als acht Jahre. Weshalb arbeitet sie jetzt hier. Sie hat doch etwas anderes gelernt, oder sie hat studiert. Sie wollte immer studieren. Der Sohn nicht. Er ist ihr böse. Aber warum? Das muß er verstehen, daß eine Frau zu ihrem Mann gehört, in guten und in schlechten Zeiten. Bis der Tod euch scheidet.

Ganz deutlich sieht sie sich die Treppe hinuntergehen. Sie sieht die Socken an ihren Füßen, die sie im Bett anbehalten hat und den Saum des Nachthemds darüber. Dieses Haus kennt sie im Schlaf. Wie sicher die Frau mit den dicken Socken an den Füßen sich im Haus bewegt, ohne das Licht anzumachen. Das Seil ist nicht mehr steif. Die Treppe hinauf? Weshalb soll sie ihn noch einmal ansehen. Er würde aufwachen und sie fragen. Was soll die Frau antworten, die dann vor seinem Bett steht, im Nachthemd, den Schlitten in der Hand. Die Frau geht zur Tür hinaus, über den Plattenweg. Auf dem wird sie keine Abdrücke hinterlassen. Wie der Besen über die Steine geschurrt ist. Diese Kinder sind nicht ihre Kinder. Sie sind Erwachsene. Sie werden nicht weinen. Wann sind sie Fremde geworden?

Der Frau, die da geht, ist nicht kalt. Sie zieht den Schlitten hinter sich her, den sie brauchen wird, um sich zu töten. Sie wird auf dem hochgestellten

Schlitten stehen, das Seil über einen Ast werfen, eine Schlinge knoten, die Schlinge um ihren Hals legen und dann den Schlitten umstoßen. Sie wird das Bild der Frau im Baum auf dem Hügel über dem Bierkeller nicht sehen, obwohl es das einzige ist, das sie seit Tagen vor ihren Augen hat.

Sie nimmt den Weg, den sie geht, nicht wahr. Sie hat kaum noch Zeit, sich zu erinnern. Die große Klarheit in ihrem Kopf läßt sie den Weg sehen, wie er gewesen ist: im Frühling die gelben Sumpfdotterblumen am Rand des Grabens, im Sommer die schwarzen Kirschen im Staub, im Herbst die geflügelten Samen der Ahornbäume.

Einmal, als Kinder, bleiben sie im Schnee stecken, der höher ist als sie selbst, und sie haben Mühe, die Milchkannen in ihren Händen vor dem Auslaufen zu bewahren. In den Sommern sind Erdbeeren in den Gräben gewachsen. Stundenlang bleiben sie vor einem Hornissennest sitzen. Sieben Stiche töten ein Pferd. Der Weg führt an den Strand.

Ohne Sandalen im Sand, und das Mark der Binsen können sie essen. Der Rhabarbersaft in den Glasflaschen hat eine zartlila Farbe, wie die Sterne in den durchsichtigen, schwebenden Quallen. Erdbeersaft – wie lange kann man warten, bis endlich das Verlangen zu trinken zu groß wird, bis der Verschluß der Flasche geöffnet, die Flasche an den Mund gesetzt wird? Kleiner Geruch von Gummi neben dem Nasenloch, roter Gummiring.

Wir haben eine Decke auf den schrägen Sand gelegt. Nichts ist über uns, nur die silbernen Blätter der Pappeln, der blaue Himmel. Die kleine Wolke dahinten – wir wissen, wie lange wir brauchen, um vor dem Gewitter zu Hause zu sein. Wir laufen durch den dunklen Himmel, vorbei an den alten Bäumen des Bierkellers. Da hängt eine Frau im Wind.

Als man die alte Frau gefragt hat, ob sie am Abend beim Fest des Rates der Stadt im Theater-Restaurant die Garderobe betreuen will, hat sie ja gesagt. Sie ist müde, die Knochen tun ihr weh, das Kreuz ist nicht in Ordnung. Aber ihre Rente ist nicht hoch. Das Hotel soll geschlossen werden. Die Zimmer entsprechen nicht den Wünschen der Herren mit den steifen Aktentaschen. Wenn es umgebaut wird, kann das Jahre dauern. Sie werden für die Garderobe eine Junge einstellen. Neue Zeit – neue Zimmer – neue Frau, das ist klar. Sie wird das Geld brauchen, das sie bis dahin noch verdienen kann. Der Rat der Stadt hat das Restaurant des Theaters für seine Feier genommen. Der Weg dorthin ist für die alte Frau doppelt so weit wie der zum Hotel. Sie wird mit dem Bus hinfahren. Für das Fahrrad liegt zuviel Schnee. Vielleicht findet sie jemanden, der sie nach Hause mitnimmt, wenn die Arbeit beendet ist.

Als sie eine Stunde vor Dienstbeginn aus dem Bus klettert und zum Theater hinübergeht, sieht sie

Licht im Restaurant. Schön, daß sie nicht warten muß, bis die Kellner kommen, der Koch oder die Mädchen, die bedienen. Im Theater-Restaurant sind bestimmt zehn oder zwanzig Menschen beschäftigt. Sie wird nicht allein sein an diesem Abend. Sie freut sich, denn sie kennt ein paar von den Mädchen, die dort arbeiten, und auch die Leiterin, eine tüchtige Person.

Als sie den Vorraum des Restaurants betritt, bleibt sie stehen. Rechts, etwas weiter hinten, liegt ihr Arbeitsplatz. Sie kennt sich aus, denn sie hat hier hin und wieder auch früher schon ausgeholfen. Die roten Samtvorhänge sind noch zugezogen. Das dunkle Holz der Tischplatte glänzt. Links ist das Zimmer der Leiterin, dahinter liegen die Türen zur Küche und zum Restaurant. Sie hat erwartet, die Türen offen zu finden, Geräusche aus der Küche und aus dem Restaurant zu hören. Es ist alles ruhig. Nur die Tür zum Zimmer der Leiterin steht halb offen. Es sind Menschen hinter der Tür. Die Alte macht ein paar Schritte und stößt die Tür ganz auf. Die ganze Belegschaft ist versammelt. Die Leiterin steht hinter dem Schreibtisch und hält ein Stück Papier in der Hand. Vielleicht hat sie gerade daraus vorgelesen. Niemand sagt ein Wort. Die Leiterin sieht ihr entgegen.

Komm rein, Oma Günther, sagt sie, freundlich wie immer, aber mit einer anderen Stimme als sonst, nehmen Sie sich einen Stuhl.

Was ist los? fragt die alte Frau.

Niemand antwortet. Schließlich sagt der Koch, er ist mit ihrem Enkel zur Schule gegangen, frech war der Bengel, soll aber jetzt sehr tüchtig sein: Der

Rat der Stadt teilt uns mit, daß wir entlassen sind. Ob und wann man woanders für uns eine Verwendung hat, wird später entschieden.

Was für ein Quatsch, sagt die Alte, sie können euch doch nicht entlassen. Wer soll denn dann das Restaurant betreuen?

Das Restaurant wird geschlossen, sagt die Leiterin. Und jetzt wird es Zeit, daß wir anfangen. Geht an die Arbeit, bitte.

Ohne ein Wort der Erwiderung verlassen sie das Zimmer. Die Alte bleibt noch einen Augenblick sitzen, bevor sie geht. In der Garderobe zieht sie die Samtvorhänge auf, kontrolliert die Nummernschilder an den Haken der Garderobenständer, stellt eine kleine Schale für das Trinkgeld auf die Tischplatte, räumt im Hintergrund einen Stuhl frei und trägt ihn nach vorn. (Früher hat sie ihren Ehrgeiz dareingelegt, den Abend ohne Stuhl zu bewältigen. Das tut sie jetzt nicht mehr.) Sie verrichtet ihre Arbeit anders als sonst, mechanisch. Obwohl sie von der Entlassung nicht betroffen ist, sie hilft ja nur aus, ist eine Bedrohung von den Worten der Leiterin ausgegangen, die ihr zu schaffen macht. Wenn sie so viele Leute entlassen, die alle noch jung sind, gut, die Leiterin ist vielleicht schon fünfzig, aber wie tüchtig ist sie, und die Mädchen, das sind doch alles noch Lehrlinge, der Koch wird vielleicht eine andere Arbeit finden, aber wer soll denn noch essen gehen, wenn sie kein Geld mehr verdienen, wenn sie so viele junge Leute entlassen, dann haben sie sie bestimmt nur vergessen. Oder sie kommt morgen vormittag ins Hotel, und dieses dumme Ding vom Empfang gibt ihr den Brief. Oder sie liest ihn ihr vor.

Sie sieht sich ganz deutlich im Foyer des Hotels stehen, an der Rezeption lümmelt sich ein Haufen von diesen Kofferträgern, und sie steht da – nein, sie wird sich in einen Sessel setzen, wenn sie kommt. Sie wird sich nicht still in ihrer Garderobe verkriechen. Sie wird sich in einen der Ledersessel setzen und warten. Man wird sehen, was geschieht. Sie hat in diesem Hotel zwanzig Jahre gearbeitet. Morgen wird sie sich in den dicksten Ledersessel setzen und sehen, was passiert.

Auf dem Stuhl in der Garderobe sitzend, malt sie sich den kleinen Aufstand aus, der entstehen wird, wenn sie auf dem Sessel sitzt, auf den sie nicht gehört. Sie ist so in Gedanken versunken, daß sie vergißt aufzustehen, als die ersten Gäste kommen. Sie entschuldigt sich und beginnt ihre Arbeit beinahe fröhlich.

Als der erste Ansturm der Gäste vorüber ist, sitzt sie auf ihrem Stuhl und ärgert sich darüber, daß die Leute, die sie von früher kennt, plötzlich so getan haben, als wäre sie gar nicht vorhanden. Trotzdem: Die alten und die neuen Mitglieder des Rats sind leicht auseinanderzuhalten, schon an den Frauen. Die von hier bringen ihre feinen Schuhe im Beutel mit und geben die Straßenschuhe an der Garderobe ab. Die anderen fahren vor, oder sie erfrieren sich die Füße, je nachdem.

Manchmal kommt eins der Mädchen aus dem Restaurant zu ihr in die Garderobe, später, als der Lärm drinnen zunimmt, weil viel getrunken wird. Dann versucht sie, zu trösten und Mut zu machen. Die Mädchen sind jung, sie werden etwas Neues finden, auch wenn sie die Lehre noch nicht beendet haben. Ihre eigene Angst kommt ihr dann kleinlich vor. Sie ist alt, sie hat ihr Leben gelebt, aber die hier? Sie tröstet und baut Luftschlösser, aber manchmal legt sie plötzlich die Hände in den Schoß und sagt: Ach, Kind, ich weiß auch nicht.

Gegen Mitternacht wird es im Saal so laut, daß sie hinter der Garderobe hervorkommt und durch einen Spalt der angelehnten Tür in den Saal sieht. Die da drinnen sind dabei, sich zu einer Polonaise zu formieren. Die ersten Paare haben sich die Hände auf die Schultern gelegt und steigen über Tische und Stühle, belacht und angefeuert.

Die Kette wird schnell länger, Stühle fallen um, es wird gesungen und geklatscht von denen, die noch beiseite stehen und zusehen. Die Alte lehnt die Tür wieder an und geht zurück in die Garderobe. Die Leiterin kommt aus ihrem Büro, vielleicht ebenfalls vom Lärm da drinnen angelockt. Sie bleibt neben der Garderobe stehen.

Was ist denn da los, sagt sie, als die Tür zum Saal auffliegt und der Kopf der Polonaise erscheint, grölend und trampelnd eine Runde durch den Vorraum macht und, einen endlosen Schwanz von kreischenden Menschen hinter sich herziehend, wieder im Saal verschwindet. Die Alte ist aufgestanden und sieht zu.

Auf der Heide steht ein kleines Blümelein und im Westerwald schwarzbraun ist die Haselnuß vom Polenmädchen.

Das war's dann wohl, sagt die Leiterin, als die letzten Paare hinter der Saaltür verschwunden sind. Wenn Sie viel Zeit haben, Oma Günther, dann machen Sie sich doch den Spaß, bei denen von uns mal die Revers nachzusehen. Es sind einige dabei, die müßten noch Löcher drin haben.

Sie geht in ihr Büro und schließt die Tür hinter sich. Die Alte überlegt einen Augenblick, bevor sie sich zurück auf ihren Stuhl setzt. Soll sie gehen? Sie hat keine Lust mehr, diesen Leuten ihre Mäntel zu geben und den Frauen die Schuhe.

Plötzlich fühlt sie sich fremd, sogar ein wenig beschämt, als wäre sie bei einem unkorrekten Verhalten erwischt worden. Es geschieht etwas, das sie nicht versteht und das sie auch nicht verstehen will. Sie sieht auf die Uhr an ihrem Handgelenk. Wenn sie sich beeilt, erreicht sie den letzten Bus noch. Aus dem Saal kommt ein betrunkener Mann an die Garderobe getorkelt. Sie steht auf, nimmt ihre Tasche unter dem Tisch hervor und verschwindet im Hintergrund. Der Mann bleibt einen Augenblick stehen und torkelt dann zur Tür hinaus. Sie findet ihren Mantel, zieht ihn an und verläßt die Garderobe. Die Tür zum Büro der Leiterin ist noch immer verschlossen. Sie klopft und öffnet die Tür.

Ich gehe, sagt sie. Die Frau hinter dem Schreibtisch nickt. Gehen Sie nur, sagt sie. Sie hat rote Ränder um die Augen, aber ihre Stimme ist freundlich und vollkommen beherrscht. Ich lass' eins von den Mädchen die Mäntel ausgeben. Gute Nacht.

Die Alte schließt die Tür und wendet sich zum Gehen. Draußen steht der Betrunkene und kotzt in den Schnee.

Giese hat einen Fehler gemacht, dachte Bella, mehrere wahrscheinlich, aber einen entscheidenden: Er hat geglaubt, er kann mich täuschen. Sie verspürte noch immer wenig Lust, ihm den Mord nachzuweisen. Aber er sollte nicht glauben, daß er sie an der Nase herumführen könnte. Fast tat er ihr ein wenig leid, als sie daran dachte, daß er nicht gewußt hatte, mit wem er es zu tun bekam. Jedenfalls hat er begriffen, daß ich nicht so harmlos bin, wie ich aussehe, dachte sie, sah in den Rückspiegel und fand sich absolut nicht harmlos aussehend. Sie grinste sich zu. Vielleicht hatten ihn die weißen Haare getäuscht. Sie beschloß, wenn sie zu Hause war, ihre Haare rot färben zu lassen. Es war unfair, andere Menschen zu täuschen. Einen Augenblick lang überlegte sie, ob sie den Maler noch einmal besuchen sollte. In gewisser Weise hatte sie auch ihn getäuscht. Er würde, trotz seiner Wut auf den Vater, nicht erfreut darüber sein, wenn er erführe, was geschehen war.

Was ist denn eigentlich geschehen, Bella Block,

fragte sie sich. Wenn sie aufrichtig war, hatte sie auch jetzt noch nur Vermutungen. Aber sie spürte jenes zuversichtliche Gefühl, das sie kannte, das sich immer dann einstellte, wenn sie der Lösung eines Falles nahe war. Merkwürdigerweise empfand sie diesmal keine Trauer, die sich sonst gleichzeitig einstellte. Nicht Trauer, sondern Neugierde spürte sie; Neugierde auf eine merkwürdige Weise, so, als erhoffte sie sich von der Aufklärung des Mordes an der Böhmer gleichzeitig Aufklärung über Beweggründe für Taten ganz anderer Art. Darüber war sie erstaunt, aber auch erfreut.

Die alte Erregung, die mit ihrem Beruf verbunden gewesen war, deretwegen sie ihn gewählt und die sie im Laufe der Jahre verloren hatte, war zurückgekehrt. Sie hatte immer wissen wollen, weshalb die Menschen so lebten, wie sie lebten, leidend an sich selbst und an anderen. Was war besser geeignet, als die Motive kennenzulernen, mit denen sie sich gegenseitig umbrachten, um herauszufinden, woran sie litten.

Manche Männer gaben sich wie Sieger, ohne zu wissen, daß der Tod derer, die sie besiegt hatten, ihre größte Niederlage war. Zu denen würde Giese nicht gehören. Bella hatte das sichere Gefühl, daß er sich im Augenblick des Erkanntwerdens in einen jammernden Haufen Unglück verwandeln würde. Sie ekelte sich schon jetzt vor dieser Situation.

Sie versuchte sich an das Verhalten der Frauen zu erinnern, die sie als Mörderinnen überführt hatte. Es waren wenige, statistisch machte ihr Anteil etwa zwölf Prozent aus, sie selbst hatte vier Frauen erlebt, die getötet hatten. Das waren auf jeden Fall weniger als zwölf Prozent gewesen. Sie waren ihr jedesmal wie versteinert erschienen, selbst die, die geredet hatten, waren wie Steine gewesen. Sie fühlten sich schuldig, erstarrt unter der Last ihrer Schuld. Man konnte zusehen, wie sie unter der Last ihrer Schuld in sich zusammenkrochen, bis nichts mehr übrig war als ein versteinerter Klumpen Mensch. Manchmal hatte sie sich gewünscht, die Frauen würden sich anders verhalten, aggressiv, anklagend. Wozu sie allen Grund gehabt hätten. Das war nie geschehen.

Auch einer der Gründe, weshalb ich's in dem Beruf nicht mehr ausgehalten habe, dachte Bella, erinnere dich daran, bevor du anfängst, wieder Gefallen am Detektivspielen zu finden.

Sie hatte inzwischen die Stadt umfahren. Unterwegs waren ihr nur wenige Fahrzeuge begegnet, jetzt, nachdem sie über eine Brücke gefahren war und auf der anderen Seite des Flusses den Weg in Richtung Flugplatz eingeschlagen hatte, wurden es mehr. Sie war froh darüber. Wäre sie allein gewesen, hätte sie angenommen, sie habe den falschen Weg eingeschlagen. Wassergefüllte Schlaglöcher mit den Ausmaßen kleiner Seen machten die Straße beinahe unpassierbar. Hinter einem hohen Drahtzaun erkannte sie das Lager, das die Stadt ihren ausländischen Gästen gebaut hatte. Pfützen umgaben die Baracken. Niemand zeigte sich an den Fenstern oder vor den Türen. Gleich daneben begann der Müllberg, den sie auch aus der Zeitung kannte. Die Wirklichkeit war beklemmender als das Foto. Aasgeier in Gestalt von Möwen und Raben zu Zehntausenden hielten den Platz besetzt.

Bella versuchte sich die Situation im Sommer vorzustellen, wenn der Müllberg nicht wie jetzt erfroren und mit Schnee bedeckt dalag, sondern in der Hitze vor sich hin stank, wurde aber abgelenkt durch einen Mann auf einem klapprigen Fahrrad, der in Schlangenlinien am Rand der durchlöcherten Straße dahinfuhr. Sie versuchte so langsam zu fahren, daß er nicht naß wurde, jedenfalls nicht durch sie.

Der Platz, auf dem die Soldaten ihre Essensausgabe eingerichtet hatten, war leicht gefunden; sie brauchte nur den vor ihr fahrenden Wagen nachzufahren und anzuhalten, als die anderen anhielten. Sie stieg aus und ging ihnen nach.

Früher war hier der Eingang, hörte sie einen alten Mann neben sich sagen, als sie angekommen war. Die Reste eines gemauerten Portals waren zu erkennen, dahinter verwahrlostes Gelände, Hügel über ein paar unterirdischen Bunkern, in der Ferne unordentlich abgestellte, vielleicht schrottreife Militärlastwagen.

Wird das hier noch genutzt? fragte sie den Mann, der neben ihr stehengeblieben war.

Ist ein Rest Bundeswehr drauf, sagte er, davor war hier die NVA, na ja, und davor Adolf seine. Ach ja, und zwischendurch die Russen, natürlich. Die haben als erstes das Portal weggesprengt. Steinerner Reichsadler mit Hakenkreuz. Hat da drüben noch 'ne ganze Weile im Dreck gelegen. Genauso wie die Hangars, die sind auch weg.

Ich finde, es sind wenig Leute hier, sagte Bella. Es waren viel weniger Menschen gekommen, als sie angenommen hatte. Sie zählte dreißig, zu denen hin und wieder noch jemand dazukam, allerdings niemand aus den verwahrlosten Häusern, die außerhalb des Flugplatzgeländes standen. Vielleicht hatten hier früher die Familien gewohnt, deren Männer auf dem Flugplatz beschäftigt gewesen waren.

Nee, sagte der alte Mann, die haben hier auch ihren Stolz. Vielleicht haben sie's ja auch nicht nötig.

Und Sie? fragte Bella, was ist mit Ihrem Stolz? Sie fand ihre Frage indiskret und ärgerte sich darüber, aber der Alte war nicht beleidigt.

Nee, sagte er, so was 'hab ich nicht. Nur Lust auf 'ne warme Suppe. Er sagte es in abschließendem Ton und entfernte sich ein paar Schritte von Bella, hin zu dem großen Suppentopf. Von der anderen Seite der Straße her kam eine alte Frau auf einem Fahrrad angeradelt. Bella erkannte die Alte, die sie vor ein paar Tagen in der Garderobe des Hotels nach Christa Böhmer gefragt hatte. Ein Kochgeschirr hing am Lenker des Fahrrads. Bella ging durch das gesprengte Portal, vorbei an den Suppe austeilenden Soldaten. Niemand hinderte sie daran, auf den am nächsten gelegenen Hügel zu klettern. Keines der Bilder des Flugplatzes, das sie im Archiv gesehen hatte, entsprach der Wirklichkeit. Vor ihr lag ein großes verwahrlostes Gelände, sie konnte sich nicht vorstellen und würde auch nie wissen, was die Böhmer dort gesucht hatte. Sie konnte den Besuch auf dem Flugplatz beenden. Vorsichtig rutschte sie den schneebedeckten Hügel hinab und verließ das Gelände. Sie ging zurück zu ihrem Wagen, ohne das kleine Häufchen Essender noch einmal anzusehen. In der Luft hing der Geruch von Erbsensuppe.

Sie hatte die Wagentür aufgeschlossen und wollte einsteigen, als sie angerufen wurde. Die Alte war hinter ihr hergeradelt. Das Kochgeschirr klapperte leer gegen die Lenkstange.

Ja? sagte Bella.

Die Frau war mindestens achtzig, sprang aber so behende vom Rad, daß Bella nicht umhin konnte, sie zu bewundern.

Waren Sie das nicht, die neulich nach dem Giese gefragt hat? sagte sie. Sie hätte eigentlich ein freundliches Gesicht gehabt, nach der Anordnung der Runzeln zu schließen, jetzt sah sie ernst aus. Und entschlossen, dachte Bella, anders jedenfalls als vor ein paar Tagen.

Seine Frau hat sich aufgehängt, sagte die Alte, drüben auf dem Bierkeller. Ich bin eben daran vorbeigekommen. Ich hab' der Polizei Bescheid gesagt, da vorn von der Telefonzelle.

Danke, sagte Bella, wo kann ich Sie treffen, im Hotel?

Schon möglich. Sie können es auf jeden Fall dort versuchen.

Bierkeller, dachte Bella, während sie schneller fuhr, als die schlechte Straße es zuließ, auch so ein Wort aus der Vergangenheit. Es ist, als ob ich irgendwelchen Kürzeln nachlaufe, deren Bedeutung ich nicht verstehe, die mich aber trotzdem voranbringen.

Die Frau trug Socken und ein Nachthemd. Zwischen dem Saum und den Socken waren eine Handbreit ihre wächsernen Beine zu sehen. Sie schwang ganz leicht im Wind hin und her, so als gebe sich der Wind Mühe, ihre Blöße unter dem Hemd bedeckt zu halten, oder als schützten sie die dicken Baumstämme und die dichten Sträucher rundherum. Am anderen Ende des Seils lag ein Schlitten. Nirgendwo war ein Werkzeug zu sehen, mit dem sie das Schloß am Tor des Zauns hätte aufgebrochen haben können. Das Schloß mußte schon offen gewesen sein, als die Frau kam. Oder war sie über den Zaun gestiegen?

Bella ging durch das halb offenstehende Tor auf die Tür des Kellers zu. Auch dort war ein Schloß. Es hing an einem eisernen Riegel, dessen Schrauben locker in der Wand steckten. Sie konnte den Riegel herausnehmen und die Tür öffnen.

Die Sirene eines Polizeiwagens kam näher. Bella steckte die Schrauben zurück in die Wand und ging zum Weg vor dem Zaun. Sie hatte keine Lust auf Polizei. Auf dem Weg zu ihrem Wagen kam sie an dem Schild vorbei, auf dem erklärt wurde, hinter dem Zaun befinde sich eines der letzten Fledermaus-Schutzgebiete.

Natürlich, die Fledermaus, die das kleine Mädchen in den Händen gehalten hatte. Fledermäuse schliefen im Winter, besonders wenn sie in Ruhe gelassen wurden.

Sie erreichte ihren Wagen, bevor die Polizei von der anderen Seite her in den Weg zum Bierkeller einbog. Einen Augenblick blieb sie in sicherer Entfernung stehen und beobachtete das aufgeregt blinkende Blaulicht.

Sie würde mit Giese reden und dann verschwinden. Der Rest war Sache der Polizei. Sie wendete ihren Wagen, erreichte die Landstraße und fuhr bis an den Weg, der zu Gieses Gasthaus führte. Unterwegs kam ihr ein Feuerwehrwagen mit eingeschalteter Sirene entgegen.

Den Wagen ließ sie am Straßenrand stehen. Auf dem Weg zu Gieses Restaurant sah sie Fußspuren im Schnee, die eine Frau in Socken hinterlassen hatte, einen Schlitten hinter sich herziehend. Niemand begegnete ihr. Ohne die Sirene der Polizei und das Bild der Frau im Baum, das sie im Kopf hatte, hätte die Landschaft eine verschneite Bilderbuchlandschaft sein können.

Das Gartentor war angelehnt. Bella ging auf die Tür des Gasthauses zu. Auch diese Tür war nicht geschlossen. Stimmen waren zu hören. Sie bemühte sich, leise einzutreten. Die Stimmen kamen aus dem Restaurant.

Ich hab' keine Ahnung, wo Mutter ist, sagte Giese, und ihr werdet sie gefälligst mit eurer Idee in Ruhe lassen. Sie hat so schon genug Sorgen.

Weil du sie genauso ausnutzt wie uns.

Das war eine Männerstimme. Bella blieb stehen und wartete. Giese brauchte anscheinend ein wenig Zeit, um Luft zu holen.

Vater, versteh doch. Wir wollen hier weg. Du und Mutter, ihr seid jung genug, um das Geschäft noch ein paar Jahre allein zu führen. Euch macht es nichts aus, wenn die Gäste ihre Witze machen. Ossi – das ist doch wie Ochse. Drüben gibt es Arbeit genug. Ich hab' doch hier was gelernt –

Der jungen Frau kippte die Stimme, sie begann zu schluchzen.

Jawohl, hier hast du was gelernt, hier und nicht

drüben. Und jetzt einfach abhauen. Von Verantwortung wollt ihr nichts wissen. Ihr seid hier aufgewachsen, dies ist euer Land, eure Geschichte, Mutter hat immer gesagt –

Komm, Karin, es hat keinen Zweck. Jetzt macht uns dein Vater noch für die Geschichte verantwortlich. Jochen hat recht. Er ist nichts weiter als ein Opportunist. Soll er doch die Geschichte aufarbeiten, mir reicht's. Und daß du's weißt: Karin und ich, wir haben uns beworben, bei VW, und eine Zusage bekommen. Am Ersten ist hier der Letzte. Mit Mutter reden wir allein.

Den letzten Satz sagte er leiser, seine Schritte kamen auf die Tür zu. Bella hatte keine Zeit mehr zu verschwinden. Die beiden jungen Leute standen plötzlich vor ihr, sahen sie an und gingen weiter, ohne sich um sie zu kümmern. Die Pendeltür schwang hinter ihnen hin und her.

Kurz sah sie Giese im Restaurant stehen. Er blickte den beiden nicht nach, sondern starrte vor sich hin auf den Fußboden. Bella blieb stehen und überlegte.

Ein geschlagener Mann, dachte sie, vielleicht ein günstiger Augenblick, um ihn zum Reden zu bringen. Dann fiel ihr ein, daß seine Frau tot war. Sie würde es ihm sagen müssen. Mußte sie wirklich? Es dauerte eine Weile, bis sie sich entschloß hineinzugehen.

Er hatte keine Zeit mehr gehabt, nachzusehen, wann die Frau eingeschlafen war. Die Gäste hielten ihn in Bewegung. Und dann, als er schon dachte, es wäre gleich Feierabend, war diese Frau noch aufgetaucht; das heißt, aufgetaucht war sie schon vorher, sie war ihm bloß nicht mehr aufgefallen. Hatte die ganze Zeit in der halbdunklen Veranda gesessen und gelesen. Jedenfalls lag ein Buch neben ihrem Glas, als er an ihren Tisch kam. Vielleicht hatte sie ja gar nicht gelesen, sondern ihn beobachtet. Das war ihm egal. Als sie dann wirklich von der Böhmer anfing, war er gewarnt. Außerdem hatte er seine Vorsichtsmaßnahme schon längst getroffen. Sollten sie die doch woanders suchen, wenn sie nicht nach Hause kam. Von hier war sie abgereist. Als die Frau ging, war er sicher, sie beruhigt zu haben. Beruhigt – dabei wußte er nicht einmal, ob sie überhaupt gefährlich war. Als die Verliebten davonschwankten, hatte er im Restaurant schon aufgeräumt. Er mußte nur noch die Haustür abschließen und nach oben gehen.

Die Frau lag da und schlief. Er konnte lange nicht schlafen.

Je mehr er darüber nachdachte, desto sicherer war er, daß die ganze Sache noch nicht ausgestanden war. Irgendwann würden sie die Polizei zu ihm schicken. Er mußte sich darauf vorbereiten. Sie würden nach Spuren suchen. Es gab keine Spuren im Haus. Er hatte die Leiche über den Fußboden gezogen und die Kellertreppe hinunter. Blutspuren konnten sie wieder sichtbar machen, das wußte er. Da war eine Geschichte im Fernsehen gewesen. Ein junger Mann hatte seine Eltern und seinen Bruder geschlachtet und in Säure aufgelöst. Danach hatte er sich vier Wochen Zeit gelassen, um das Haus zu säubern. Vier Wochen hatte er geputzt. Dann war er sicher gewesen, daß keine Spuren mehr da waren, und er war zur Polizei gegangen. Um seine Leute als vermißt zu melden. Hätte er auch zur Polizei gehen sollen? Quatsch, er vermißte die Böhmer ja nicht. Jedenfalls hatte die Polizei irgendeinen Verdacht geschöpft und das Haus durchsucht. Gefunden worden war nichts. Erst beim dritten Mal waren sie dann mit irgendeinem chemischen Zeug gekommen, das sie überall verstrichen hatten. Und dann war plötzlich das ganze Haus voller Blut gewesen.

An seinem Fußboden konnten höchstens Fusseln hängengeblieben sein. Inzwischen war hundertmal aufgewischt worden, auch die Kellertreppe. Außerdem wußten sie ja gar nicht, was die Böhmer angehabt hatte. Sie wußten nicht, wonach sie suchen sollten. Der Gedanke beruhigte ihn ein wenig.

Plötzlich fiel ihm das aufgebrochene Schloß des

Bierkellers ein. Er hatte es nicht in Ordnung gebracht. Am liebsten wäre er sofort aufgestanden, um nachzusehen, ob es noch nicht verrutscht war. Er mußte sich zusammennehmen, um ruhig liegen zu bleiben. Im Bierkeller gab es Spuren, das war klar. Sie würden mit der Zeit verschwinden. Es durfte nur niemand vorher auf die Idee kommen, dort nachzusehen. Der einzige Grund, der sie auf die Idee bringen könnte, den Bierkeller zu durchsuchen, war das Schloß. Wenn das Schloß in Ordnung war, gab es keinen Grund, Verdacht zu schöpfen. Er mußte das prüfen.

Nur der Frau nichts davon sagen. Sie schlief jetzt fest. Vielleicht würde es ihr morgen schon besser gehen. Er hätte es ihr nicht sagen sollen. Sie tat ihm leid. Er hätte gern seine Hand nach ihr ausgestreckt und sie getröstet. Aber er fürchtete, sie aufzuwecken. Er lag da, dachte an den warmen Körper seiner Frau und begriff plötzlich, daß er selbst Trost brauchte. Der Gedanke erschreckte ihn.

Er begann sich einzureden, das alles in Ordnung sei, ganz einfach, mit Sätzen, die er wiederholte: Alles in Ordnung, alles in Ordnung, keine Leiche im Keller, so, wie andere Schäfchen zählen, wenn sie nicht einschlafen können. Aber dachte er »Leichen« anstatt »Leiche«. Und plötzlich war das Andere wieder dagewesen, und er hatte sich gefürchtet.

Irgendwann, als er begriff, daß er nicht einschlafen würde, war er aufgestanden und hatte sich eins dieser weißen Dinger aus dem Bad geholt. Es dauerte trotzdem noch eine Weile, bis er sich beruhigte.

Und dann hatte er verschlafen. Es war zehn Uhr

gewesen, als er aufwachte. Die Frau war schon aufgestanden. Er blieb noch eine Weile liegen. Erst als es noch immer nicht nach Kaffee roch und von unten kein Laut zu hören war, war er aufgestanden, hatte sich angezogen und war hinuntergegangen. Sie war nicht in der Küche gewesen.

Plötzlich hatte er die Idee gehabt, sie könnte zur Polizei gegangen sein. Er war in den Flur gelaufen und hatte erleichtert festgestellt, daß der Mantel dort hing, wo er hingehörte. Und gerade da waren die Kinder gekommen.

Er stand im Restaurant und sah sich um. Die Einrichtung schien ihm seltsam fremd, so als hätte sie ein anderer ausgesucht. Aber er selbst hatte sie bestellt, nach Bildern, die der Brauereivertreter ihnen gezeigt hatte. Es schien, als sei der Abstand zwischen ihm und den Möbeln weiter als sonst, als stünden die Dinge ein wenig schräg und er in einer Senke in der Mitte. Es war nur eine winzige Schräge, aber er spürte sie so deutlich, daß er fürchtete, die Möbel und die schwere Theke könnten auf ihn zurutschen und ihn einschließen. Er schüttelte den Kopf. Was für ein Unsinn, dachte er, das sind die Nachwirkungen der Tablette, ich will einen Schnaps trinken.

Er stand hinter der Theke, als die Schwingtür geöffnet wurde und Bella eintrat.

Geben Sie mir auch einen, sagte sie und hörte, wie das Glas gegen die Flasche schlug, das er in der Hand hielt.

Die alte Frau Günther hatte ihr Fahrrad gegen die Mauer gelehnt, bevor sie sich in die Schlange einreihte, die vor dem Suppentopf stand. Ein scharfer Ostwind war aufgekommen. Sie hatte ihn auf der Herfahrt im Rücken gespürt, und jetzt pfiff er ihr um die Ohren. Auf dem Heimweg würde sie Mühe haben, gegen ihn anzukommen. Am Bierkeller fuhr sie nicht noch einmal vorbei. Das stand fest. Obwohl sie die Frau dann wahrscheinlich schon abgenommen hatten.

Das war eine Idee: im Nachthemd dahin gehen und sich aufhängen. Vielleicht wollte sie zu Hause keine Umstände machen. Ging ja wohl auch kaum einer in ein Restaurant, wenn da ein paar Tage vorher jemand gehangen hatte. Aber warum? Die waren doch fein raus. Das Restaurant lief gut. Das Haus gehörte ihnen. Ihr Mann war im Gemeinderat. Nur weil der sich um hundertachtzig Grad gedreht hat, bringt man sich doch nicht um.

Geht's da vorn nicht ein bißchen schneller, rief der Mann vor ihr. Uns ist kalt.

Das sind alles junge Kerle. Haben Sie gesehen, wie die mit der Kelle umgehen? Tolpatschiger kann man sich gar nicht anstellen.

Früher haben sie wenigstens Musik dabei gehabt, erwiderte der Mann, immer noch unzufrieden darüber, daß er warten mußte, aber schon ein wenig ruhiger.

Früher, früher, sagte die Alte, früher, mein Lieber, hätte man dich in deinem Alter noch zum Volkssturm geholt. Oder, wer weiß, vielleicht hättest du mit einem Holzbein vor mir gestanden. Na ja, das wär dir dann wenigstens nicht kalt geworden.

Der Mann vor ihr sagte nichts mehr. Die Schlange rückte langsam vor.

Der Wind war wirklich kalt. Wenigstens würde sie das Dicke von unten kriegen. In diesen großen Töpfen war das Dicke immer unten.

Der Dienst im Hotel begann erst um fünf. Wenn sie sie sowieso rauswerfen würden, könnte sie auch gleich hingehen. Der Gedanke daran, daß sie in der warmen Hotelhalle im Sessel sitzen und ihre Suppe löffeln würde, stimmte sie fröhlich. Eigentlich hatte sie vorgehabt, nach Hause zu fahren und dort zu essen. Aber bei dem Wind. Einen Löffel würden sie ihr in der Küche wohl geben.

Na, Oma, sagte der Soldat, dem sie das Kochgeschirr hinhielt, dein Kochgeschirr ist wohl auch noch von damals? Hat schon ’ne Menge mitgemacht, was?

Jawohl, sagte die Alte, Sachen, die du hoffentlich nicht mitmachen mußt. Mach richtig voll, mein Junge.

Der Soldat lachte und füllte das verbeulte Geschirr vorsichtig bis zum Rand mit Suppe. Die Alte trat zur Seite und klappte den Deckel darüber. Sie sah sich suchend um, entdeckte das Rad an der Mauer, ging hin und hängte den Eßnapf an den Lenker. Sie wendete das Rad, schob es auf die Straße und stieg auf.

Schon nach ein paar Metern spürte sie, wie schwer es war, gegen den Wind zu fahren. Eine kleine Strecke lang versuchte sie es trotzdem. Dann gab sie auf, stieg ab und schob das Rad neben sich her. Sie beugte sich vor, so daß ihr Kopf auf gleicher Höhe mit dem Lenker war und versuchte ein wenig schneller zu gehen. Sie brauchte Zeit, um den richtigen Rhythmus beim Gehen zu finden, aber dann ging es ganz gut.

Ihre Gedanken kehrten zurück zu der Frau im Baum. Manche Bilder vergißt man nicht, dachte sie, vielleicht, weil ich sie schon als Kind gekannt hab'. Komisch, daß man nie weiß, was aus den Kindern wird, wenn sie erwachsen werden. Obwohl, zu dem Giese hat sie nicht gepaßt. Jeder hat sich gewundert, als die Hochzeit bekannt wurde. Waren ja Zeiten, wo man keine großen Hochzeitsfeiern machte, damals. Besonders, wo die Familie zu denen gehört hat, die verfolgt worden waren. Was man ja von seiner Familie nicht gerade sagen kann. Sie blieb stehen, richtete sich auf und sah nach vorn. Wenn ich die Straße erreicht habe, wird es leichter gehen, dachte sie, dann kann ich wieder aufsteigen.

Die alte Frau brauchte fast eine Stunde, bis sie das Hotel erreicht hatte. Als sie abstieg und ihr

Rad in den Fahrradständer neben dem Eingang schob, spürte sie, daß ihr die Knie weh taten. Die Suppe in dem Blechgeschirr war kalt geworden. Sie ging quer durch das Foyer, durch einen Seitenkorridor in die Küche und bat den Koch, die Suppe aufzuwärmen. Als sie zurückkam, hielt sie einen Löffel in der Hand und trug das Kochgeschirr vor sich her. An der Rezeption standen zwei Kofferträger und schäkerten mit dem Mädchen in der durchsichtigen Bluse. Die Alte suchte sich einen bequemen Sessel, ließ sich nieder und begann zu essen. Niemand kümmerte sich um sie.

Giese stellte die Flasche ab und sah Bella an. Unter seinen Augen entwickelten sich langsam zwei rote Dreiecke, rechts und links begrenzt von den Wangenknochen und den Falten neben seinen Nasenflügeln. Die Hand, die das Schnapsglas hielt, zitterte immer noch. Das lautlose Zittern wirkte auf Bella erschreckender als das Klappern der Flasche am Glas. Es fiel ihr schwer, den Blick von der Hand abzuwenden. Sie starrte darauf, bis Giese sich mit einer plötzlichen Anstrengung zusammennahm, das Glas zum Mund führte und das leere Glas mit einem lauten Schlag auf den Tresen setzte.

Was wollen Sie hier? Wir haben geschlossen, sagte er, hörbar bemüht, seiner Stimme einen forschen Klang zu geben.

Erst mal möchte ich einen Schnaps. Und dann will ich mit Ihnen reden.

Bella blieb ruhig und freundlich. Der Mann vor ihr war am Ende, aber er wollte es nicht zugeben, vielleicht nicht einmal vor sich selbst. Er würde versuchen zu kämpfen. Sie hatte keine Ahnung, ob er ein guter Kämpfer war. Sie nahm eher an, er würde schnell aufgeben. So oder so, er war ihr nicht gewachsen, und sie hatte keine Lust, auf einem am Boden Liegenden herumzutrampeln.

Setzen Sie sich hin, sagte sie, den Schnaps kann ich mir selbst einschenken. Ich nehme an, Sie können auch noch einen gebrauchen. Giese antwortete nicht. Sie ging an ihm vorbei, um ein Glas zu suchen.

Raus hier, sagte er leise. Bella kümmerte sich nicht um ihn, nahm ein Schnapsglas aus dem Regal hinter der Theke, griff an Giese vorbei nach dessen Glas und stellte beide Gläser nebeneinander. Als sie die Flasche in die Hand nahm, stieß er sie so unvermittelt zur Seite, daß sie das Gleichgewicht verlor. Sie wäre gefallen, wenn das Querbrett des Tresens sie nicht aufgehalten hätte.

Das ist immer noch mein Laden, hörte sie Giese sagen, während sie sich aufrichtete und die schmerzenden Rippen hielt. Seine Hand zitterte nicht mehr, als er die Gläser bis zum Rand füllte. Seine Stimme war fester als vorher.

Sieh an, dachte Bella, was so eine kleine aggressive Handlung alles bewirken kann. Nur nicht mit mir, Freundchen.

Ich hoffe für Sie, daß Sie Rücklagen haben, sagte sie. Ihr Verteidiger wird Sie eine Menge Geld kosten. Nützen wird es übrigens nichts. Deshalb glaube ich, Sie werden nicht mehr viel Freude an dem Laden hier haben, wenn Sie ihn nicht sowieso verkaufen müssen. Wegen der Kosten für die Verteidigung, meine ich.

Jetzt trinken Sie Ihren Schnaps und dann machen Sie, daß Sie rauskommen, sagte Giese, während er den Platz hinter der Theke verließ und sich so an den Stammtisch setzte, daß er Bella im Auge behalten konnte. Bella sah hinter ihm die Wand mit den Rehgeweihen und auf den Tischen die Weihnachtssterne. Plötzlich empfand sie einen großen Widerwillen gegen den Mann, der da vor ihr saß und versuchte überlegen zu wirken. Sie hatte keine Lust mehr, auch nur eine Minute länger als nötig zu bleiben.

Sie haben Christa Böhmer getötet, sagte sie. Ich weiß noch nicht, wie. Aber ich weiß, wo Sie die Leiche versteckt haben. Und in weniger als ein paar Stunden wird die Polizei es ebenfalls wissen.

Giese starrte sie an. Die Dreiecke unter seinen Augen wurden wieder stärker.

Sie sind von der Polizei, sagte er. Bella ließ seine Feststellung unbeantwortet.

Sagen Sie mir, weshalb, antwortete sie. Die Frau ist über vierzig Jahre nicht hier gewesen. Dann kommt sie ein paarmal zu Ihnen, und Sie bringen sie um. Was war der Grund? Was hatten Sie von ihr zu befürchten?

Giese antwortete nicht. Wenn sie ihm jetzt Zeit ließe, wenn sie vorsichtig mit ihm umginge, würde er nichts sagen.

Na gut, dachte sie, du hast es nicht anders gewollt. Sie nahm die Flasche, ging zu Giese an den Stammtisch und füllte sein Glas. In ihrem Rücken knackte die Kuckucksuhr. Sie stellte die Flasche auf dem Tisch ab und setzte sich Giese gegenüber. Das Knacken hörte auf. Einen Augenblick lang war es sehr still. Vor dem Fenster begann es wieder zu schneien. Es roch nach verbrannten Tannenzweigen. Neben dem Messingschild mit der Aufschrift STAMMTISCH stand eine kleine weiße Porzellanschale, in der zwei Herzen lagen. Die Herzen waren in rotes Stanniolpapier eingewickelt.

Giese starrte mit gesenktem Kopf auf sein volles Glas.

Ihre Tochter und Ihr Schwiegersohn gehen in den Westen, sagte Bella.

Er hob den Kopf und sah sie an.

Was Jochen von Ihnen hält, wissen Sie ja.

Er nahm den Kopf ein wenig zurück. Er sah aus, als wolle er einer Ohrfeige ausweichen.

Gestern abend hat Ihre Frau dort durch die Tür gesehen. Sie hatte Angst. Ihre Frau ist tot, sagte Bella. Sie hat sich erhängt.

Er hätte es überwunden. Die Sache mit den Kindern hätte er überwunden. Vielleicht hätte er sich damit getröstet, daß sie eines Tages zurückgekommen wären. Mancher war schon zurückgekommen. Jochen war ein Spinner. Den mußte man nicht ernst nehmen. Den nahm niemand mehr ernst. Der verkaufte nicht mal seine Bilder. Aber die Frau. Wie viele Jahre hatten sie nachts nebeneinandergelegen? Ja, sie war dumm gewesen. Aber das war gleich. Sie hatte zu ihm gehalten. Sie war sogar jetzt nicht zur Polizei gegangen. Mit ihrem Körper hatte sie ihn getröstet. Zusammen hätten sie es geschafft. Er hatte ihr die Reise versprochen. Sie wären in den Süden gefahren. Wein probieren. Eine neue Dauerwelle.

Wir wollten in den Süden, sagte er leise. Ich

hatte es ihr versprochen. Sie hat nicht durchgehalten.

Sie hat es gewußt, sagte Bella. Hat sie Ihnen geholfen?

Im Sommer ist sie gekommen, sagte Giese. Sie wollte wissen, was mit ihrem Vater war. Ich hab' ihr gesagt, ihr Vater war in Ordnung. Aber sie ist immer wieder gekommen, mit Fotos, auf denen war er in Uniform. SS. Die hätte nicht locker gelassen. Die Vergangenheit wollte sie aufarbeiten. Ich hab' ihm geholfen, damals. Er machte eine Pause. Als er weitersprach, war seine Stimme so leise, daß Bella sich Mühe geben mußte, um ihn zu verstehen.

Januar 1945. Ich bin Briefträger. Die HJ-Jungen sind jetzt Briefträger. Das Haus nebenan ist schon leer. Die Leute sind vor den Russen abgehauen. Sie bekamen noch Post. Ich ging hin, und da war er drin. Er hat sie gefunden.

Giese schwieg.

Wen hatte er gefunden, fragte Bella.

Es sind zwei Männer und eine Frau. Sie sehen schrecklich aus, verhungert. Er sagt, die Schweine sind aus dem KZ abgehauen. Aber sie sind nicht schlau genug. Sieh dir doch ihre Visagen an, da siehst du gleich, was mit ihnen los ist. Die Jüdlein haben gedacht, sie können sich hier verstecken. Wir haben sie in den Garten gebracht. Sie waren ganz leicht. Einer –

Giese sprach nicht weiter. Bella drängte ihn nicht. Sie saß da und sah den Mann in der schwarzen Uniform, der die Flüchtigen umbrachte, und den Jungen, der ihm dabei half. Ihr wurde übel.

Sie stand auf.

Ich gehe jetzt, sagte sie. Ich nehme an, die Polizei wird bald hier sein. Erzählen Sie denen Ihre Geschichte.

Giese rührte sich nicht. An der Tür sah sie sich noch einmal um. Er saß da, inmitten der weißgedeckten, weihnachtlich geschmückten Tische, seine Hände lagen ruhig auf der Tischplatte. Er sah ihr nicht nach. Bella glaubte zu wissen, was er sah.

Draußen holte sie tief Luft. Ein paar Schneeflocken fielen auf ihre Lippen. Sie hielt ihr Gesicht einen Augenblick dem Schnee entgegen, bevor sie zurück zum Wagen ging. Es war immer noch Sonntag. Aus den Schornsteinen der Siedlungshäuser stieg der Rauch gerade in die Höhe. In den Backöfen schmorten die Sonntagsbraten. Die Gärten waren verschneit. In einem der Gärten lagen Tote unter dem Schnee. Sie war froh, als sie ihr Auto erreicht hatte.

Sehr langsam fuhr sie zurück. Sie würde das Auto abgeben und in der Billardkneipe sitzen bleiben, bis ihr Zug fuhr.

Die Böhmer hatte Giese mit ihren Fragen Angst gemacht. Er mußte glauben, sie würde nicht locker lassen. Irgendwann wäre sie auf eine Spur des Verbrechens gestoßen. Man hätte Nachforschungen angestellt. Er mußte gefürchtet haben, mit der Geschichte konfrontiert zu werden. Das hätte seine Pläne zunichte gemacht.

Er konnte ja nicht wissen, daß die Böhmer wahrscheinlich gar nicht daran interessiert gewesen war, die üble Vergangenheit ihres Vaters an die große Glocke zu hängen. Wenn sie so dachte wie ihre

Mutter, würde sie wahrscheinlich eher Entschuldigungen für ihn gefunden haben; ganz davon abgesehen, daß der Staat nicht besonders daran interessiert war, Verbrechen dieser Art aufzuklären. Wahrscheinlich hatte Giese auch das falsch eingeschätzt.

Die Feuerwehr und die Polizei waren abgezogen. Der Hohlweg, der zum Bierkeller führte, lag verlassen da. Die Polizei war nicht aus dem Dorf, sondern aus der Stadt gekommen. Es würde also noch eine Weile dauern, bis sie herausgefunden hatten, wer die Tote war.

Einen Augenblick überlegte Bella, ob sie anrufen und den Namen der Frau sagen sollte. Dann entschied sie sich dagegen. Wenn sie ihren Namen angab, würde sie aufgefordert werden zu warten.

Wahrscheinlich würde sie ihren Zug nicht mehr bekommen. Der Gedanke, noch eine Nacht in der Gegend zu verbringen, gefiel ihr nicht. Vielleicht hätte sie anrufen und ihren Namen verschweigen sollen. Aber sie ließ es sein, fuhr langsam auf die Stadt zu, durch eine Wand von Schnee, die nur hin und wieder zur Seite geblasen wurde. Dann sah sie einen hohen, schlanken und einen fast so hohen, breiten Kirchturm, ein seltsam altmodisch anmutendes Bild, wie von Caspar David Friedrich gemalt.

Als sie auf der linken Seite der Straße das Hotel erkannte, in dem sie am Anfang ihres Aufenthalts die Garderobenfrau nach der Böhmer gefragt hatte, bog sie kurzentschlossen von der Straße ab. Die alte Frau hatte ihr gefallen. Sie wollte sich von ihr verabschieden. Auf dem Parkplatz vor dem

Hotel standen nur wenig Autos. Sie stieg aus, warf die Tür ins Schloß und ging zum Eingang. Den Wagen, der von der Straße abbog und ebenfalls auf den Hotelparkplatz zusteuerte, beachtete sie nicht.

Als Bella das Restaurant verließ, sah Giese ihr nach. Er sah, wie sie ihr Gesicht dem Schnee entgegenhielt. Sie sah aus, als genieße sie den Schnee auf ihrer Haut. Sie sah so lebendig aus. Sie sah aus, als ginge es ihr gut, weil sie ihn reingelegt hatte. Er konnte fühlen, während er dasaß und wartete, daß sie vor den Fenstern verschwand, wie die Wut in ihm entstand. Es war ein schönes Gefühl, anders als alles, was er bisher empfunden hatte. Als die Frau am letzten Fenster vorbeigegangen war, sie ging langsam, mein Gott, weshalb geht sie so langsam, stand er auf und ging in den Keller.

Er hatte die Pistole nicht weggeworfen, wie der Nachbar ihm geraten hatte. Sie lag, in Ölpapier eingeschlagen und hin und wieder sorgfältig gereinigt, unter dem Angelzeug. Er hatte ja auch das Gift nicht weggeworfen, das der Nachbar ihm damals gegeben hatte.

Für alle Fälle, wir von der SS werden denen nicht in die Hände fallen. Und du gehörst jetzt zu uns.

Natürlich lag die Pistole noch da. Für alle Fälle. Für jetzt. Er verließ das Haus durch die Vordertür, setzte sich in seinen Wagen und fuhr langsam an der Vorderseite der Siedlungshäuser entlang. Kurz bevor er die Straße erreichte, hielt er an. Er konnte sehen, wie die Frau, die dafür verantwortlich war, daß seine Frau nicht durchgehalten hatte, ruhig in ihr Auto stieg und davonfuhr.

Sie würde nicht weit kommen. Sie kamen hierher, zerstörten das Leben anderer und gingen wieder. So, als sei nichts geschehen. Sie hatten kein Recht dazu. Er war nicht anders als sie. Auf ihm konnte niemand herumtrampeln.

Als er durch die Hoteltür ging, hielt er die Pistole in der Hand. Das Mädchen an der Rezeption sagte leise »huch«. Die alte Frau im Sessel blickte ihm entgegen. Bella sah die Veränderung in ihrem Gesicht und wandte sich um. Giese gab zwei Schüsse ab, traf die Alte zweimal in die Brust und drückte ein drittes Mal ab. Diesmal versagte die Pistole. Bella lief auf ihn zu. Er machte keine Anstalten zu fliehen. Sie nahm ihm die Pistole aus der Hand, zog ihre eigene Waffe und richtete sie auf Giese.

Rufen Sie die Polizei und einen Krankenwagen, sagte sie laut. Schneller, als sie erwartet hatte, drückte das Mädchen die Telefontasten.

Bella saß in der Billardkneipe und wartete auf ihren Zug.

Es war das übliche Theater gewesen. Die Polizei kam, aufgeregter, als sie hätte sein sollen. Der Kripomann, den sie schon kannte, sprach mit den wenigen Menschen, die sich zur Zeit der Tat in der Halle des Hotels aufgehalten hatten. Die alte Frau war sofort tot gewesen. Die Leiche wurde untersucht, fotografiert und später abtransportiert. Giese war nicht ansprechbar. Man brachte ihn weg. Bella war sicher, er würde auch in den kommenden Tagen nicht reden. Vielleicht später, wenn er einen guten Anwalt bekam. Aber Anwälte, wie er einen gebraucht hätte, gab es nicht viele.

Sie bezeichnete sich als Touristin, die zufällig mit der alten Frau gesprochen hatte, als der Mann die Hotelhalle betrat. Sie erzählte wahrheitsgemäß, daß sie über deren plötzlich veränderten Gesichtsausdruck erstaunt gewesen sei und sich umgewandt habe.

In dem Augenblick hat der Kerl geschossen, sagte sie.

Sie sagte nicht, daß die Schüsse ihr gegolten hatten und niemand fragte danach. Es gab zwei kritische Augenblicke während der Vernehmung. Der Kripomann hatte zuerst mit der Frau an der Rezeption gesprochen. Bella wußte nicht, ob die Frau den Revolver erwähnt hatte, den sie, völlig überflüssig, wie sie inzwischen fand, einen Augenblick auf Giese gerichtet hatte. Aber die Frau erwähnte den Revolver nicht. Sie litt an der üblichen Zeugenverwirrung und versuchte immer wieder darzustellen, wie Oma Günther sich aus dem Sessel aufgerichtet und ein ums andere Mal gerufen hatte: Nein, nicht. Nichts davon war wirklich geschehen.

Das zweite Problem ergab sich, als der Polizist fragte, ob sie Giese kannte.

Darauf hatte sie sich eine Antwort zurechtgelegt, während sie auf die Polizei warteten. Die Frage war, ob sie ausreichte.

Sie sagte, sie habe vor ein paar Tagen in seinem Restaurant zu Abend gegessen, jedenfalls glaube sie, daß es der Mann gewesen sei, der ihr die Hirschkeule serviert habe. Er habe heute anders ausgesehen, aber sie glaube trotzdem, daß er es sei. Alle Anwesenden und auch die Polizisten waren so fest der Meinung, Giese habe die Absicht gehabt, die alte Frau zu treffen, daß niemand auf die Idee kam, Bella, die Fremde, genauer zu befragen. Sie hatte ihre Adresse hinterlassen müssen. Vielleicht würde sie als Zeugin gebraucht werden.

Jetzt, während sie in der Kneipe saß, dachte sie, daß eine Ladung als Zeugin davon abhängig war, ob es einem Anwalt gelang, Giese davon zu überzeugen, daß er reinen Tisch machen sollte. Sie hielt es für unwahrscheinlich. Am Nebentisch saßen vier Männer und eine Frau. Hin und wieder hörte sie Bruchstücke ihrer Unterhaltung. Es ging um den Verkauf von Grundstücken, später um Autos und Urlaubsreisen. Der Billardtisch stand ungenutzt im Halbdunkel.

Irgend etwas ist falsch hier, dachte Bella, ich weiß noch nicht was, aber ich bin ganz dicht dran. Sie sah auf die Uhr. Es war Zeit zu gehen. Sie stand auf und zahlte vorn an der Theke. Die Wirtin nahm das Geld entgegen. Hat's Ihnen bei uns gefallen? sagte sie. Ihre Stimme war so gleichgültig-freundlich wie an dem Tag, als Bella angekommen war. Sie paßte zu den Decken vor den Fenstern, dem Filzvorhang vor der Tür und dem toten Billardtisch.

Bella hängte sich ihre Tasche über die Schulter und trat vor die Tür. Es war kalt, die Straße war leer, in der Ferne war das weiße Licht der Bahnhofslaternen zu erkennen.

Bella war bei Frau Böhmer gewesen und hatte ihr mitgeteilt, daß ihre Tochter ermordet worden war.

Die alte Frau war nicht zusammengebrochen, sondern hatte genickt, als sie hörte, daß die Polizei sich in den nächsten Stunden bei ihr melden würde. Einen kurzen Augenblick dachte sie, Frau Böhmer wisse schon Bescheid, so beherrscht hatte sie gewirkt. Aus den wenigen Fragen, die sie stellte, konnte Bella dann entnehmen, daß noch niemand mit ihr gesprochen hatte. Vielleicht würde sie weinen, wenn sie allein war.

Anschließend war Bella zu Olga gegangen, die voller Neugierde darauf wartete, was ihre Tochter über die Menschen im Osten zu sagen hatte. Bella erzählte wahrheitsgemäß, Olga glaubte ihr kein Wort. Einzig das Wort »Besatzungsarmee«, das Bella gebrauchte, um das Verhalten einiger Westler zu charakterisieren, fand ihre Zustimmung. Bella hatte nicht die geringste Lust verspürt, eine Diskussion über politische Scheuklappen anzufangen. Sie schützte Müdigkeit vor und verabschiedete sich.

Geh ruhig, mein Kind, sagte Olga beim Abschied. Ich bin nur froh, daß du diesen scheußlichen Beruf nicht mehr ausübst.

Bella widersprach ihr nicht – warum sollte sie die alte Frau beunruhigen.

Zu Hause im Arbeitszimmer saß Willy. Sie hatte Kaffee gekocht, vorsichtshalber aber auch Orangensaft und zwei Gläser auf das Tablett neben dem Sessel am Fenster gestellt.

Und? sagte Bella, kein Wodka?

Willy holte die Flasche aus dem Kühlfach. Als sie aus der Küche zurückkam, sah sie Bella so neugierig an, daß die lachen mußte.

Ich fang mal mit dem Ende an, sagte sie, während sie Willy ihr Glas hinhielt. Ich habe begriffen, daß man, wenn man die Freiheit, das Leben will, in seinen Überlegungen von dem Höchsten ausgehen muß, von etwas Wichtigerem, als es Bananen oder ein Auto, Reisen oder gute Geschäfte im landläufigen Sinn sind, oder man braucht überhaupt nicht zu überlegen.

Und? fragte Willy, die Leute da drüben? Haben die das auch begriffen?

Eben nicht, antwortete Bella, weder die da drüben noch die bei uns.

Schamlos, sagte Willy, nachdem sie einen Augenblick geschwiegen hatte.

Was meinen Sie?

Mir ist gerade aufgefallen, daß vor Ihnen schon einmal jemand etwas sehr Ähnliches gesagt hat. Sie lachte.

Ja, sagte Bella, Tschechow über die Liebe. Vielleicht ist es doch nicht so verkehrt, daß Sie inzwischen bei den Slawisten zuhören.

Macht es Ihnen etwas aus, fragte Willy, mir das Tschechow-Zitat zu sagen? Ich hör' Sie so gern reden. Bella trank einen Schluck Wodka mit Orangensaft, bevor sie sagte:

Ich begriff, daß man, wenn man liebt, in seinen Überlegungen von dem Höchsten ausgehen muß, von etwas Wichtigerem, als es Glück oder Unglück, Sünde oder Tugend im landläufigen Sinn sind, oder man braucht überhaupt nicht zu überlegen.

Willy dachte eine Weile nach. Dann sagte sie: Weshalb haben wir eigentlich nie einen Fall mit Liebe, ich meine, so mit richtiger echter Liebe –

Warten Sie ab, antwortete Bella, vielleicht kommt ja auch Liebe vor in dem Fall, von dem ich Ihnen gleich ausführlich erzählen werde. Aber vorher, und bevor es zu spät ist, lassen Sie uns einen Augenblick aus dem Fenster schauen. Haben Sie schon einmal einen so schönen Sonnenuntergang gesehen? Und sie zeigte auf die Elbe, die dalag wie ein Lavastrom, rotglühend und flußaufwärts in ein blaues Grau übergehend, das jedem hanseatischen Kammgarnanzug alle Ehre gemacht hätte.